L

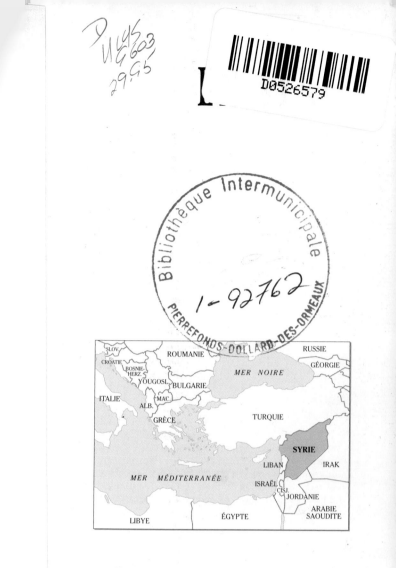

SLOV.
CROATIE
BOSNIE-HERZ.
YOUGOSL.
MAC.
ALB.
ITALIE
GRÈCE
ROUMANIE
BULGARIE
MER NOIRE
RUSSIE
GÉORGIE
TURQUIE
SYRIE
LIBAN
IRAK
ISRAËL
CISJ.
JORDANIE
MER MÉDITERRANÉE
LIBYE
ÉGYPTE
ARABIE
SAOUDITE

# *GUIDES VISA*

Ce guide a été établi par **Serge Bathendier**.

Historien de formation, **Serge Bathendier** est diplômé de l'Institut de Langues Orientales. Spécialiste de l'Orient, de la Méditerranée à l'Asie, il a beaucoup voyagé et écrit pour les éditions Hachette de nombreux guides. Il est l'un des auteurs du Guide Bleu *Inde du Nord* et a rédigé les guides Visa *Inde du Nord* et *Chypre*.

L'auteur tient à remercier la compagnie Cham, et tout particulièrement Mme Rawa Batbouta, directrice des ventes ; Mme Sawssan Jouzy-Bachour, directrice des relations touristiques au ministère du Tourisme ; Issam Halabi, Mamoun al-Halabi, Abdel Hai Kaddour, sans oublier Mme Rola Roukbi, pour leur aide précieuse et leur gentillesse de tous les instants ; M. Khaled Assaad, directeur des Antiquités de Palmyre. Une pensée amicale enfin pour Bashar Siwar qui fut le meilleur des compagnons de voyage.

**Direction :** Isabelle Jeuge-Maynart. **Direction éditoriale :** Isabelle Jendron, Catherine Marquet. **Direction littéraire :** François Monmarché. **Édition :** Élisabeth Cautru. **Lecture-correction :** Jeannine Goulhot, Stéphanie Debord, Pierrick Jégu, Olga Dubost. **Documentation :** Florence Guibert, Isabelle Jullien. **Informatique éditoriale :** Béatrice Windsor, Pascale Ocherowitch. **Maquette intérieure :** Daniel Arnault. **Mise en pages PAO :** Catherine Riand. **Cartographie :** Alain Mirande, Valérie Tantin. **Dessins :** Gilles Grimon, Frédéric Dégranges. **Fabrication :** Gérard Piassale, Caroline Garnier.

---

**Avertissement**

Une nouvelle numérotation téléphonique interviendra en France à l'automne 1996. Le 16 n'existera plus, et le 19 destiné aux communications internationales sera remplacé par le 00. Tous les numéros auront dix chiffres : les 8 chiffres actuels précédés de 01 pour l'Île-de-France, 02 pour le Nord-Ouest, 03 pour le Nord-Est, 04 pour le Sud-Est et 05 pour le Sud-Ouest.

---

**Régie exclusive de la publicité :** Hachette Tourisme, 43, Quai de Grenelle, 75905 Paris Cedex 15. ☎ 43.92.32.52. Le contenu des annonces publicitaires insérées dans ce guide n'engage en rien la responsabilité de l'éditeur.

Aussi soigneusement qu'il ait été établi, ce guide n'est pas à l'abri des changements de dernière heure, des erreurs ou omissions. Ne manquez pas de nous faire part de vos remarques. Informez-nous aussi de vos découvertes personnelles. Nous accordons la plus grande importance au courrier de nos lecteurs. **Guides de Voyage Hachette,** 43, Quai de Grenelle, 75905 Paris Cedex 15.

# SOMMAIRE

## ✈ ALLER EN SYRIE

Toutes les informations nécessaires à la préparation et à l'organisation du séjour.

Une carte « Que voir » accompagnée d'un commentaire sur les plus beaux sites à visiter, des idées pour découvrir une autre Syrie, des suggestions d'itinéraires.

Les mille choses auxquelles il faut penser avant le départ.

De la cuisine aux transports en passant par l'hébergement, les usages ou les sports : ce qu'il faut savoir une fois sur place.

## 🔑 QUELQUES CLÉS POUR COMPRENDRE

L'essentiel sur l'histoire de la Syrie.

Un portrait vivant de la Syrie aujourd'hui.

## ✳ VISITER LA SYRIE

Pour découvrir les principales richesses touristiques du pays, 6 grands itinéraires accompagnés de 14 cartes et plans et, par étapes, les meilleures adresses d'hôtels et de restaurants.

Damas mode d'emploi, 66 – Histoire, 70 – **La vieille ville, 78** – La citadelle, 78 – Le souk Hamidiyé, 79 – Le Bimaristan An-Nouri (musée de la Médecine arabe), 79 – La mosquée des Omeyyades, 80 – Le tombeau de Saladin, 81 – Le palais Azem, 82 – La Rue Droite, 84 – Bab Sharki, 85 – La chapelle Saint-Paul, 85 – Bab Touma, 86 – **La ville moderne, 87** – Le Musée national, 87 – **La Tekkiyé Suleimaniyé, 91 – À voir encore à Damas, 91** – Le quartier Salihiyé, 91 – Le Musée historique, 92 – **Les bonnes adresses, 92**.

**Le Hauran, 99** – Shahba, 100 – Qanawat, 101 – Souweyda, 101 – Bosra, 102 – De Bosra à Damas, 105 – Ezraa, 105 – **Le Golan, 105** – **Le Qalamoun, 106** – Saidnaya, 106 – Maaloula, 107 – Yabroud, 109 – Qara, 109 – **La route de Beyrouth, 110**.

**Homs, 111** – La ville moderne, 114 – La vieille ville, 114 – **Les bonnes adresses, 116 – Hama, 117** – Histoire, 117 – Sur les bords

## ENCADRÉS

## CARTES ET PLANS

**Pour vous aider à situer sur les cartes** les sites décrits, nous les avons fait suivre de références imprimées en dans le texte.

## SYMBOLES ET ABRÉVIATIONS

♥ les coups de cœur
de la rédaction

**Sites, monuments, musées, œuvres**

| | |
|---|---|
| *** | exceptionnel |
| ** | très intéressant |
| * | intéressant |

**Hôtels**

| | |
|---|---|
| ▲▲▲▲ | hôtel de très grand luxe |
| ▲▲▲ | hôtel de grande classe offrant un confort maximal |
| ▲▲ | hôtel de bon confort |
| ▲ | hôtel simple mais confortable |

**Restaurants**

| | |
|---|---|
| ◆◆◆◆ | cadre luxueux, très bonne table. Prix élevés |
| ◆◆◆ | bonne table, service agréable. Prix moyens |
| ◆◆ | table simple. Prix modérés |
| ◆ | cuisine populaire. Bon marché |

**Cartes de paiement**

Principales cartes acceptées
par l'établissement :

| | |
|---|---|
| VISA | Carte Bleue Visa |
| AE | American Express |
| DC | Diner's Club |
| MC | Eurocard MasterCard |

# DÉCOUVRIR LA SYRIE

*Longtemps, trop longtemps, la Syrie est restée
à l'écart des grandes routes touristiques.
Pourtant l'extraordinaire richesse,
l'extrême diversité de son patrimoine en font
très certainement le pays le plus passionnant
de la région. Ajoutons-y la gentillesse
et l'hospitalité sans arrière-pensée
de ses habitants et voici une destination
à découvrir de toute urgence.*

---

## ▮ QUE VOIR EN SYRIE ?

### Damas***

Une des villes les plus envoûtantes du Proche-Orient. On peut sans se lasser
se promener des heures dans les ruelles de la vieille ville, à la découverte d'un
prestigieux passé grec, romain ou musulman, de ses palais secrets où, derrière
de hauts murs aveugles, s'épanouit un art de vivre raffiné ou de ses souks do-
minés par la **mosquée des Omeyyades***, l'ancien temple de Jupiter ; tout
proche d'elle se trouve le **tombeau de Saladin***. Quant au **Musée national***,
il constitue la meilleure entrée en matière pour la découverte du pays. Ne
manquez pas non plus le **palais Azem***, splendide demeure ottomane du
XVIIIe s. au cœur de la vieille ville, qui abrite aujourd'hui un musée des Arts
et Traditions populaires ; dans le quartier chrétien, la **chapelle Saint-
Ananie*** aurait, dit-on abrité saint Paul.

C'est une des particularités d'Apamée que ces colonnes torsadées
dans un sens alterné, assez rares non seulement en Syrie mais dans
tout le monde antique. La colonnade marque la partie centrale de la
ville ancienne, celle où se trouvaient les bains, l'agora et le grand
temple de Zeus.

## Autour de Damas

***Bosra** (*144 km S de Damas*)**.** Une ancienne capitale de province romaine. Son **théâtre monumental**\*\*\*, corseté d'une muraille médiévale, est parvenu presque intact jusqu'à nous. Les villageois se sont installés dans l'ancienne ville romaine, utilisant sans complexe les matériaux antiques.

***Ezraa** ♥ (*101 km S de Damas*)**.** Une toute petite église, mais une merveille de perfection architecturale. L'**église Saint-Georges** remonte au VIe s. ; elle est toujours ouverte au culte, admirable témoignage de la vivacité du christianisme oriental.

**Maaloula** (*53 km N de Damas*)**.** Autour de l'ermitage de **sainte Thècle**, un petit village s'est accroché au pied d'une falaise depuis l'aube du christianisme. Quelques habitants y parlent encore l'**araméen**, la langue du Christ.

**Qara** ♥ (*101 km N de Damas*)**.** Une étape indispensable pour les amoureux de **peinture médiévale**. Dans la petite église de cette localité qui fut une prospère cité byzantine, on a mis au jour des fresques qui datent de l'an mil. Quant à la **mosquée** de la ville, c'est l'ancienne cathédrale byzantine ; elle a conservé sa belle façade caractéristique de l'architecture chrétienne de Syrie à l'époque byzantine.

**Shahba** (*88 km S-E de Damas*)**.** C'est la ville de l'empereur romain Philippe l'Arabe. Pour satisfaire sa parenté et sa clientèle, il fit construire une ville à sa gloire avec son théâtre, ses bâtiments publics, ses bains. Il en reste de superbes vestiges. À ne pas manquer : un ensemble de **mosaïques**\*\*\* qui décoraient jadis le sol d'une riche villa.

*Qanawat** (*100 km S-E de Damas*)**.** Dans cette petite bourgade du Djebel Druze s'élèvent les vestiges de **temples romains** et d'**églises chrétiennes**.

*Saidnaya** (*26 km N de Damas*)**.** Un des hauts lieux de la chrétienté syrienne. Depuis l'époque byzantine, on y vient en **pèlerinage** à l'emplacement d'une apparition miraculeuse de la Vierge.

## La vallée de l'Oronte

***Apamée** (*57 km N-O de Hama*)**.** C'est le plus beau site de l'Antiquité classique en Syrie avec celui de Palmyre. Bordant l'artère principale de la ville, près de **400 colonnes**\*\*\* s'élèvent au milieu d'un splendide paysage.

***Le Krak des Chevaliers** ♥ (*59 km O de Homs*)**.** Le château vedette de la Syrie franque est parvenu intact jusqu'à nous.

**Hama** (*146 km S d'Alep*)**.** Ses **norias**\*\*\* installées au bord de l'Oronte ont fait sa célébrité ; la vieille ville, entourée jadis de jardins, conserve beaucoup de charme.

*Homs** (*162 km N de Damas*)**.** Rien ne subsiste de l'antique Émèse ; on s'y arrêtera pour découvrir ses **souks**\*\*, les ruelles de sa vieille ville et ses vénérables **églises** dont l'une s'enorgueillit de posséder la Ceinture de la Vierge\*\*.

*Qala'at Sheizor** (*28 km N-O de Hama*)**.** Un **château musulman** du Moyen Âge superbement planté au-dessus d'une gorge au fond de laquelle coule l'Oronte.

*Qasr ibn Wardan** (*62 km N-E de Hama*)**.** De superbes **vestiges byzantins** en bordure du désert.

## Le littoral

***Le château de Saladin** (*41 km E de Lattaquié*)**.** Magnifique ouvrage des Croisés – il s'appelait alors le **château de Saône** – au cœur d'un paysage de maquis. Par décret officiel, il porte aujourd'hui le nom de son conquérant.

***Le Marqab** (*34 km N de Tartous*)**.** Cette **citadelle franque** domine le littoral : c'était, du reste, sa raison d'être. À l'intérieur se trouve l'émouvante chapelle romane des Hospitaliers ; et, depuis les remparts, on découvre de superbes vues sur la côte.

**Masyaf** (*44 km O de Hama*)**.** Le quartier général de la **secte des Assassins** qui tenait ces montagnes au temps des Croisades. Sa masse imposante domine une petite localité peuplée en partie d'Ismaéliens, les descendants de la secte médiévale.

**\*\*\*Ougarit (Ras ash-Shamra)** *(14 km N de Lattaquié)*. Une des plus extraordinaires découvertes de l'archéologie française en Orient : la ville n'était connue que par les textes anciens ; les fouilles, entreprises depuis les années 30, ont restitué le **grand port** du second millénaire av. notre ère avec ses palais, ses temples et ses quartiers d'habitation. C'est ici que l'on a retrouvé le plus ancien **alphabet** au monde.

**\*\*Safita** *(30 km O de Tartous)*. Du **Chastel blanc** des Francs ne reste plus qu'un **donjon**\*\* massif qui s'élève au-dessus d'une charmante bourgade, dans l'un des plus jolis coins du Djebel Ansariyé. De la terrasse, par temps clair, on aperçoit la côte et le Krak des Chevaliers.

**\*\*Tartous** ♥ *(90 km S de Lattaquié)*. Les édifices de l'ancien grand port franc ont été investis depuis des générations par les pêcheurs du coin, qui occupent ici un palais médiéval, là une chapelle gothique ou la grande salle des chevaliers. Au S de la bourgade, la magnifique **cathédrale**\*\*\* de l'ancienne Tortosa a été transformée en musée.

**\*Amrit** *(7 km S de Tartous)*. On voit sur ce site phénicien de curieux tombeaux, ainsi qu'une aire sacrée aménagée autour d'un lac artificiel.

**\*Lattaquié** *(187 km S-O d'Alep)*. C'est le grand centre balnéaire de la côte syrienne. Ne cherchez pas les vestiges de l'antique Laodicée des Grecs : ils ont disparu depuis longtemps sous le sable et le béton. Seul le **musée**\* conserve quelques traces de la grande ville séleucide.

**\*Ras el-Bassit** *(63 km N de Lattaquié)*. Le plus beau coin du littoral syrien, tout au N du pays, sous la frontière turque.

## Alep et ses environs

**\*\*\*Alep** *(355 km N de Damas)*. À découvrir en tout premier lieu, ses superbes **souks**\*\*\* couverts du XIIIe s. Il vous faudra ensuite grimper à la **citadelle**\*\*\* et visiter le quartier chrétien de **Jdeidé**\*\* dont certains palais ont été remarquablement restaurés. N'oubliez pas la visite du **Musée archéologique**\*\*\*.

**\*\*\*Le Massif calcaire** ♥. À l'O d'Alep, une région de collines se couvrit à partir du IVe s. de petites localités agricoles ; on en a relevé près de 700. On peut aujourd'hui partir à la découverte des mieux conservées d'entre elles, El-Bara\*\*\* et Sergilla\*\*\* par exemple, de leurs imposantes maisons de pierre, de leurs pressoirs, de leurs bains et de leurs **églises**. À voir surtout, l'église de Qalb Loze\*\*\*, un bijou d'architecture byzantine.

**\*\*\*Saint-Siméon** ♥ *(34 km O d'Alep)*. Le chef-d'œuvre de l'architecture religieuse en Syrie du nord au temps de Byzance. Autour de la colonne au sommet de laquelle le saint passa 36 années, un vaste complexe fut construit après sa mort pour accueillir les pèlerins. Une visite inoubliable.

**\*\*Cyrrhus** ♥ *(99 km N d'Alep)*. Tout au N du pays, à la frontière turque, l'excursion de Cyrrhus, importante **ville romaine** dont il reste quelques vestiges, vous permettra de traverser de superbes paysages : la pointe occidentale du pays des Kurdes qui se prolonge à l'E vers la Turquie, l'Irak et aboutit en Iran. En chemin, vous franchirez deux ponts romains du IIe s.

**\*\*Ebla (Tell Mardikh)** *(60 km S d'Alep)*. Une découverte majeure pour la connaissance de la Syrie du nord aux IIIe et IIe millénaires. C'était alors la **capitale** d'un puissant royaume qui étendait son influence jusqu'en Mésopotamie. La mise au jour des archives royales a permis de retracer assez précisément la vie du royaume au IIIe millénaire.

**\*\*Maaret al-Nouman** *(73 km S d'Alep)*. Arrêt obligatoire pour les amateurs de **mosaïques byzantines**\*\*\*. Le **musée**\*\* de la ville (un superbe khan du XVIe s.) en conserve de superbes, provenant pour l'essentiel de la région du Massif calcaire.

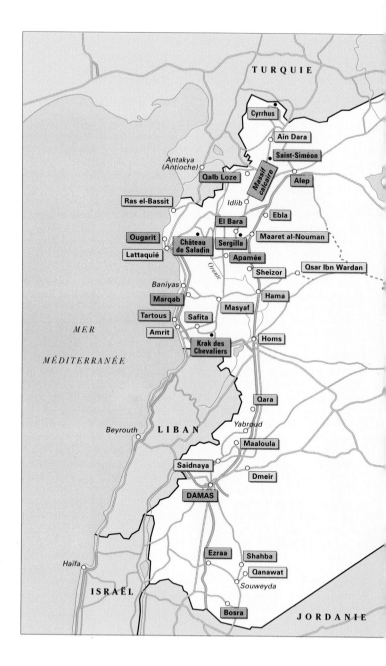

Que voir en Syrie ?

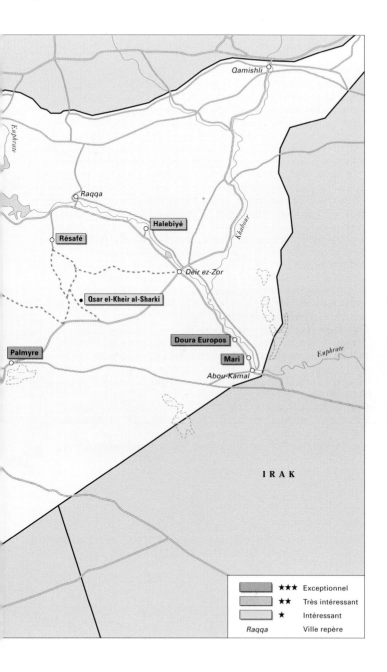

**\*Ain Dara** *(70 km N-O d'Alep).* Les vestiges d'un **temple hittite** du Ier millénaire au sommet d'un piton rocheux. Une des rares découvertes de cette époque.

### La steppe syrienne

**\*\*\*Doura Europos** ♥ *(93 km S-E de Deir ez-Zor).* Un site de toute beauté dominant l'Euphrate. Les vestiges mis au jour ont révélé qu'il s'agissait d'un **carrefour commercial cosmopolite**, tour à tour grec, parthe puis romain, où s'élevaient des temples consacrés à toutes les divinités de l'Orient. La découverte la plus extraordinaire fut celle des peintures qui décoraient, au IIIe s., les murs de la **synagogue** de la ville. Elles sont aujourd'hui exposées au Musée national à Damas.

**\*\*\*Mari** *(124 km S-E de Deir ez-Zor).* L'autre grande découverte (avec Ougarit) de l'archéologie française en Syrie. Des équipes venues de France se succèdent depuis plus de 50 ans sur le site de cette ville vieille de plus de 48 siècles. Si la moisson de trouvailles fut exceptionnelle, le site est en lui-même peu évocateur. Il reste cependant qu'il est très émouvant de parcourir les **vestiges des palais et des temples**, surtout après avoir visité les musées de Damas et d'Alep, deux introductions indispensables à l'histoire du site.

**\*\*\*Palmyre** *(220 km N-E de Damas).* La reine du désert, l'étape obligatoire de tout voyage en Syrie. Vous ne serez pas déçu : les vestiges de la ville en bordure d'une oasis sont de toute beauté, au coucher du soleil notamment.

**\*\*Halebiyé** *(288 km E d'Alep).* Une place forte de Palmyre sur le bord de l'Euphrate. Un très beau site naturel.

**\*\*Résafé** ♥ *(197 km E d'Alep).* La ville de saint Serge surgit au bout de 28 m de route de désert. À l'intérieur de la muraille, intégralement conservée, s'élèvent les ruines imposantes de la **basilique** où l'on venait de tout l'Orient vénérer le saint.

**\*Dmeir** *(42 km E de Damas).* Un curieux **temple romain**\* parfaitement conservé dans un petit bourg à la lisière du désert.

**\*Qasr el-Kheir el-Sharki** *(115 km N-E de Palmyre).* Les Omeyyades aimaient à quitter Damas pour retrouver le désert ; ils s'y firent construire des **palais** comme celui-ci, le mieux conservé, dont les ruines se trouvent au N de la route de Palmyre à Deir ez-Zor, au bout d'une vingtaine de km de pistes.

# ▌ SI VOUS AIMEZ...

### L'Orient des temps archéologiques

Le territoire de l'actuelle Syrie recouvre la pointe S-O du Croissant fertile, berceau des civilisations occidentales. C'est dire si les recherches archéologiques y furent fructueuses. Les trois sites majeurs sont **Ebla** (p. 172), **Mari** (p. 207) et **Ougarit** (p. 149). Ne manquez pas non plus de visiter les **musées de Damas** (p. 87) et d'**Alep** (p. 166), les plus riches au monde sur la région (avec celui du Louvre) en matière d'antiquités orientales des IIIe et IIe millénaires.

### La Grèce et la Rome antiques

La domination des Grecs séleucides, puis des Romains, a laissé d'importantes traces : celles de villes florissantes tout d'abord comme **Apamée** (p. 129), celles du **Hauran** (p. 99), **Qanawat** (p. 101), **Bosra** (p. 102), **Shahba** (p. 100), ou encore **Cyrrhus** tout au N du pays (p. 184) – et surtout **Palmyre** (p. 185), la capitale en plein désert d'une dynastie arabe profondément influencée par la culture hellénistique. L'E syrien se trouvant marquer la frontière orientale des empires, les places fortes s'y multiplièrent : **Doura Europos** (p. 205), **Halebiyé** (p. 202) sur l'Euphrate ou **Résafé-Sergiopolis** (p. 200) en plein désert.

## Les mosaïques

Vous en découvrirez de magnifiques et de toutes les époques au cours de votre voyage en Syrie. Les plus belles collections se trouvent dans trois petits musées provinciaux : **Shahba** (p. 100), **Maaret al-Nouman** (p. 174) et **Apamée** (p. 130). Vous en verrez également aux musées d'**Alep** (p. 166), de **Souweyda** (p. 101) ainsi qu'à **Hama** qui abrite un des plus beaux panneaux de l'Antiquité tardive : un splendide groupe de musiciennes (p. 120). Enfin n'oublions pas le célèbre **mur de Barada** dans la mosquée des Omeyyades à Damas (p. 64), seul vestige de la décoration originelle (VIIIe s.), à laquelle participèrent très probablement des artisans byzantins.

## Byzance

La Syrie est particulièrement riche en vestiges du temps où elle était une province byzantine. En tout premier lieu, il vous faudra visiter le **Massif calcaire** (p. 174) : sur ces collines pierreuses, des centaines de villages s'établirent à partir du IVe s. Les vestiges, souvent parfaitement conservés à l'exception de la toiture, en sont très beaux : maisons, pressoirs, tombeaux monumentaux, bains mais aussi églises et monastères. En matière d'édifices religieux, le complexe de **Saint-Siméon** (p. 179) reste l'aboutissement de l'architecture byzantine en Syrie du N. À ne pas manquer, d'autant que l'ensemble domine un splendide paysage. À voir également : les églises de **Qalb Loze** (p. 179), **Ezraa** (p. 105), **Résafé** (p. 201) ainsi que celles de **Maaloula** (p. 107).

## L'islam dans sa première grandeur

La Syrie fut, avec Damas sa capitale, le centre du pouvoir des **Omeyyades**, la première dynastie musulmane. Ils laissèrent de monumentales constructions qui comptent parmi les plus anciennes de l'Islam. En tout premier lieu la **mosquée des Omeyyades** à Damas (p. 80) qui, par la suite, dans l'ensemble du monde musulman, des mers de Chine aux côtes atlantiques, représenta l'idéal de la perfection architecturale. La **mosquée d'Alep** de la même époque a subi de nombreux ajouts postérieurs (p. 161). Les califes construisirent également des palais dans le désert : celui de **Qasr el-Kheir el-Sharki** (p. 199) est le mieux conservé.

## Les châteaux des Croisés

Pour les Croisés, la Syrie fut la porte d'entrée de la Terre Sainte. Ils s'y accrochèrent désespérément, semant le littoral et le Djebel Ansariyé de puissantes citadelles. Le **Krak des Chevaliers** (p. 124), le **Marqab** (p. 142) et le **château de Saône** (château de Saladin, p. 147) sont les plus étonnantes et les mieux conservées de ces citadelles. Voyez aussi le **donjon de Safita** (p. 140), unique vestige d'une puissante citadelle, dominant une charmante bourgade dans une belle région de montagnes, ainsi que **Tartous**, le grand port franc et sa belle cathédrale (p. 137).

## Les atmosphères orientales

La Syrie c'est surtout l'Orient, ses couleurs, ses foules, ses parfums ; vous partirez à leur rencontre en parcourant les ♥ **souks**\*\*\* de Damas (p. 95) et d'Alep (p. 171).

## Les palais

L'Orient, c'est aussi un art de vivre, héritier à la fois des fastes romains et des traditions du désert. C'est derrière les murs des palais qu'il trouva son épanouissement le plus raffiné : vous pourrez ainsi visiter les **palais Azem** de Damas (p. 82) et de Hama (p. 120), restaurés puis transformés en musées. Il en est d'autres encore habités, transformés en écoles, restaurants ou en bâtiments publics, que vous découvrirez au gré de vos visites d'Alep (p. 160) et de Damas (p. 76).

## Le sport

Pour l'instant, et malgré de très belles plages, la Syrie n'est pas encore équipée pour le tourisme balnéaire. Vous pourrez cependant effectuer d'agréables plongeons dans la **Méditerranée**, à partir des plages de **Lattaquié** (p. 144) ou de **Ras el-Bassit** (p. 147).

## Les églises

La Syrie est un véritable conservatoire des traditions de la chrétienté orientale, qui remontent pour beaucoup à l'aube du christianisme. Vous partirez ainsi à la découverte d'une des premières architectures chrétiennes, en parcourant la splendide région du **Massif calcaire** (p. 174) ou en visitant la charmante église d'**Ezraa** (p. 105), un sanctuaire remontant au VIe s. et toujours en fonction. Pour découvrir la diversité des cultes, ne manquez pas de parcourir les **quartiers chrétiens** de Damas (p. 85) et d'Alep (p. 168).

## La nature

Aux amoureux de nature, la Syrie offre des paysages fort variés, de la **steppe** à l'E, qu'il faut voir au printemps lorsqu'elle se couvre de fleurs, à la **côte méditerranéenne**, dont la plus belle partie se trouve tout au N du pays, du côté de **Ras el-Bassit** (p. 147), en passant par les **montagnes** qui bordent le littoral, domaine de la forêt, autour du **château de Saladin** (p. 147) ou de la vigne et de l'olivier dans les environs de **Safita** (p. 139). À ne pas manquer non plus, les très beaux paysages du N du pays, autour de **Cyrrhus** (p. 184), qui constituent la pointe occidentale du pays des Kurdes.

## Les spectacles folkloriques

Là encore, la Syrie ne s'est pas mise à l'heure du tourisme de masse (peut-on d'ailleurs le regretter ?): point de spectacles institutionnalisés à l'unique destination des visiteurs étrangers. On peut cependant assister à des spectacles de **derviches tourneurs** ou entendre des **chanteurs populaires** dans certains restaurants de Damas (p. 94). Les nuits de Ramadan, on peut entendre dans certains cafés populaires de Damas des **conteurs** envoûter leur auditoire pendant des heures (p. 82).

# ▮ PROGRAMME

Il faut envisager un séjour d'au moins deux semaines pour découvrir de façon satisfaisante l'essentiel des richesses du pays. Une semaine (en cas, par exemple, d'un voyage combiné avec la Jordanie ou le Liban) vous permettra de visiter les sites majeurs ; en trois semaines, vous pourrez approfondir votre connaissance du pays tout en vous ménageant des moments de détente, au bord d'une plage ou à la rencontre des habitants.

## La Syrie en une semaine

**Jours 1 et 2 :** visite de Damas. **Jour 3 :** vous prendrez la route pour Maaloula, le Krak des Chevaliers, le Marqab avec une étape du soir à Tartous ou à Lattaquié. **Jour 4 :** visite d'Ougarit, du château de Saladin, puis route vers Saint-Siméon pour arriver à Alep en fin d'après-midi. **Jour 5 :** visite d'Alep. **Jour 6 :** route vers Palmyre avec, en chemin, visite du site d'Ebla ; arrivée en milieu d'après-midi à Palmyre, le temps de visiter une partie du site et d'admirer le coucher du soleil. **Jour 7 :** fin de la visite de Palmyre et retour à Damas après déjeuner.

## La Syrie en quatorze jours

**Jour 1 :** arrivée à Damas. **Jours 2 et 3 :** visite de la ville. **Jour 4 :** excursion dans le Hauran et le Djebel Druze : Shahba, Qanawat, Souweyda, Bosra, Ezraa ; retour à Damas. **Jour 5 :** départ pour le massif du Qalamoun, avec

# Carte d'identité

**Situation et frontières :** ouvrant sur la Méditerranée orientale, la Syrie occupe la pointe occidentale du Croissant fertile de l'Orient ancien. Du N au S et dans le sens des aiguilles d'une montre, la Syrie possède des frontières communes (au total 2 274 km) avec la Turquie, l'Irak, la Jordanie, Israël et le Liban.

**Superficie :** 185 179 km$^2$.

**Climat :** méditerranéen sur le littoral, continental à l'intérieur du pays.

**Côtes :** 175 km sur la Méditerranée orientale.

**Point culminant :** mont Hermon (2 814 m), occupé depuis 1967 par l'État d'Israël.

**Découpage administratif :** la Syrie est divisée en 13 régions administratives sous l'autorité d'un gouverneur. Damas-ville constitue un 14e district.

**Population :** 13 000 000 hab. (estimation de 1991) répartis à proportion égale entre ruraux et citadins, soit 72 hab./km$^2$ en valeur absolue, sachant que les steppes et les déserts de l'est sont très peu peuplés.

**Capitale :** 1 590 000 hab. pour Damas-ville et 1 500 000 pour Damas-campagne (estimations de 1995).

**Villes principales :** Alep, 2 945 000 hab. ; Homs, 1 350 000 ; Hama, 1 160 000 ; Idlib, 976 000 ; Lattaquié, 865 000 ; Tartous, 718 000 (estimation de 1995).

**Religions :** (les proportions indiquées ici ne sont que des estimations : le dernier recensement officiel faisant état de l'appartenance confessionnelle remonte à 1960) : 90 % de musulmans (dont 82 % de sunnites, 13 % d'Alaouites, 3,5 % de Druzes, 1 % d'Ismaéliens, 0,5 % de chiites) ; 10 % de chrétiens parmi lesquels 75 % sont orthodoxes (de rite grec, syriaque, arménien et assyrien) et 25 % catholiques de rite grec, syriaque, arménien, latin, maronite et chaldéen. Quelques milliers de protestants et une petite communauté juive d'environ un millier de membres.

**Langues :** l'arabe est la langue officielle. Français et anglais sont assez largement répandus.

**Nature du régime :** selon la constitution de 1973, la Syrie est un État démocratique, populaire et socialiste.

**Chef de l'État :** Hafez el-Assad depuis 1970. Élu au suffrage universel tous les 7 ans. En 1991, le président a été réélu avec 99,98 % des suffrages exprimés.

**Assemblée :** le Conseil du Peuple est élu au suffrage universel tous les 4 ans. Les électeurs ont le choix entre la liste du Front National progressiste (al-jabha al-watani at-Takadumi), coalition de partis dominée par le parti Baas, et des candidats indépendants qui ne peuvent être soutenus par aucun parti. C'est le Conseil du Peuple qui désigne le candidat à la présidence de la République, qui devra ensuite faire ratifier ce choix par les électeurs.

**Taux d'inflation :** 8 % en 1993.

**Taux de chômage :** non communiqué officiellement.

**Secteurs d'activité :** agriculture, 25 % de la population active ; mines, 5 % ; industrie, 20 % ; services, 50 %.

**Principales ressources :** agriculture : blé, orge, coton ; pétrole : 29 millions de t en 1993 (contre 9,7 en 1986) pour des réserves estimées à 233 millions de t ; gaz naturel : 3,7 milliards de m$^3$ en 1993 ; phosphate : 1,26 million de t en 1992 (contre 2,25 en 1989) ; industrie principale : raffinage de pétrole à Homs et Baniyas.

arrêt à Saidnaya, Maaloula, Yabroud, Qara puis route vers le Krak des Chevaliers ; nuit à Safita. **Jour 6 :** sur la route de Lattaquié, votre étape du soir, visite d'Amrit, du château du Marqab, de Tartous. **Jour 7 :** visite matinale du site d'Ougarit, puis route vers le château de Saladin, Apamée, Sheizor et Hama où vous passerez la nuit. **Jour 8 :** avant d'atteindre Alep, vous visiterez Maaret al-Nouman dont le musée est une excellente introduction au Massif calcaire, votre prochain objectif avec les villages de Sergilla et d'El Bara ; continuation par Idlib, puis visite d'Ebla. **Jour 9 :** visite d'Alep. **Jour 10:** le matin, suite de la visite d'Alep puis excursion à Saint-Siméon ; retour à Alep. **Jour 11 :** route pour Deir ez-Zor ; en chemin, visite de Résafé, Raqqa, Halebiyé. **Jour 12 :** départ de Deir ez-Zor pour Doura Europos et Mari, retour à Deir ez-Zor pour un déjeuner tardif et route vers Palmyre où vous arriverez à temps pour admirer le coucher de soleil. **Jour 13 :** Palmyre. **Jour 14 :** retour à Damas.

## La Syrie en 21 jours

**Jour 1 :** arrivée à Damas. **Jours 2, 3 et 4 :** visite de la capitale. **Jour 5 :** excursion dans le Hauran et le Djebel Druze : Shahba, Qanawat, Souweyda, Bosra, Ezraa et retour à Damas. **Jour 6 :** départ pour Hama où vous passerez la nuit ; au cours de la journée, vous visiterez les localités chrétiennes du massif du Qalamoun, Saidnaya, Maaloula et Yabroud ainsi que la bourgade de Qara pour y voir de superbes peintures datées de l'an mil. **Jour 7 :** le matin, visite de Hama puis route vers Sheizor et Apamée ; retour à Hama pour la nuit. **Jour 8 :** route pour Safita, votre étape du soir ; en chemin, visite du château de Masyaf, du Krak des Chevaliers et du monastère Saint-Georges. **Jour 9 :** vous descendrez vers la côte pour visiter le site phénicien d'Amrit avant de gagner Tartous ; vous aurez assez de temps pour effectuer l'excursion de l'île d'Arwad ; nuit à Tartous. **Jour 10 :** route pour Lattaquié, la prochaine étape ; en chemin, visite du château du Marqab ; vous arriverez à Lattaquié à l'heure du déjeuner, ce qui vous laissera assez de temps pour visiter le site d'Ougarit et même pour vous plonger dans les eaux de la Méditerranée en fin d'après-midi. **Jour 11 :** excursion de la journée vers le château de Saladin puis vers Ras el-Bassit ; retour à Lattaquié. **Jour 12 :** départ par la grande route d'Alep pour visiter la partie S du Massif calcaire : les villages d'El Bara et de Sergilla seront les deux étapes à ne pas manquer ; ensuite, route vers Maaret al-Nouman pour y voir les mosaïques du musée, puis Ebla, avant de rejoindre Alep. **Jours 13 et 14 :** visite d'Alep. **Jour 15 :** excursion à Qalb Loze, Saint-Siméon, Ain Dara, Cyrrhus ; retour à Alep. **Jour 16 :** vous commencerez votre périple le long de l'Euphrate ; votre première étape sera Résafé, puis Raqqa, Halebiyé avant d'atteindre Deir ez-Zor en milieu d'après-midi. **Jour 17 :** excursion de la journée vers Doura Europos et Mari ; retour à Deir ez-Zor pour la nuit. **Jour 18 :** route vers Palmyre, possibilité de détour par Qasr el-Kheir el-Sharki, un des châteaux omeyyades du désert. Dans ce cas, arrivée à Palmyre en tout début d'après-midi, le temps de commencer la visite du site et d'admirer le coucher de soleil. **Jour 19 :** suite de la visite et nuit à Palmyre. **Jour 20 :** retour à Damas, via le temple de Dmeir. **Jour 21 :** départ.

# PARTIR

## ■ QUAND PARTIR ?

Les mois d'**avril**, de **septembre** et d'**octobre** sont les plus propices à un voyage en Syrie. Les températures sont douces et vous n'aurez guère de risque de pluie. C'est, toutefois, aussi la grande saison touristique, ce qui peut entraîner dans certains endroits – à Palmyre notamment – quelques difficultés pour trouver une chambre d'hôtel. Pensez à réserver avant votre départ. La période qui s'étend **de nov. à mars** est la plus froide et la plus arrosée. En **janvier**, il peut faire véritablement glacial à Damas ou dans la steppe. La neige est présente dans les montagnes (dans le massif du Qalamoun, par exemple) jusqu'à la fin mars. L'**été**, de mai à fin août, est souvent torride ; il faut alors s'adapter aux conditions climatiques : commencer les visites tôt le matin, rester à l'ombre à midi, et ressortir en fin d'après-midi. Pendant la canicule, il est conseillé de choisir des hôtels pourvus d'air conditionné.

On peut sans aucun problème voyager pendant le **Ramadan** (voir p. 31) : la Syrie est un État laïc et, même pendant le jeûne diurne des musulmans, les restaurants restent ouverts, et vous pourrez « gueuletonner » à grands coups d'arak en plein midi à travers tout le pays sans vous attirer aucun reproche. Évitez tout de même la période de grande affluence touristique (avril, sept. et oct.).

### Températures à Damas en °C

|  | Janv. | Fév. | Mars | Avr. | Mai | Juin | Juil. | Août | Sept. | Oct. | Nov. | Déc. |
|---|---|---|---|---|---|---|---|---|---|---|---|---|
| **Max.** | 13 | 14 | 17 | 23 | 28 | 30 | 33 | 33 | 30 | 26 | 21 | 14 |
| **Min.** | 4 | 6 | 7 | 10 | 13 | 17 | 18 | 18 | 17 | 14 | 9 | 5 |

### Météo

La société Météoconsult propose deux services Minitel : 36.15 MET pour connaître la météo en Syrie avec des prévisions à 5 jours et 36.17 METPLUS pour des prévisions à 10 jours. Autre possibilité : le serveur vocal au ☎ (1) 36.70.12.34.

# ■ COMMENT PARTIR ?

*Attention : tous nos tarifs sont donnés à titre indicatif ; ce sont ceux pratiqués fin 1995.*

**AIR FRANCE ////**

## En avion : vols réguliers

En dehors de la tarification négociée avec l'Association Internationale des Transporteurs Aériens (I.A.T.A), qui se répartit en trois catégories (classe économique, première classe et classe affaires), chaque compagnie est libre de proposer des tarifs promotionnels aux appellations différentes. On trouve le plus souvent le tarif excursion, vacances, jeunes, couple ou 3e âge, également dénommé Temps limité. Ces prix, fort intéressants, tiennent compte de la situation familiale ou de la vocation touristique du voyage. Lorsqu'il y a des accords entre plusieurs compagnies, on parle alors de tarifs APEX, SUPERPEX ou PEX. Il faut savoir que tous ces tarifs promotionnels ou APEX sont soumis à des conditions particulières de séjour. Le plus souvent, il faut rester un minimum de 7 jours sur place et un maximum de 3 mois ou bien passer la nuit du samedi à dimanche sur place. En cas d'annulation, on n'obtient qu'un remboursement partiel. La réservation et l'achat du billet doivent être simultanés et on ne peut changer ses dates d'aller et retour.

En ce qui concerne la Syrie, enfin, au moment de quitter le pays, vous devrez acquitter une taxe d'aéroport d'un montant de 250 livres (30 FF en 1996).

### Depuis la France

**Air France** propose des vols directs sur Damas au départ de Roissy-Charles-de-Gaulle 2, terminal C, les lun., jeu. et sam. toute l'année, le mer. à certaines périodes. Tarif excursion à partir de 4 590 FF en 1995. Possibilité de tarifs vacances. Durée du vol : 4 h 40.

**Agences Air France.** Aix-en-Provence : 2, rue Aude 13100 ☎ 42.38.59.34. Rés. 91.39.39.39. **Ajaccio** : 3, bd du Roi-Jérôme 20000 ☎ 95.29.98.20. Rés. ☎ 95.29.45.45. **Angers** : les Halles de la République, pl. Mondain-Chanlouineau 49100 ☎ 41.87.60.79. **Annecy** : Résidence du Palais, 17, rue de la Paix 74000 ☎ 50.51.61.51. **Avignon** : 7, rue Joseph-Vernet 84000 ☎ 90.86.89.16. Rés. ☎ 91.39.39.39. **Besançon** : 15, rue Proudhon 25000 ☎ 81.81.30.31. **Biarritz** : Aéroport de Parme 64200 ☎ 59.23.93.82. **Bordeaux** : 29, rue Esprit-des-Lois 33000. ☎ 56.00.03.00. ; Aéroport de Mérignac 33700 ☎ 56.34.32.32. Rés. ☎ 56.00.03.03. **Brest** : 12, rue Boussaingault 29200 ☎ 98.44.15.55. Rés. ☎ 99.35.09.09. **Caen** : 143, rue Saint-Jean 14300 ☎ 31.85.41.26. **Cannes** : 2, pl. du Général-de-Gaulle 06400 ☎ 93.39.05.55. Rés. ☎ 93.18.89.89. **Clermont-Ferrand** : Aéroport d'Aulnat BP 1 63510; 63, bd Gergovia 63000 ☎ 73.35.25.51. **Dijon** : Pl. d'Arcy, Pavillon du Tourisme 21000 ☎ 80.42.89.90. **Grenoble** : 4, pl. Victor-Hugo 38000 ☎ 76.87.63.41. **La Rochelle** : 23, rue Fleuriau 17000 ☎ 46.41.65.33. **Lille** : 8-10, rue Jean-Roisin 59040 ☎ 20.57.80.00. **Lyon** : 10, quai Jules-Courmont 69002 ☎ 72.56.22.22 ; 17, rue Victor-Hugo 69002. **Marseille** : 14, La Canebière 13001 ; 331, av. du Prado 13008 ☎ 91.39.39.39. **Metz** : 29, rue de la Chèvre 57000 ☎ 87.74.33.10. Rés. ☎ 83.35.05.03. **Monaco** : Héliport de Fontvieille 98000 ☎ 92.05.00.10. **Mulhouse** : 7, av. Foch 68100 ☎ 89.56.17.75. **Nancy** : 11, pl. Stanislas 54000 ☎ 83.35.05.03. **Nantes** : immeuble Neptune, pl. Neptune 44000 ☎ 40.47.12.33. **Nice** : 10, av. Félix Faure 06000 ☎ 93.80.66.11. Rés. ☎ 93.18.89.89. **Nîmes** : 18, rue Auguste 30000 ☎ 66.21.40.50. **Paris et banlieue**, Renseignements et réservations par téléphone de 8h à 20h, dim. et fêtes de 8h à 19h. Rens ☎ 44.08.24.24 Rés. ☎ 44.08.22.22. Agences Luxembourg, Invalides, Scribe, Élysées, Blanqui,

---

**S'ils sont peu à peu détrônés pas les plus confortables bus Pullman, les autobus populaires compensent leur rusticité par leur décoration. Guirlandes et mains de Fatma égaient le voyageur et protègent le conducteur.**

Poissonière, Maine-Montparnasse, Radio-France, Maillot, Villiers, Bagnolet, Montreuil, CNIT, Aérogares Orly-Sud et Orly-Ouest, Aérogares Charles-de-Gaulle 1 et 2. **Pau** : 6, rue Adoué 64000 ☎ 59.27.27.28. **Perpignan** : 66, av. du Général-de-Gaulle 66000 ☎ 68.35.58.58. Rés. ☎ 67.92.48.28. **Poitiers** : 11 ter, rue des Grandes-Écoles 86000 ☎ 49.88.89.63. **Reims** : 11, rue Henri-Jadart 51100 ☎ 26.47.17.84. **Rennes** : 23, rue du Puits-Mauger 35000 ☎ 99.35.09.09. **Rouen** : 15, quai du Havre 76000 ☎ 35.98.24.50. **Saint-Étienne** : 29, av. de la Libération 42000 ☎ 77.33.03.03. Rés. ☎ 78.42.79.00. **Strasbourg** : 15, rue des Francs-Bourgeois 67000 ☎ 88.32.63.82/99.74. **Toulon** : 9, pl. d'Armes 83000 ☎ 94.92.64.76. Rés. ☎ 91.39.39.39. **Toulouse** : 2, bd de Strasbourg 31000 ☎ 61.10.01.01. **Tours** : 8-10, pl. de la Victoire 37000 ☎ 47.37.54.54.

**Syrian Air,** 1, rue Auber, 75009 Paris ☎ (1) 47.42.11.06. Au départ d'Orly-Sud, vol direct Paris-Damas, le dim. (durée du vol : 4h30) ; vols avec escale à Francfort les mar. et jeu. (durée du vol : 6h30).
Selon les saisons, Syrian Air assure une liaison directe pour Alep le dim. et poursuit sur Damas. Possibilité de descendre à Alep et de repartir de Damas (ou vice-versa) pour le même tarif. Paris-Damas ou Paris-Alep, à partir de 3 221 FF A/R.
**Austrian Airlines,** 9, bd Malesherbes, 75008 Paris ☎ (1) 45.81.11.01. Vols Paris-Damas, via Vienne, les sam. et lun., à partir de 3 150 FF.
**Lufthansa,** 21-23, rue Royale, 75008 Paris ☎ (1) 42.65.37.35. Vols Paris-Damas, via Francfort, les lun., mer. et sam. à partir de 3 375 FF A/R.
**K.L.M,** 16, rue Chauveau-Lagarde, 75008 Paris ☎ (1) 44.56.18.18. Vols Paris-Damas, via Amsterdam, les lun., mer. et sam., à partir de 3 660 FF.

### Depuis la Belgique

**Lufthansa,** LH Sales Office, 1-4, bd Anspachlaan, 1000 Bruxelles ☎ (2) 212.09.22. Vol Bruxelles-Damas, via Francfort les lun., mer. et sam. **K.L.M,** comptoir à l'aéroport de Zaventem ☎ (2) 507.70.70. Vols Bruxelles-Damas, via Amsterdam, les lun., mer. et sam.

### Depuis la Suisse

**Lufthansa** : à Genève, LH Sale Office, 1-3, rue Chantepoulet, 1211 Genève ☎ (22) 731.01.35 ; à Zurich, Lufthansa Haus, Gutenbergstr. 10, 8027 Zurich ☎ (1) 286.70.00. Vols Genève-Damas, via Francfort, les lun., mer. et sam. **K.L.M,** comptoir à l'aéroport de Zurich ☎ (1) 268.23.00. Vols Zurich-Damas ou Genève-Damas, via Amsterdam, les lun., mer. et sam.

## Les vols spéciaux

Il n'existe pas de vols charter sur la Syrie. Quelques tours-opérateurs proposent des vols à tarif négocié sur les lignes régulières.
**Serinter Voyage,** 75, rue Legendre, 75017 Paris ☎ (1) 46.27.17.00, a aussi un bureau à Damas. Spécialisée dans la Syrie et la Jordanie ; vols secs (Paris-Damas à partir de 3 061 FF, Paris-Alep, à partir de 3 661 FF) et des circuits organisés.
**Les voyages de Pharaon,** 20, rue des Fossés-Saint-Jacques, 75005 Paris ☎ (1) 43.29.36.36. Vols secs à partir de 3 200 FF A/R avec Air France, British Airways ou K.L.M.
**Nouvelles Frontières,** 87, bd de Grenelle, 75015 Paris ☎ (1) 41.41.58.58. Vols secs Paris-Damas avec British Airways ou Lufthansa à partir de 2 790 FF. Les prix varient selon les saisons.

## En train et en bus

On peut gagner Istanbul en train et, de là, peut rejoindre Alep. La ligne principale relie Damas, Alep, Deir ez-Zor, Hasaka et Qamishle. Une ligne secondaire relie Alep, Lattaquié, Tartous et descend jusqu'à Homs et Damas. Réservation sur place.

À côté du train, relativement peu utilisé, de nombreux services de **bus** relient Istanbul à Alep et à Damas. Les compagnies Karnak et Pullman sont les meilleures. Bus climatisés, confortables et bon marché, rapides et ponctuels. Très fréquentés, il faut réserver sa place au moins 1 jour à l'avance. **Bus Karnak** à Damas ☎ (963.11) 22.61.36 ou 22.14.92.

## Par la route

L'itinéraire routier le plus court passait jadis par l'ex-Yougoslavie : il est aujourd'hui impraticable. Pour rejoindre la Syrie en voiture depuis la France, il vous faut traverser toute l'Europe jusqu'à Istanbul (env. 3 000 km), en passant par Munich, Vienne, Budapest et Bucarest. Arrivé à Istanbul, il reste 1 231 km pour gagner Alep, via Ankara. Il est aussi possible d'aller en Syrie par la Grèce – solution plus reposante alliant route et bateau. Vous gagnerez la Grèce (Patras) par ferry depuis les ports italiens d'Ancone ou de Brindisi, puis vous embarquerez à Volos sur un autre ferry à destination de Lattaquié. Attention : on ne trouve pas à l'heure actuelle d'essence sans plomb dans le pays. En Syrie comme en Jordanie, les voitures roulent à droite.

## En voyage organisé

**Depuis l'Europe**, de nombreux voyagistes proposent des circuits organisés, ce qui reste de toute évidence la façon la plus reposante de voyager, même si l'on y perd un peu en contacts avec la population locale. Mais depuis quelques années, les agences de voyage se sont multipliées en Syrie et il devient tout à fait possible d'organiser son voyage sur place. La plupart des grands voyagistes proposent aujourd'hui des circuits en Syrie. Certains, comme Nouvelles Frontières ou Jet Tours, sont des généralistes tandis que d'autres se sont spécialisés sur le Moyen-Orient (Voyageurs en Orient, Djos'Air ou Voyages Itinéris-Autrement).
*Les indications de prix renvoient à ceux pratiqués en 1995.*

**Les voyagistes généralistes. Jet Tours**, 38, av. de l'Opéra, 75002 Paris ☎ (1) 47.42.06.92. (ou sur Minitel 36.15 JET TOURS). Plusieurs circuits « Rivages de l'Oronte », 8 jours à partir de 9 500 FF, « De l'Euphrate à Palmyre », 13 jours, et circuits individuels. **Nouvelles Frontières**, 87, bd de Grenelle, 75015 Paris ☎ (1) 41.41.58.58 (nombreuses agences à Paris et en province) : séjours à la carte, location de voiture (à partir de 1 800 FF la semaine) et plusieurs circuits classiques de 6 380 FF à 10 960 FF. **Akiou** (Groupe Set), 24-26, rue Louis-Armand, 75015 Paris ☎ (1) 40.60.22.22. « Grand tour de Syrie », avec extensions possibles en Jordanie et au Liban, 12 jours, à partir de 13 300 FF. **Découvrir**, 23, rue du Cherche-Midi, 75006 Paris ☎ (1) 45.44.48.80. Du sur-mesure, des modules à composer (avion et hébergement 3 nuits à Damas), circuits individuels (circuit « Carte postale », 7 jours, 4 jours de location de voiture, à partir de 7 190 FF) et circuits organisés « Les cités du désert », hébergement dans des hôtels 3 étoiles, normes européennes, à partir de 11 090 FF.

**Les voyagistes spécialisés. Clio**, 34, rue du Hameau, 75015 ☎ (1) 48.42.15.15. Pour une approche culturelle approfondie. Vous serez accompagné de remarquables conférenciers dans de bonnes conditions de confort. 5 circuits en Syrie et Jordanie, de 7 à 22 jours, pour découvrir les antiques cités caravanières de Pétra et de Palmyre, les forteresses franques et tous les autres sites entre Méditerranée et désert. **Voyageurs en Orient** (groupe **Voyageurs du Monde**), 55, rue Sainte-Anne, 75002 ☎ (1) 42.86.17.90. L'un des meilleurs spécialistes de la destination. Voyage à la carte, circuits accompagnés par des conférenciers spécialisés sur la région (Syrie, 9 jours, à partir de 8 600 FF). **Ikhar**, 32, rue du Laos, 75015 ☎ (1) 43.06.73.13. Propose depuis 5 ans des périples orientés vers la découverte des grands sites archéologiques du monde. Circuit « Belle Syrie, entre l'Euphrate et l'Oronte », Damas, Krak des Chevaliers,

Ougarit, Apamée, Ebla, Alep, Deir ez-Zor, Palmyre, Bosra, 13 j., à partir de 17 600 FF tout compris. **Djos'Air Voyages**, centre d'affaires Paris-Nord, 93153 Le Blanc-Mesnil Cedex ☎ (1) 48.67.15.60. Vol sec pour Damas à partir de 2 800FF. Propose exclusivement les pays des Proche et Moyen-Orient (Égypte, Syrie, Oman, Yémen, Maroc, Turquie, Jordanie, Terre Sainte et Liban). Circuit « Zenobia », découverte des vestiges laissés par les Croisés et des sites de la vallée de l'Euphrate, 14 jours, à partir de 10 700 FF ou « Odyssée d'Arabie », 9 jours, à partir de 8 190 FF. Offre aussi de multiples possibilités à la carte pour tous les budgets. **Voyages Itinéris**, 36, rue des Plantes, 75014 ☎ (1) 40.44.88.88. Rodé depuis vingt ans à l'Égypte, à la Jordanie, au Liban, à la Syrie et au Yémen, ce spécialiste programme des voyages Syrie en liberté : séjour « Découverte », 8 jours, transport aérien, hébergement et voiture avec chauffeur, à partir de 14 800 FF sur la base de deux personnes. Circuit « Zénobie, reine de Palmyre », 12 jours, à partir de 13 600 FF. Combinés Syrie-Jordanie et Syrie-Liban. **Peuples du Monde**, voyages insolites et culturels, 10, rue de Montmorency, 75003 ☎ (1) 42.72.50.36. Voyages en petits groupes avec marche à pied et contacts avec la population locale. **Les Voyages de Pharaon**, 20, rue des Fossés-Saint-Bernard, 75005 ☎ (1) 43.29.36.36. La dernière-née des agences spécialisées sur l'Égypte, la Syrie, le Liban et le Yémen créée en 1994 par un Égyptien. Circuit de 12 jours en petits groupes, à partir de 12 000 FF avec une sélection d'hôtels de bon confort sans être luxueux. Séjours individuels avec transport, hébergement et location de voiture avec chauffeur, 7 jours à partir de 7 000 FF. **Croisières Costa-Paquet**, 5, bd Malesherbes, 75008 ☎ (1) 49.24.42.00. Croisières en Méditerranée avec escales en Syrie. Le *Mermoz* part de Djibouti et relie Chypre en faisant escale à Tartous (visite du Krak des Chevaliers, de Palmyre et de Damas). Une autre croisière part de Toulon et s'arrête à Lattaquié (visite d'Alep) et à Tartous avant de rejoindre Beyrouth puis Chypre.

# ∎ FORMALITÉS

**Visa.** Pour entrer en Syrie, que l'on vienne de France, de Belgique ou de Suisse, il faut être en possession d'un visa accordé par le consulat syrien de votre pays. Pour les Français, muni de votre passeport, il vous faudra remplir sur place 2 formulaires, apporter deux photos d'identité et régler la somme de 95 FF (en 1995). Le visa est valable trois mois à partir de la date d'émission et donne droit à deux entrées sur le territoire. Mais attention : le visa syrien n'est accordé que pour une durée de 15 jours. Si vous souhaitez rester plus longtemps, il vous faudra impérativement le faire prolonger sur place avant son expiration (prévoir cinq photos supplémentaires), dans l'un des bureaux d'immigration de Syrie ou auprès de la Préfecture de Police (voir adresses aux chapitres concernés). Il s'agit d'une simple formalité et la prolongation est automatiquement accordée. Faute d'accomplir cette démarche, vous risqueriez fort d'être bloqué le jour de votre départ qu'il vous faudrait alors différer, le temps de faire viser votre passeport au bureau de l'immigration de Damas. **En France :** ambassade et consulat de la République Arabe Syrienne, 20, rue Vaneau, 75017 Paris ☎ (1) 40.62.61.00. **En Belgique :** ambassade de la République Arabe Syrienne, 3, av. Franklin-Roosevelt, 1050 Bruxelles ☎ (2) 648.01.35. **En Suisse :** consulat général de la République Arabe Syrienne, 72, rue de Lausanne, 1021 Genève ☎ (22) 732.56.58.
**Douanes.** Les importations d'alcool et de tabac sont celles en vigueur dans tous les pays : limitation à 1 litre d'alcool et à 200 cigarettes. L'exportation d'antiquités vendues légalement dans les magasins est totalement libre ; vous devrez toutefois penser à exiger du vendeur une facture, qui pourra vous être demandée au moment du contrôle douanier.

**Assurance-assistance.** Si vous voyagez seul, il est conseillé de souscrire une assurance pour votre séjour. Avant tout, cependant, vérifiez les garanties offertes par vos contrats d'assurance (multirisque habitation, automobile, carte bleue VISA ou VISA PREMIER) afin d'éviter de payer deux fois pour une même couverture. Veillez plus particulièrement aux points suivants : assistance et rapatriement en cas d'accident ou de panne ; assistance médicale en cas de maladie ; assurance annulation de voyage, perte ou vol de bagage.

**Voiture et conduite.** Pour visiter la Syrie au volant de votre propre véhicule, vous devrez être en possession d'un permis de conduire international et d'un carnet de passage en douane délivré par les Automobile-Clubs présents en France et dans le monde. Les compagnies d'assurance n'assurent généralement pas les véhicules pour la Syrie (pour le savoir, il suffit de regarder la liste des pays assurés au dos de la carte verte) et il faut donc souscrire une assurance complémentaire provisoire. À la frontière, vous devrez acquitter une taxe de 140 US $ pour un véhicule diesel, ou de 40 US $ pour un véhicule à essence. Cette taxe couvre une période de 7 jours et doit être acquittée de nouveau toutes les semaines auprès des bureaux de douane de la localité où vous vous trouvez (renseignements dans les Offices de tourisme). De plus, à l'entrée dans le pays, vous devrez souscrire une assurance complémentaire pour toute la durée de votre séjour (qui ne devra pas excéder 3 mois).

**Renseignements :** Automobile-Club de l'Ile-de-France, 14, av. de la Grande-Armée, 75017 Paris ☎ (1) 40.55.43.00 et dans les 39 autres Clubs de France.

**Les compagnies d'assurance.** Si vous êtes insuffisamment couvert, des sociétés d'assurance proposent des contrats complémentaires pour la durée de vos vacances ou pour l'année entière. Vous pouvez également souscrire ce type de contrat auprès de votre courtier habituel qui vous conseillera ou auprès de votre agence de voyages la plus proche. **Mondial Assistance**, 2, rue Fragonard, 75807 Paris Cedex 17 ☎ (1) 40.25.52.04. Demandez la brochure *Mondial Assistance Voyages* qui propose des abonnements temporaires ou annuels. Vous avez le choix entre l'assurance individuelle simple ou avec un véhicule. Les tarifs tiennent compte des zones géographiques (France, groupe A pour l'Europe, groupe B et C pour le reste du monde) et sont uniques (pas de tarif réduit pour les jeunes ou les étudiants). **Europ-Assistance**, 3, rue Scribe, 75009 Paris ☎ (1) 41.85.85.85. **Elvia Assurances**, 66, av. des Champs-Elysées, 75008 Paris ☎ (1) 42.99.02.99. Elvia propose la formule « passeport intégral » couvrant l'annulation, la perte des bagages, le capital accident, la responsabilité civile à l'étranger, l'assistance rapatriement et l'assistance juridique ou la formule « passeport à la carte » (on choisit une ou plusieurs de ces garanties). **Les Automobile-Clubs de France.** Les adhérents des Automobile-Clubs de France et du monde entier peuvent bénéficier d'une assistance sanitaire aux personnes. En échange d'un contrat d'adhésion deux ou trois étoiles (à partir de 625 FF pour l'année), il vous sera remis une carte nominative avec un numéro de téléphone à contacter en cas de problème où que vous soyiez dans le monde. Attention : il est recommandé de souscrire un contrat d'adhésion dans le pays correspondant au domicile fiscal, autrement dit l'endroit où vous habitez. **Automobile-Club de l'Ile-de-France**, 14, av. de la Grande Armée, 75017 Paris ☎ (1) 40.55.43.00. Minitel 36.15 ACIF.

## ■ MONNAIE

L'unité monétaire est la **livre syrienne** appelée communément lira. Elle est divisée en 100 piastres. On trouve des pièces d'une livre, de 50 et de 25 piastres et des billets de 5, 10, 25, 50, 100 et 500 livres. Au cours de 1995, 1 LS ou £ = 0,08 FF ou encore 1 FF = 7,6 LS. Dans les **hôtels de catégories supérieure** et moyenne supérieure, on vous demandera de régler votre note en devises étrangères : cartes de paiement (acceptées uniquement dans les établissements de luxe), chèques de voyage ou espèces. De même, les **locations de voiture** et les services des **agents de voyage** se règlent en devises.

**Cartes de paiement.** Son usage est très peu répandu en Syrie. Elle est acceptée dans les hôtels et commerces de luxe mais pas encore dans les restaurants. La plus fréquemment admise est la **carte Visa**, suivie des cartes **American Express** (AE), **Diner's Club** (DC) et **Eurocard/MasterCard** (MC). En 1995, seules quelques agences de voyage et le loueur de voiture Cham Car acceptaient le règlement par carte bancaire. Les **distributeurs automatiques** de billets n'existent pas. Il n'est donc pas possible d'obtenir des livres syriennes avec une carte de paiement, pas même auprès d'une banque. Prévoyez en conséquence une quantité suffisante de liquidités et de traveller's chèques.

**Votre budget.** Pour un Occidental, la Syrie reste un pays bon marché. Un **repas** pris dans un établissement de bon standing ne vous coûtera guère plus de l'équivalent de 50 FF, boisson comprise (vin ou arak), à peine plus dans un établissement de luxe. Une **chambre double** dans un hôtel de catégorie intermédiaire vous coûtera de 30 à 50 US$. Dans un établissement de luxe, la note grimpera aux environs de 200 US$. Dans un **petit hôtel,** vous paierez entre 10 et 20 US$ avec, dans ce cas, la possibilité de régler en livres syriennes. Pour un café pris dans le souk, comptez entre 10 et 20 LS, pour une course en taxi en ville, environ 50 LS. Pour le tarif des **courses interurbaines**, voir p. 38. L'entrée des sites archéologiques est passée en 1995 à 200 LS.

## ▌QUE FAUT IL EMPORTER ?

**Vêtements.** D'avril à oct., vêtements légers, chapeau, lunettes de soleil, un lainage léger pour le soir ou les intérieurs climatisés ; de nov. à mars, vêtements chauds et imperméables, voire très chauds de janv. à mi-mars ; en toutes saisons, de bonnes chaussures de marche, bien imperméables pendant la saison des pluies : sur tous les sites, vous marcherez dans la pierraille, « agrémentée » de gadoue pendant l'hiver. On peut emporter une tenue de ville pour quelques établissements de très grand luxe.

**Santé.** Les médicaments courants sont disponibles dans les pharmacies des grandes villes. On peut prévoir une petite trousse de secours avec désinfectant local, pansements, fébrifuge, antibiotique à large spectre (les climatisations trop fortes peuvent être redoutables), antiseptique intestinal et antidiarrhéique.

**Photo.** On trouve sur place des pellicules photographiques, d'une qualité pas toujours suivie. Mieux vaut emmener ses films avec soi. En été, la luminosité est très forte : prévoir des films de faible sensibilité (50 ou 100 ASA).

**Cartes routières.** Les routes ne sont pas toujours bien signalées ; munissez-vous avant le départ d'une carte routière, *Freytag & Bernt* par exemple, qui offre un index des localités et un superbe plan de Damas. Vous trouverez sur place dans les offices de tourisme, des cartes, assez sommaires, de chacune des régions du pays, où figure également le plan des grandes villes. Profitez-en pour prendre aussi une carte rédigée en arabe : montrer les noms sur la carte pourra vous aider à demander votre route.

## ▌ADRESSES UTILES

**Ambassade et consulat de la République Arabe Syrienne,** 20, rue Vaneau, 75017 Paris ☎ (1) 40.62.61.00. Dépôt des demandes de visa du lun. au ven. de 10h à 12h, retrait dans un délai d'une semaine de 12h à 15h.

**Centre culturel arabe syrien,** 12, av. de Tourville, 75007 ☎ (1) 47.05.30.11. *Ouv. du lun. au jeu. de 9h à 18h, le ven. de 9h à 15h.* **Bibliothèque :** consultation sur place (ouvrages de géographie et d'histoire sur les différents pays du monde arabe). Conférences et expositions temporaires.

**Institut du Monde arabe (I.M.A)**, 1, rue des Fossés-Saint-Bernard, 75001 Paris ☎ (1) 40.51.38.38 et serveur vocal au ☎ (1) 40.39.80.61. Tous les aspects de la vie culturelle et artistique du monde arabe dans cet établissement construit par l'architecte français Jean Nouvel. *Ouv. du mar. au dim. de 10h à*

18h ; *bibliothèque ouv. du mar. au sam. de 13h à 20h ; espace Image et son ouv. du mar. au dim. de 10h à 18h* (cabines de consultation de films et de diapositives sur les pays, écoute au casque de musique). Expositions temporaires, rencontres et débats, concerts et spectacles à l'auditorium, projection de films. **Restaurant** spécialisé dans la cuisine des pays arabes et cafétéria au 9e étage. **Laboratoire de langue** (arabe uniquement) à partir de janvier 1996.

## Librairies de voyages

**À Paris :** A.B.C. du Voyage - Astrolabe Rive Gauche, 14, rue Serpente, 75006 ☎ (1) 46.33.80.06. Des cartes, des plans, des guides et un catalogue très complet. **L'Astrolabe**, 46, rue de Provence, 75009 ☎ (1) 42.85.42.95. Toujours de bon conseil, cette librairie propose de nombreuses cartes, certaines spécialement destinées aux randonneurs. *Ouv. du lun. au sam. de 10h à 19h.* **Itinéraires**, 60, rue Saint-Honoré, 75001 ☎ (1) 42.36.12.63, fax 42.33.92.00. Minitel 36.15 code ITINÉRAIRES. Un important catalogue informatisé répertorie tous les ouvrages disponibles sur telle ou telle destination (vous pouvez aussi l'obtenir par correspondance). *Ouv. t.l.j. en sem. de 10h à 19h.* **Ulysse**, 26, rue Saint-Louis-en-l'Ile, 75004 ☎ (1) 43.25.17.35, fax 43.29.52.10. *Ouv. du mar. au sam. de 14h à 20h.* Une des plus anciennes librairies de voyage ; un grand choix de guides anciens et de documents rares. **La Cité des Voyages de Voyageurs du Monde**, 55, rue Sainte-Anne, 75002 Paris ☎ (1) 42.86.17.38. *Ouv. du lun. au sam. de 10h à 19h, le dim. de 13h à 18h.* Tous les guides de voyages et cartes sur les destinations proposées par Voyageurs du Monde, les meilleures collections de guides en anglais, manuels de conversation et accessoires de voyage. Expositions temporaires d'artisanat traditionnel de grande qualité en provenance de tous les pays. À côté de la Cité des Voyages, au 51 bis, rue Sainte-Anne, un restaurant propose chaque jour la cuisine d'un pays différent. *Ouv. le midi du lun. au sam.* (menu unique à 100 FF). **Travelstore, Espace Travelshop**, 14, bd de la Madeleine, 75008 Paris ☎ (1) 53.30.50.00. *Ouv. du lun. au ven. de 10h30 à 19h30, nocturne le jeu. jusqu'à 21 h, dim. de 14h à 19h.* Un grand choix de guides et de récits de voyages, vidéos. Possibilité d'emprunter pendant 48 h des vidéos sur les pays pour les adhérents du Club Travelstore. **En Suisse :** Librairie du Voyageur Artou, 8, rue de Rive, 1204 Genève ☎ (22) 311.45.44. – Travel Bookshop, Rindermarkte 20, 8000 Zurich ☎ (1) 252.38.83. **En Belgique :** La Route de Jade, rue de Stassart 116, 1050 Bruxelles ☎ (02) 512.96.54. Très vaste choix de guides, de cartes et de plans. – Peuples et Continents, rue Ravenstein 11, 1000 Bruxelles ☎ (02) 511.27.75. Le spécialiste bruxellois des beaux livres sur le voyage.

---

### Comment téléphoner en Syrie ?

**France-Syrie :** composer l'indicatif international (19 pour sortir de France, remplacé par le 00 à partir de l'automne 1996), suivi du 963 (indicatif de la Syrie), de l'indicatif de la ville et enfin du numéro de votre correspondant.

**Belgique-Syrie** et **Suisse-Syrie :** 00 963

**Indicatif des principales localités**

| | | | |
|---|---|---|---|
| Damas | 11 | Homs | 31 |
| Alep | 21 | Lattaquié | 041 |
| Baniyas | 421 | Raqqa | 221 |
| Deir ez-Zor | 51 | Safita | 321 |
| Deraa | 151 | Souweyda | 161 |
| Idlib | 231 | Tartous | 431 |
| Hama | 331 | Zabadani | 131 |

# VOYAGE A LA CARTE

*En voyage, la carte de paiement, c'est la liberté !*
*Véritable sésame, elle vous permet de régler l'essentiel*
*de vos dépenses et de disposer en permanence d'argent liquide,*
*tout en vous garantissant une totale sécurité.*
*Pour en profiter pleinement, voici un petit mode d'emploi*
*qui vous en rappelle tous les avantages.*

## Une carte de paiement, c'est :

• **Un moyen facile de retirer de l'argent liquide**.
Chaque semaine, vous avez droit à la contre-valeur
en liquide d'une certaine somme que vous pouvez retirer :

– dans les guichets des banques affichant le logo
de votre carte : sur simple présentation de votre carte
et d'une pièce d'identité, le guichetier vous remettra
vos espèces et le double du reçu que vous aurez signé ;

– dans un distributeur automatique de billets (*automatic
teller machine* en américain, *cash dispenser* ou *cash point*
en anglais) affichant le logo de votre carte, il vous suffira
d'introduire la carte dans l'appareil, de taper votre code
confidentiel et de suivre les instructions données
par la machine dans la langue locale et en anglais.

• **Un mode de paiement pratique**. Pour régler une facture
d'hôtel, la location d'une voiture, une note de restaurant,
des achats importants, la démarche est la même qu'en France :
chez tout commerçant affilié au réseau de votre carte,
vous présentez la carte, le caissier établit une facture
dont il vous donne le double après vous l'avoir fait signer.

• **Une carte de téléphone**. Les cabines publiques acceptant
les cartes de crédit se répandent dans les aéroports
internationaux et les lieux très touristiques.

• **Une assistance médicale à l'étranger**. Tout détenteur
d'une carte bancaire internationale bénéficie du rapatriement
médical, de la prise en charge des premiers soins,
de la présence d'un proche en cas d'hospitalisation, du retour
en cas de décès d'un membre de la famille, de la transmission
de messages urgents, d'une avance éventuelle de fonds.

• **Une assurance décès-invalidité**. En réglant avec
votre carte vos billets d'avion, de bateau,
de train ou de location de voiture, vous ou
vos ayant-droits bénéficiez d'une garantie
dont le montant varie selon le réseau auquel vous êtes
affilié et le type de carte que vous possédez.

## Bon à savoir

**Commission et taux de change**. Toute transaction
à l'étranger (achats, retraits, règlements de facture)
avec une carte de paiement est soumise à une commission
variable suivant le mode de transaction et le pays où l'on
se trouve. Le débit des factures est effectué sur votre compte
selon les délais habituels pratiqués par votre banque.
Dans les pays développés (Europe occidentale, États-Unis,

Japon, Australie, etc.) le taux de change appliqué, avantageux, est proche de celui des traveller's. Ailleurs (Amérique du Sud, Afrique, Europe de l'Est), c'est un taux imposé par les autorités du pays aux organismes émetteurs de cartes de paiement qui risque d'être parfois peu avantageux par rapport à la réalité du cours de la monnaie dans le pays. Renseignez-vous auprès de votre banque avant votre départ.

**En cas de perte.** Avisez immédiatement le centre d'opposition le plus proche (les banques ou les commerçants vous en communiqueront les coordonnées) en ayant soin de préciser le numéro de votre carte (surtout pas votre code confidentiel), sa date d'expiration et l'agence bancaire émettrice. Dans tous les cas, confirmez la perte à votre banque par lettre recommandée avec accusé de réception. Selon le type de carte dont vous êtes détenteur, vous pourrez éventuellement vous faire délivrer dans les 48 heures une carte provisoire de remplacement.

### Quelques conseils

• **Pensez à noter le numéro de votre carte** (n'inscrivez jamais votre code confidentiel) afin de pouvoir le communiquer aux services compétents en cas de perte ou de vol.

• **Vérifiez la date d'expiration de votre carte** afin d'être sûr de pouvoir vous en servir pendant toute la durée de votre voyage. Éventuellement, demandez un renouvellement anticipé, en tenant compte du délai d'obtention d'une carte (15 jours).

• Demandez à votre banque de vous communiquer **les numéros d'urgence** dans les pays où vous vous rendez.

• **Protégez la bande magnétique de votre carte** en évitant tout contact avec d'autres cartes ou des objets métalliques. Si elle se trouvait endommagée, toute transaction deviendrait impossible.

• **Après chaque paiement**, vérifiez que c'est bien votre carte de crédit qui vous a été rendue, et n'oubliez pas de récupérer votre facturette.

---

## Visa pour l'évasion

Parmi les cartes internationales de paiement, les voyageurs français ont plutôt opté pour la Carte Bleue Visa ou Visa Premier.
Quelques téléphones utiles à leur intention :
• **En cas de perte ou de vol :** ☎ (33.1) 42.77.11.90
• **Assistance médicale :**
Carte Bleue Visa ☎ (33.1) 41.14.12.21 ;
Carte VISA PREMIER ☎ (33.1) 48.78.48.00.
• **Pour plus d'informations sur**
les distributeurs de billets à l'étranger :
minitel 3616 code CB VISA.

# VIVRE AU QUOTIDIEN

## ■ CHANGE

Pour les touristes, l'importation de devises est libre. Vous pourrez convertir vos devises ou vos chèques de voyage en livres syriennes dans les agences bancaires habilitées (voir les adresses utiles de chaque localité) ou dans les bureaux de change des grands hôtels. Le taux y est le même : il s'agit du taux « touristique » (de l'ordre de 0,08 FF pour 1 livre en 1995), le seul qui vous concernera lors de votre voyage. Il existe, en effet, un taux « officiel » appliqué aux transactions commerciales internationales. Fuyez comme la peste les quelques « changeurs au noir » qui pourront vous aborder : cette pratique est sévèrement réprimée. Rappelons qu'il était encore impossible en 1995 de se procurer des livres avec une carte de paiement.

## ■ CONDUITE

Pour un étranger, conduire en Syrie n'est pas chose aisée : sorti des grands axes, les **directions** sont souvent mal indiquées (du moins en caractères latins) et il n'existe pas de carte qui tienne complètement compte de chaque petit chemin de campagne, seule façon pourtant d'atteindre certains sites isolés, dans le Massif calcaire par exemple. C'est pourquoi, si vous louez une

**Moment de détente que celui que l'on passe aux bains : là, entre hommes ou entre femmes, on se retrouve pour bavarder, et l'on passe volontiers plusieurs heures à lire le journal, à fumer le narguilé ou à boire le thé.**

voiture, il est préférable de s'adjoindre les services d'un **chauffeur** qui pourra aisément demander son chemin le cas échéant, se faire votre interprète auprès des populations locales, et s'avérera dans l'immense majorité des cas un excellent compagnon de voyage. Pour les formalités, voir pp. 23 et 97.

Trouver de l'**essence** ne présente aucune difficulté. Pour un Occidental, elle est très peu chère. Les stations-service restent ouvertes 7 jours sur 7.

# ▮ CUISINE

Dans les restaurants en ville, on mange véritablement à toute heure, de midi à minuit. Les restaurants à l'occidentale servent entre midi et 14h et le soir à partir de 19h et généralement assez tard.

## Les plats

Au bout de quelques jours de voyage, et après autant de repas pris dans les restaurant locaux, il vous semblera peut-être que la cuisine syrienne n'est pas très variée : en entrée, l'inévitable hoummous, purée de pois chiche arrosée d'huile d'olive, le taboulé, salade de persil, de menthe, de tomates, d'oignons et de blé concassé (à éviter par grande chaleur), précédant les inévitables brochettes de viande hachée *(shish kebab)* de cubes de viande *(shakhaf)*, voire de poulet *(shish taouk,* un peu sec).

Il n'en est rien de cette apparente monotonie : c'est seulement que vous aurez eu quelques difficultés à vous repérer dans les menus, écrits, lorsque c'est le cas, dans un anglais souvent approximatif. C'est aussi que le plus souvent, de nombreux plats ne figurent pas sur le menu. C'est pourquoi vous mangerez toujours mieux en compagnie d'un autochtone (votre guide ou votre chauffeur par exemple) que tout seul. Il saura demander au garçon les **spécialités** du moment. Elles sont innombrables. Un repas pris entre amis commence toujours par un mezze, un assortiment d'**entrées froides**. Aux « incontournables » mentionnées ci-dessus s'ajoute une liste presque infinie : *baba ganough*, purée d'aubergines et de sésame *(tahiné)*, *fatouch*, mélange de salades très parfumées et de croûtons, salade de moelle, de cervelle ou de langue de mouton, *shinglish*, boule de fromage plus ou moins vieux que l'on écrase dans une salade de tomates et d'oignons puis que l'on arrose d'huile d'olive (un délice), *bastorma*, viande de bœuf séchée au paprika… Viennent ensuite les **entrées chaudes :** *beurek*, des feuilletés à la viande ou au fromage, *kebbé*, boulettes de viande hachée additionnée de blé concassé (parfois de pignons de pin comme à Alep) et frites (on sert également la même préparation avec de la viande crue, le *kebbé nayyé*, à consommer avec prudence et modération), *falafel*, boulettes de pois chiches concassés frites, cervelles de mouton panées, tripes farcies *(sindawad)*…Puis arrivent les **viandes :** grillées comme vous l'avez sans doute déjà découvert, rôties également comme le mouton servi sur du riz, ou les têtes et pieds de mouton, mais aussi sous forme de ragoût en diverses sauces. On sert également le *frikké*, viande rôti servie sur un lit de blé concassé. À la fin du printemps et au début de l'été, on trouve la *mouloukhiyé*, une sorte d'oseille-épinard sauvage dont les Syriens raffolent littéralement. Elle accompagne mouton et poulet. Dans la steppe, et à Palmyre notamment, vous pourrez goûter le *memsaf*, le plat des Bédouins : de l'agneau cuit dans du yaourt et servi avec du riz ; un régal !

## Les boissons

Et que boit-on pour arroser tout ça ? De l'**arak** le plus souvent, l'anisette blanche locale que l'on additionne d'eau glacée. D'ordinaire, une bouteille entière désaltère à peine une tablée de quatre convives. Vous pourrez également commander des bouteilles de 20 cl. On boit plus rarement du **vin**, local ou libanais, ce dernier jouissant à juste titre d'une meilleure réputation. De manière générale, évitez l'eau du robinet et consommez de l'eau minérale en bouteilles capsulées, que vous trouverez partout.

# ■ DISTANCES

|  | Damas | Alep | Homs | Hama | Lattaquié | Deir ez-Zor | Palmyre |
|---|---|---|---|---|---|---|---|
| Damas | 0 | 355 | 162 | 209 | 348 | 421 | 220 |
| Alep | 355 | 0 | 193 | 146 | 187 | 335 | 353 |
| Homs | 162 | 193 | 0 | 47 | 186 | 354 | 160 |
| Hama | 209 | 146 | 47 | 0 | 147 | 401 | 207 |
| Lattaquié | 348 | 187 | 186 | 147 | 0 | 508 | 346 |
| Deir ez-Zor | 421 | 335 | 354 | 401 | 508 | 0 | 201 |
| Palmyre | 220 | 353 | 160 | 207 | 346 | 201 | 0 |

# ■ FÊTES ET MANIFESTATIONS

**Avril :** festival du désert à Palmyre ; courses de chameaux, représentations folkloriques au théâtre.

**6 mai :** fête du monastère de saint Georges (voir p. 129), près du Krak des Chevaliers.

**Juillet :** festival du coton à Alep ; défilé de chars fleuris.

**Août :** à Lattaquié (voir p. 144), festival de l'Amour pendant lequel viennent se produire les plus grands chanteurs du monde arabe.

**8 sept. :** fête de la Vierge à Saidnaya.

**14 sept. :** fête de l'Exaltation de la Croix à Maaloula (voir p. 107).

**24 sept. :** fête de sainte Thècle à Maaloula (voir p. 107).

**Sept. :** fête de la vigne à Souweyda (voir p. 101) avec élection d'une Miss Vigne (!).

**Sept. :** foire de Damas.

**Sept. :** festival de Bosra (voir p. 102), où des troupes folkloriques viennent du monde entier se produire dans le cadre prestigieux du théâtre romain.

**7 et 8 oct. :** fête de saint Serge à Maaloula.

**Oct./nov. :** festival du cinéma à Damas, à l'auditorium de l'hôtel Cham (voir p. 92). Ce festival a lieu tous les deux ans, en alternance avec le festival du théâtre qui a lieu au même endroit. Prochaines éditions : 1996 pour le théâtre, 1997 pour le cinéma.

## Jours fériés

**1er janvier :** Nouvel An. **8 mars :** anniversaire de la Révolution. **21 mars :** fête des Mères. **17 avril :** fête nationale. **1er mai :** fête du Travail. **6 mai :** fête des Martyrs. **25 décembre :** Noël.

À ces jours fériés à dates fixes, il faut ajouter les fêtes musulmanes à date variable. De même, les dimanches de Pâques catholique et orthodoxe sont chômés dans tout le pays.

## Fêtes musulmanes

|  | 1996 | 1997 | 1998 | 1999 |
|---|---|---|---|---|
| 1er jour du mois de Ramadan | 23/1 | 11/1 | 1/1 | 21/12 |
| Aid al-Kébir (Grand Sacrifice) | 30/4 | 19/4 | 9/4 | 23/3 |
| Nouvel An (1er Muharram) | 19/5 | 9/5 | 24/4 | 17/4 |
| Mouled en-Nabi (Naissance du Prophète) | 29/7 | 19/7 | 8/7 | 27/6 |

## Pâques orthodoxes

| 1996 | 1997 | 1998 | 1999 |
|---|---|---|---|
| 14/4 | 27/4 | 19/4 | 11/4 |

# LE CROISSANT FERTILE
# ENTRE MER ET DÉSERT

*Un désert, la Syrie ? Voire. Si la steppe occupe plus de la moitié du territoire, on y trouve aussi d'aimables paysages méditerranéens tandis que les montagnes offrent l'abri rafraîchissant de leurs forêts et de leurs vergers.*

Le mont Hermon marque l'extrémité sud du massif montagneux qui borde le littoral. Aujourd'hui occupé par Israël, il était jusqu'en 1967 le point culminant de la Syrie.

Schématiquement, la Syrie se divise en quatre régions distinctes :

**Le littoral** est une étroite bande côtière de 175 km de long, bordée par la Méditerranée.

**Le rebord montagneux** se dresse entre la côte et les plaines centrales : au N, le Djebel Ansariyé (la montagne alaouite) s'élève au-dessus de la dépression du Ghab où serpente l'Oronte. Au S, cette chaîne est prolongée par l'Anti-Liban et le mont Hermon qui culmine à 2 814 m.

**Les plaines centrales.** L'extrémité du Croissant fertile forme l'une des zones vitales de l'économie et de l'agriculture syriennes. Du S au N se succèdent plusieurs régions : 1) les oasis au pied des montagnes, telles celle de Damas arrosée par le Barada. 2) les régions de Homs et de Hama, arrosées par l'Oronte. Le bassin d'Alep au N-O, puis vers l'E, au N de l'Euphrate, le fertile bassin de la Djeziré, une grande plaine qui bénéficie d'importants travaux d'irrigation ; c'est le domaine des grandes cultures céréalières et du coton.

**Les déserts.** Ils occupent 58 % du territoire, vers l'E et le S du pays en direction de la Jordanie et de l'Irak ; au S se dressent, au-dessus de la steppe, des massifs basaltiques peu élevés, le Hauran et le Djebel Druze.

## Le pin et le vin d'Alep

Les botanistes ont dénombré environ 3 500 espèces végétales, la plupart de type méditerranéen, le reste de type alpin dans les montagnes.

Le pin d'Alep.

Sur les quelque 3 000 km
dont s'honore l'Euphrate,
environ 600 courent
en Syrie, irriguant
ainsi tout le N-E du pays.

Le Hauran et le Djebel
Druze voient en abondance
pousser les céréales,
le blé en particulier.
On distingue au fond
la silhouette noire
du massif basaltique.

Ne cherchez pas les immenses forêts qui couvraient
le pays aux temps bibliques : elles ont depuis
longtemps disparu sous les haches des bûcherons
et notamment au tout début de notre siècle,
lorsque les Ottomans ont dénudé les collines
pour construire et alimenter leur chemin de fer.
C'est au-dessus de Lattaquié, au N et à l'E,
que vous trouverez les derniers lambeaux
de la forêt originelle, une forêt de chênes
parmi lesquels s'élève parfois l'élégante silhouette
des pins et des cyprès d'Alep.

En matière d'arbres fruitiers, l'olivier est le plus
répandu. On le cultive jusqu'à 1 000 m d'altitude,
dans le Djebel Ansariyé. Viennent ensuite
les figuiers, les pistachiers d'Alep, l'amandier,
l'abricotier, le grenadier. La vigne, présente
dans la région depuis des millénaires, produit
un excellent raisin destiné surtout à être séché,
mais aussi à produire des vins d'honorable qualité.
Signalons enfin la création, par les autorités,
de vastes zones de reboisement, plantées de pins
et d'eucalyptus.

*Voir la carte pp. 10 et 11.*

## Il a neigé sur Damas

On distingue deux types de climats : à l'O de la chaîne de montagnes
côtières règne un climat méditerranéen, doux et humide ; à l'E sévit, en
revanche, un climat de type continental, avec des étés torrides et des hi-
vers froids, notamment la nuit dans la steppe. Il n'est pas rare d'avoir de
la neige en hiver, à Alep ou à Damas. La période des pluies s'étend de novembre à mars, le mois de janvier étant le plus arrosé et le plus froid.
Juillet et août sont les mois les plus chauds avec des températures pouvant atteindre les 45 °C.

# ▌HÉBERGEMENT

**Hôtels.** Dans la catégorie des 4 étoiles et dans la majorité des hôtels 3 étoiles, il vous faudra régler votre note en devises, espèces ou chèques de voyage. Seuls les établissements 4 étoiles acceptent les cartes de paiement. D'année en année, le parc hôtelier syrien se développe pour faire face à l'engouement nouveau que suscite le pays. Dans les grandes villes, on pourra ainsi trouver, à côté dès grands palaces, des établissements de catégorie moyenne de très bon confort. Reste que dans certaines localités très touristiques, Palmyre en tout premier lieu, l'équipement hôtelier est souvent insuffisant en période de grande affluence, durant les mois d'avril, mai, sept. et oct. Il est alors impératif de réserver. Sachez néanmoins qu'en cas de difficulté, vous pourrez toujours compter sur la gentillesse et l'hospitalité de la population pour vous dépanner. Ce sera peut-être l'occasion de coucher sous une tente de Bédouins…

## Camping

Il est assez peu répandu sauf sur la côte, à Baniyas et à Tartous notamment, où l'on trouve de vastes terrains de camping équipés également de bungalows que l'on peut louer.

# ▌HEURE LOCALE

L'heure est à GMT + 2 en hiver et GMT + 3 en été. Ainsi, lorsqu'il est midi à Paris, il est 13h à Damas, hiver comme été. La Syrie passe à l'heure d'été le 1er avril et à l'heure d'hiver le 30 septembre.

# ▌HORAIRES

**Administrations et banques :** ouv. de 8h à 14h30.
**Bureaux :** ouv. de 8h30 à 14h et de 16h30 à 19h sauf le **vendredi**.
**Magasins :** ouv. en journée continue, fermeture hebdomadaire le vendredi (le **dimanche** pour les commerces tenus par des chrétiens).
**Musées :** ils sont généralement fermés le mardi ; pour les horaires de chacun ainsi que pour les **sites archéologiques**, reportez-vous à l'index et aux rubriques concernées.

# ▌INFORMATIONS TOURISTIQUES

Dans chaque grande localité, il existe un Office du tourisme (voir les adresses utiles des villes concernées). Malgré la gentillesse des employés, vous n'y obtiendrez guère plus qu'une carte de la région où figure un plan de la ville. Vous pourrez vous procurer toutes ces cartes en une seule fois à l'office de tourisme de Damas qui dispose également de quelques affiches.

# ▌LANGUE

La langue officielle est l'arabe. L'anglais est relativement répandu parmi les jeunes générations qui le préfèrent au français, que pratiquent bon nombre de personnes plus âgées ainsi que les élites locales. Bien entendu, les différentes communautés utilisent leur propre langue pour un usage domestique : arménien (surtout à Alep), kurde, turc (dans certains villages de la Djéziré). L'araméen n'est plus parlé que par quelques personnes dans les villages du Qalamoun (voir p. 106).

## ▎ MÉDIAS

Il existe un journal syrien en anglais, le *Syria Times*, porte-parole de la politique officielle du gouvernement. Vous trouverez journaux et magazines étrangers à Damas à la librairie de l'hôtel Cham (où le *Monde* et le *Figaro* arrivent quotidiennement), ainsi qu'à celle de l'hôtel Méridien. À Alep, rendez-vous à la librairie de l'hôtel Cham. En dehors de ces deux villes, n'espérez pas trouver des journaux étrangers.

## ▎ POLITESSE

Vous serez séduit par la gentillesse et l'hospitalité de la population, manifestes de façon encore plus évidente dans les campagnes. Ainsi, lorsque vous vous arrêterez dans un petit village, il serait bien étonnant que l'on ne vous invite pas à la maison, pour prendre le café et des sucreries. On vous installera alors à la place d'honneur dans le salon réservé aux invités, ou à défaut dans la pièce unique de la petite maison. Ne jouez pas au touriste effarouché : cette invitation vient du fond du cœur et n'est motivée par rien d'autre que le souci de réserver le meilleur accueil à l'étranger. Il serait tout à fait impoli de votre part de refuser. Les problèmes commencent lorsque cette même invitation se répète plusieurs fois dans le même village ; malheur alors à celui qui n'aime pas le café ! Il en va de même chez les Bédouins, qui vous inviteront à partager leur café, un extrait extrêmement fort dont on sert quelques gouttes au fond d'une tasse minuscule.

Cette tradition d'hospitalité s'accompagne néanmoins de certains devoirs de la part des invités. Devoir avant tout de respecter les mœurs et les traditions de vos hôtes, notamment en matière **vestimentaire :** mesdames, abstenez-vous de vous promener en tenue de plage, en short ou en mini-jupe dans les rues des villes et à la campagne. Les femmes syriennes les plus occidentalisées portent des jupes juste au-dessus du genou. Par ailleurs, dans les campagnes, l'usage veut que l'on se déchausse pour entrer dans la pièce principale de l'habitation. De manière générale, abstenez-vous de **photographier** des gens sans leur consentement : un simple geste interrogateur et un sourire suffisent le plus souvent.

Rappelons qu'il faut **se déchausser** avant de pénétrer dans la salle de prière d'une mosquée, et qu'une **tenue correcte** est de rigueur (pas de shorts et bras couverts pour les femmes) dans les églises et monastères.

## ▎ POSTE ET TÉLÉPHONE

Vous trouverez des **timbres** dans les grands hôtels ainsi que dans les bureaux de poste. Une lettre envoyée de Syrie mettra environ une semaine avant d'arriver à son destinataire en Europe. Pour le **téléphone**, il existe des centraux téléphoniques, mais la queue à faire vous découragera bien vite. Même si la communication est un peu plus chère, il sera beaucoup plus commode de téléphoner de votre hôtel. La Syrie est connectée au réseau automatique et ob-

---

### Comment téléphoner en Syrie ?

**Pour téléphoner hors de Syrie :** composez le 00 (indicatif international), suivi du 33 pour la France (33.1 pour Paris), du 32 pour la Belgique, du 41 pour la Suisse, ou du 1 pour le Canada.

**Pour téléphoner d'une ville à l'autre en Syrie :** composez l'indicatif de la ville (voir p. 25) si vous êtes à l'extérieur de celle-ci, suivi du numéro de votre correspondant.

tenir votre correspondant à l'étranger ne prendra que le temps de composer le numéro. On trouve également des **cabines** téléphoniques qui fonctionnent avec des pièces d'une livre : à n'utiliser que pour les communications locales. On ne trouve pas à l'heure actuelle de téléphones à carte.
*Vous trouverez p. 25 la liste des principaux indicatifs urbains de Syrie.*

## ▌ POURBOIRE

C'est pour ainsi dire une institution pour tous les services : taxis, portiers et bagagistes des hôtels, garçons de restaurants… Comptez env. 10 % de la note.

## ▌ SANTÉ

La Syrie jouit d'un climat très sain et il n'y a donc pas de précaution particulière à prendre. Par forte chaleur, évitez simplement les crudités et notamment les salades de persil qui accompagnent les viandes grillées ; de même, par forte canicule, protégez-vous du soleil et buvez beaucoup d'eau. Évitez l'eau du robinet, parfois impropre à la consommation ; on trouve partout de l'eau minérale capsulée.

## ▌ SÉCURITÉ

Là encore, une très heureuse découverte : la Syrie est un pays d'une absolue sécurité. On peut s'y promener de jour comme de nuit sans aucun problème. Si d'aventure vous oubliez derrière vous un sac ou un paquet, il se trouvera toujours quelqu'un pour vous le faire remarquer. Évitez tout de même de tenter l'expérience avec votre portefeuille au milieu des souks…
Par ailleurs, il faut garder en mémoire que la Syrie est, en 1995, un pays officiellement en état de guerre, même si les négociations qui se poursuivent avec l'État d'Israël peuvent laisser espérer une paix prochaine. Abstenez-vous donc impérativement de photographier, ou même de prêter une attention soutenue aux installations militaires. Rappelons également que l'accès à la partie du Golan sous contrôle syrien est toujours soumis à l'obtention d'un permis spécial. Se renseigner à l'Office du tourisme de Damas en arrivant.

## ▌ SHOPPING

Longtemps, le spectacle des souks fut une véritable torture pour les visiteurs étrangers : ils y voyaient des merveilles, à des prix très abordables, mais qu'ils étaient dans l'impossibilité d'acheter car aucune boutique n'acceptait les cartes de paiement. Aujourd'hui, on peut facilement se permettre de « craquer » pour un ravissant kilim à 300 US$, sans pour autant disposer des liquidités suffisantes ; de plus en plus de commerçants du souk acceptent le paiement par cartes bancaires et la caverne d'Ali Baba s'ouvre à vous (voir p. 162-163).
Le tourisme de masse n'ayant pas, pour l'instant, atteint la Syrie, on n'y trouve pas encore ce type de souvenirs industriels et standardisés que l'on rencontre dans beaucoup de pays de la région. Au contraire, vous verrez encore toutes sortes de produits sortis des mains d'authentiques artisans dont l'activité est, du reste, encouragée par les autorités. Vous pourrez ainsi visiter à Damas le centre d'artisanat installé dans la Tekkiyé Suleimaniyé.
**Que rapporter ?** Des verres soufflés, de jolies nappes de coton brodé de

soie, des **boîtes** en bois précieux incrusté de nacre, des carreaux de faïence, du cuivre, de superbes coffres en bois décorés de nacre (pas facile à transporter, convenons-en ; certains marchands peuvent toutefois assurer le transport des objets les plus encombrants), des **tapis** de toute provenance, de toutes tailles et à tous les prix. Des **antiquités** également : bijoux, sceaux-cylindres de l'Orient ancien, verres, lampes, monnaies grecques, romaines et byzantines, des icônes aussi, dans le quartier chrétien de Damas... Les amateurs de **brocante** trouveront tout un bric-à-brac datant de la dernière période ottomane (fin XIXe s.-début XXe s.) et de l'époque du Mandat Français (1920-1946) : vieilles photos, phonogrammes, décorations, monnaies, bibelots divers, etc. Vous trouverez aussi des objets de l'**artisanat bédouin**, dans la steppe, à Palmyre et à Deir ez-Zor, et au souk d'Alep : tapis de selle, robes brodées, vieilles cafetières en cuivre. Pensez également aux **friandises** qui ne coûtent rien et font des cadeaux appréciés : fruits confits de Damas (on en vend de superbes plateaux tout prêts, ravissants et faciles à transporter), pistaches d'Alep, les meilleures de tout l'Orient, gâteaux secs au sésame emballés dans de jolies boîtes. Et pourquoi pas du savon d'Alep, un savon naturel et parfumé, ancêtre du savon de Marseille, et à qui les odalisques devaient leur peau si douce ?

## ■ TRANSPORTS

**Les taxis.** Vous en trouverez sans difficulté dans toutes les villes. Ils sont d'ordinaire de couleur jaune. Pas vraiment de station pour les courses urbaines : il vous suffit d'en héler un au passage. Les compteurs ne fonctionnant pas, il vous en coûtera environ 50 livres pour une course en ville. Pour vous c'est peu, mais sachez que c'est davantage que ce que ne laisserait un autochtone. Ne vous étonnez pas si, en chemin, le taxi prend d'autres passagers à bord : c'est l'usage. Voilà pourquoi la place à côté du chauffeur est la plus prisée : elle évite de partir seul sur la banquette arrière et de se retrouver coincé entre deux autres passagers à la fin du voyage. Les chauffeurs de taxi, comme du reste l'ensemble des habitants des villes, ne prêtent aucune attention aux noms de rues. Inutile, dans ces conditions, d'indiquer une adresse précise : donnez plutôt le nom du quartier ou celui d'un bâtiment important que vous aurez repéré dans les environs. Bien sûr, cela demande au préalable une connaissance minimale de la ville. De toute façon, ne vous inquiétez pas, vous arriverez toujours tôt ou tard à bon port – et avec le sourire.

**Les taxis collectifs ou taxi « service ».** C'est le moyen le plus rapide de relier deux villes ; on trouve dans toutes les localités une station de taxi où les voitures sont prêtes à partir sitôt qu'elles auront fait le plein de passagers. Une excellente façon de faire connaissance.

**Les bus.** Il en existe deux catégories, les **bus ordinaires** et les **bus Pullman**. Chacune a sa propre gare de départ. Les premiers, très peu chers, sont de vieux engins poussifs, sans air conditionné, qui arrivent tant bien que mal à destination. Les seconds sont des bus luxueux, avec climatisation, dans lesquels chaque passager a sa place numérotée. Il est ainsi possible de réserver plusieurs jours à l'avance. Autant dire que c'est cette seconde solution que vous choisirez, pour une différence de prix qui vous paraîtra très modique. Le bus Pullman est la meilleure façon de se déplacer en Syrie.

**Les minibus.** Disposant de leur propre station de départ, les minibus, autrement appelés les « rats blancs », desservent principalement les environs proches des localités : on peut ainsi les emprunter pour se rendre de Damas à Bloudan ou dans les villages du Djebel Druze, par exemple. Leurs tarifs sont très modiques : vous paierez environ 40 livres pour vous rendre à Saidnaya, dans le massif du Qalamoun. De nombreux minibus assurent également des liaisons à l'intérieur de la ville : en l'absence de toute signalisation, leur utilisation reste cependant peu aisée pour un étranger.

**Le train.** Vieux et poussiéreux, les trains assurent les liaisons entre les villes principales : Damas, Homs, Hama, Alep, Raqqa, Deir ez-Zor. Ils sont assez lents : le trajet Damas-Alep vous prendra 6h pour 360 km, c'est-à-dire davantage qu'en voiture.

**L'avion.** Le plus rapide mais aussi le plus onéreux : liaisons à partir de Damas avec Alep et Deir ez-Zor.

**La location de voiture.** Depuis les dernières années, les agences de location de voiture se multiplient. Il faut bien l'admettre, le secteur n'est pourtant pas encore tout à fait au point : tarif fantaisiste, voitures en piteux état, obligation de réserver à l'avance même chez les représentants des grandes compagnies internationales. Dans l'attente d'un « rodage » qui devrait être rapide, mieux vaut vous adresser à un agent de voyage qui vous fournira voiture et chauffeur, ou si vous tenez à conduire, à l'agence **Cham Cars** (voir p. 97), la seule, à ce jour, à offrir des voitures impeccables et dans des conditions de location sans histoire (vous pouvez également y louer une voiture avec chauffeur). Vous trouverez p. 97 d'autres adresses de loueurs de voiture.

## Prix indicatifs des transports de Damas à Alep (en 1995)

| | |
|---|---|
| **Bus ordinaire :** | 60 LS |
| **Pullman :** | 150 LS |
| **Train :** | 350 LS (1ère classe, air cond. ; 85 LS en 2e) |
| **Avion :** | 800 LS |
| **Taxi service :** | 350 LS |

## ▎VOLTAGE

Le courant fonctionne en 220 volts. Les prises électriques utilisées sont de type européen.

# SOIXANTE SIÈCLES DE MÉMOIRE

*La Syrie a vu se développer depuis l'aube
de l'histoire une civilisation originale
entre Méditerranée et Mésopotamie.
Au fil des siècles et jusqu'à nos jours,
cette spécificité ne s'est pas démentie.*

Le site de Tell al-Halaf, aujourd'hui à la frontière turco-syrienne, a révélé dès avant 1914 une culture qui a donné son nom à une période de la protohistoire mésopotamienne. Entre 5500 et 4500 avant notre ère, une société paysanne occupe les rives de la rivière Khabur, affluent de l'Euphrate, avec ses belles maisons rondes et ses premières céramiques. D'une époque plus reculée encore datent des sites du bord de l'Euphrate, fouillés en urgence lors de l'édification du barrage de Tabqa et recouverts aujourd'hui par les eaux du lac Assad. Ils témoignent d'une occupation humaine dès le IXe millénaire, au moment du passage de l'économie de cueillette à l'agriculture. Ainsi la Syrie a-t-elle participé à ce vaste mouvement de sédentarisation qu'a connu le Proche-Orient, du Jourdain à l'Euphrate.

Dès la fin du IVe millénaire, entre le Tigre et l'Euphrate, s'épanouit la brillante civilisation sumérienne ; dans ses cités-États de Lagash, Our et Uruk, naissent les grands cycles mythologiques dont on retrouve la trace dans toute l'histoire de l'Antiquité, et surtout l'écriture, le cunéiforme. Plus à l'ouest, dans la première moitié du IIIe millénaire, s'élabore également une civilisation urbaine, comme l'ont dévoilé les fouilles entreprises sur les deux grands sites de la Syrie, Mari et Ebla. Mari, ressuscitée en 1933 par le génie et la passion d'un archéologue français, André Parrot, est tout d'abord un avant-poste sumérien avant de devenir au IIIe millénaire l'une des plus grandes cités d'Orient. Quant à Ebla, à 60 km au sud d'Alep, remise au jour en 1965, elle étend au milieu du IIIe millénaire son hégémonie commerciale sur tout l'Orient, rivalisant de richesse et de puissance avec les cités sumériennes.

Dans le nord-est du pays, une centaine de tells, ces éminences artificielles qui signalent la présence d'un site archéologique, attendent encore d'être explorés ; sans doute livreront-ils un jour la confirmation du développement autonome de la Syrie, entre Égypte et Mésopotamie.

## Les troubles du IIe millénaire

En 2004 avant notre ère, la cité d'Our, capitale de la brillante dynastie néosumérienne, est détruite ; dans le pays de Sumer, les Amorites – peuples sémites qui nomadisent entre Mari et ce qui deviendra Palmyre – fondent de petites principautés indépendantes. L'une d'entre elles, promise à un illustre avenir, a nom Babylone. À l'ouest, d'autres groupes d'Amorites se sédentarisent dans la vallée de l'Oronte. Après ces périodes troubles, sur lesquelles on ne possède que peu de documents écrits, vient le temps des grands empires, dont celui d'Hammourabi (1792-1750), le grand législateur dont le célèbre code est visible au musée du Louvre, à Paris. Hammourabi, par ailleurs, grand conquérant, mit un terme à l'existence millénaire de Mari.

Ce XVIIIe s. voit aussi des tribus de guerriers indo-européens, les Hyksos, traverser le Proche Orient et s'infiltrer dans le delta du Nil, avant de fonder leur propre dynastie sur le trône d'Égypte. Dans leur sillage viennent des nomades sémites attirés par ce puissant appel d'air vers l'Occident ou chassés par on ne sait quelle famine ou catastrophe, comme ceux que l'on voit représentés sur les parois d'un tombeau à Beni Hassan, en Moyenne Égypte. Sous la poussière soulevée par les pas de leurs troupeaux, l'Histoire a cru reconnaître l'un de ces clans sémites, celui d'Abraham parti d'Our de Chaldée, en route vers sa Terre Promise, son dieu unique pour toute arme.

À la même époque émergent en Syrie du Nord des cités-États ; Alep est la plus importante, même si Ebla se couvre, elle aussi, de nouvelles constructions, murailles, temples et palais. Plus au sud dans la vallée de l'Oronte, c'est le pays d'Amurru, une confédération d'une dizaine de cités.

Au tout début du XVIe s., les tribus hittites qui se fortifient depuis deux siècles sur les piémonts d'Anatolie s'élancent dans la plaine de Syrie ; elles prennent Alep, puis Ebla, qui ne se releva jamais de ses cendres, et poursuivent jusqu'à Babylone qu'elles conquièrent en 1595. Face à cette puissance montante se dresse l'Égypte qui, au XVIe s., chasse les Hyksos et s'élance à son tour en Syrie Palestine. C'est l'époque de la plus grande expansion de l'Empire égyptien : les pharaons de la XVIIIe dynastie (XVIe s.) atteignent les rives de l'Euphrate. Entre les deux Empires, hittite au nord et égyptien au sud, l'affrontement devient inévitable. Il a lieu en 1287 av. J.-C. : c'est la célèbre bataille de Qadesh, à quelques kilomètres de l'actuelle ville de Homs, entre les troupes égyptiennes (35 000 hommes et 3 500 chars,

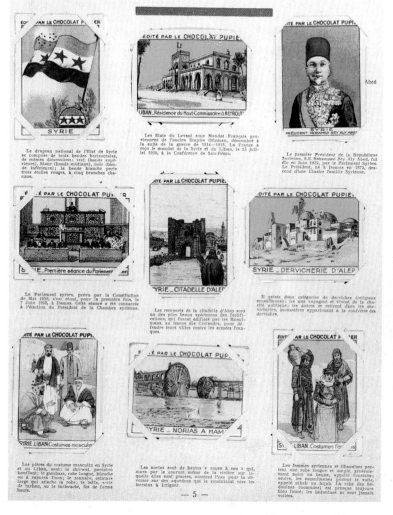

# ETATS DU LEVANT SOUS MANDAT FRANCAIS
## SYRIE · LIBAN · ALAOUITES

**SYRIE**

Le drapeau national de l'Etat de Syrie se compose de trois bandes horizontales, de mêmes dimensions; vert (bande supérieure), blanc (bande médiane), noir (bande inférieure); la bande blanche porte trois étoiles rouges, à cinq branches chacune.

**LIBAN "Résidence du Haut-Commissaire à BEYROUT"**

Les Etats du Levant sous Mandat Français proviennent de l'ancien Empire Ottoman, démembré à la suite de la guerre de 1914-1918. La France a reçu le mandat de la Syrie et du Liban, le 25 juillet 1920, à la Conférence de San-Rémo.

**SYRIE "PRÉSIDENT MOHAMED BEY ALY ABED"**

Le premier Président de la République Syrienne, S.E. Mohammed Bey Aly Abed, fut élu en Juin 1932, par le Parlement Syrien. Le Président, né à Damas en 1872, descend d'une illustre famille Syrienne.

**SYRIE — Première séance du Parlement**

Le Parlement syrien, prévu par la Constitution de Mai 1930, s'est réuni, pour la première fois, le 7 Juin 1932, à Damas. Cette séance a été consacrée à l'élection du Président de la Chambre syrienne.

**SYRIE — CITADELLE D'ALEP**

Les remparts de la citadelle d'Alep sont un des plus beaux spécimens des fortifications, qui furent édifiées par les Musulmans, au temps des Croisades, pour défendre leurs villes contre les armées franques.

**SYRIE — DERVICHERIE D'ALEP**

Il existe deux catégories de derviches (religieux musulmans): les uns voyagent et vivent de la charité publique; les autres se retirent dans les dervicheries, monastères appartenant à la confrérie des derviches.

**SYRIE-LIBAN Costumes masculins**

Les pièces du costume masculin en Syrie et au Liban, sont: le chirwal, pantalon bouffant; le gombaze, robe longue, blanche ou à rayures fines; le zonnare, ceinture large qui attache la robe; le jaffa, sorte de turban, ou le tarbouche, fez de forme haute.

**SYRIE — NORIAS A HAMA**

Les norias sont de hautes « roues à eau » qui, mues par le courant même de la rivière sur laquelle elles sont placées, montent l'eau pour la déverser sur des aqueducs qui la conduisent vers les terrains à irriguer.

**SYRIE-LIBAN. Costumes féminins**

Les femmes syriennes et libanaises portent une robe longue et ample, généralement noire ou brune, après fixation; seules, les musulmanes portent le voile, appelé nikab ou hijab. La robe des bédouines (nomades) est presque toujours bleu foncé; les bédouines ne sont jamais voilées.

— 5 —

**Vers 1934, les chocolats Pupier éditent un album d'images consacré à l'Asie, et plus particulièrement aux « États du levant sous Mandat français ». Les norias d'Hama, la citadelle d'Alep, les costumes typiques y dessinent pour l'œil européen un tableau idyllique de ces terres encore fort exotiques.**

disent les chroniques pharaoniques) conduites par le jeune Ramsès II et les Hittites de Muwatalli. Curieuse bataille en vérité puisque, à en croire les monuments commémoratifs érigés par les deux souverains, l'Égyptien et le Hittite en sortent tous deux vainqueurs. Artifice diplomatique peut-être : quelques années plus tard, en effet, Égyptiens et Hittites concluent un traité d'alliance contre la nouvelle force montante en Asie, les Élamites.

Une région, pourtant, continue à prospérer au milieu du tumulte : la côte méditerranéenne, où les premiers Phéniciens (qui connaissent leur apogée au millénaire suivant depuis leurs ports de Tyr, Byblos et Sidon, aujourd'hui en territoire libanais) servent déjà d'intermédiaires commerciaux entre Asie et Méditerranée. Les Phéniciens font en Syrie la fortune du port d'Ougarit, telle qu'elle est révélée par les fouilles entreprises dès 1929 par Claude Shaeffer. Parmi les innombrables objets mis au jour figure une découverte capitale : le premier alphabet connu, constitué de 32 signes pour exprimer les sons en lieu et place des centaines de syllabes que comprenait jusque-là l'écriture cunéiforme. Cette tablette est aujourd'hui exposée au musée de Damas (voir p. 90).

Le IIe millénaire s'achève par une catastrophe : l'invasion au tournant du XIIe s. des Peuples de la Mer. Ils ravagent les côtes, détruisent à tout jamais Ougarit et bouleversent pour longtemps les équilibres de la région.

## Les Araméens

Descendants lointains des Amorites, les Araméens fondent de petites principautés dans la vallée de l'Oronte, ainsi que dans la Beqaa et la vallée du Litani (aujourd'hui au Liban). C'est l'époque de la fondation du royaume araméen de Damas (autour de l'an 1000), le plus important d'entre eux. Mais, coincés entre les Assyriens, nouveaux maîtres de l'Orient, et le royaume d'Israël (Damas fut un temps vassale du royaume hébreu : « les Araméens devinrent pour David des serviteurs soumis au tribut » 2 Sam. 8-6), les royaumes araméens de Syrie ne s'épanouissent pas et disparaissent devant les armées du roi Teglath Phalazar III (744-727) qui fait de la région une province assyrienne.

D'autres tribus araméennes poursuivent leur chemin jusqu'en Mésopotamie. Elles réussissent un temps à occuper le trône de Babylone, à partir du XIe s., avant de s'incliner également devant la puissance des Assyriens conduits par Sargon II (722-705). Sennacherib, son successeur (705-681), conquiert la Babylonie et déporte 208 000 Araméens.

L'histoire pourtant n'en a pas fini avec eux. Ils repassent sur le devant de la scène au VIIe s. pour éparpiller les derniers lambeaux de la puissance assyrienne et fonder la Xe dynastie de Babylone. Son souverain le plus illustre, Nabuchodonosor II (605-562), conquiert Jérusalem. L'immense pouvoir du nouveau maître de l'Orient fait la fortune de la langue araméenne, un idiome sémitique proche du phénicien et de l'hébreu. Déjà employé comme langue administrative par les Assyriens, l'araméen dès lors devient la langue commune à tout l'Orient.

L'empire chaldéen s'écroule en 539 sous les coups des Perses de Cyrus, accueilli en libérateur par tous les peuples de l'Orient, las de l'oppression babylonienne. Pendant près de trois siècles, les satrapes des Grands Rois gouvernent la Syrie.

## Grecque, romaine et byzantine

La fulgurante épopée d'Alexandre le Grand au IVe s. (356-323) fait entrer la Syrie dans l'aire culturelle grecque. À la mort du conquérant macédonien, la Syrie échoit en partage à l'un de ses généraux, Séleucos Nicator (312-280), dont les descendants, les Séleucides, règnent pendant près de trois siècles. Les villes anciennes comme Damas

## Syrien, syriaque et assyrien

Dans un Orient décidément bien compliqué, il est indispensable de bien s'entendre sur les mots.

**Syrien.** Le terme se rapporte tout d'abord à la Syrie géographique, puis politique. Il est également employé pour désigner les Églises orientales détachées de l'orthodoxie au Ve s. : Église syrienne occidentale (jacobite) et orientale (nestorienne). Ainsi une bonne partie des chrétiens de l'Inde sont-ils des Syriens orthodoxes.

**Syriaque.** Le terme désigne d'abord un dialecte sémite proche de l'araméen. Il servit ensuite de langue liturgique à l'Église syrienne occidentale (jacobite). Ainsi peut-on dire que les Églises syrienne orthodoxe et syrienne catholique sont de rite syriaque.

**Assyrien.** Le terme désigne en premier lieu un royaume sémite, l'Assyrie, qui tire son nom de celui de sa capitale Assur (sur le Tigre en Haute Mésopotamie, en Irak aujourd'hui). Les Assyriens connurent leur heure de gloire au XVIIIe s. av. notre ère, puis au Ier millénaire av. notre ère lorsque leurs souverains se rendirent maîtres de l'ensemble du Proche Orient. Les plus célèbres d'entre eux furent Taglath Phalazar III (746-727), le véritable fondateur de l'Empire, Sargon II (721-705) qui mit un terme à l'existence du royaume d'Israël en 721 et en déporta les 10 tribus, et Assurbanipal (669-631), le Sardanapale des légendes orientales. L'empire assyrien mourut sous les coups des Mèdes en 614. Le terme assyrien désigne également le rite que suit l'Église orientale orthodoxe (nestorienne) dont le patriarche siège à Bagdad et qui compte quelques milliers de fidèles en Syrie, principalement dans la région de Deir ez-Zor.

ou Alep s'hellénisent. D'autres se créent : Apamée, Laodicée (Lattaquié) ou Antioche (aujourd'hui en Turquie), la capitale du royaume séleucide. Une opposition se dessine alors entre les cités du littoral, peuplées de Grecs ou d'élites locales hellénisées, et celles de l'intérieur où prédomine encore la culture sémite. Cette opposition reste d'actualité six siècles plus tard, lors des querelles christologiques qui déchirent la chrétienté de l'Antiquité tardive (voir p. 60-61).

En 66 avant notre ère, Rome, à l'apogée de sa puissance, envoie Pompée en Orient marcher contre les Parthes de Mithridate. Au passage, celui-ci conquiert la Syrie qui devient province romaine en 64 av. J.-C. C'en est fait des Séleucides : leur dernier représentant est mis à mort par le roitelet de la petite dynastie locale d'Émèse, qui réussit à maintenir un semblant d'indépendance sous l'autorité de Rome. Trois siècles plus tard, les Syriens d'Emèse donnent plusieurs empereurs à la Rome de la décadence, dont le célèbre Héliogabale (voir p. 118-119).

Sous l'aigle impériale, le mouvement d'urbanisation amorcé du temps des rois macédoniens se poursuit, tandis que se développent les cités de l'intérieur : Palmyre atteint son apogée au IIIe s. avant d'être détruite par les armées d'Aurélien en 272 de notre ère.

### La chrétienté primitive

Le message du christianisme atteint très tôt la Syrie. On connaît l'épisode de la révélation de saint Paul sur le chemin de Damas. C'est aussi en Syrie que le christianisme naissant connaît sa première grandeur, avec l'essor des monastères de l'intérieur du pays et les débats féconds

et vigoureux entre tenants de la nouvelle foi et partisans de la philosophie païenne. Les agoras retentissent de ces querelles jusqu'au IVe s. et
le pays est marqué en 330 par l'avènement sur le trône byzantin de
Constantin qui décrète le christianisme religion officielle de l'Empire.
Antioche abrite alors un des cinq patriarcats de la chrétienté primitive, avec Constantinople, Alexandrie d'Égypte, Jérusalem et Rome.

La Syrie byzantine connaît au Ve s. une période de paix et de prospérité : en témoignent les vestiges des dizaines de villages du « Massif calcaire » (voir p. 174) dont les habitants groupés autour de leurs églises
cultivent la vigne et l'olivier pour les marchés de Constantinople. Ce
Ve s. est aussi une époque de grande effervescence intellectuelle avec
les querelles christologiques (c'est-à-dire « sur la nature du Christ »,
voir p. 60-61) qui déchirent l'église d'Antioche. Elles opposent, en
somme, les élites hellénisées fidèles à l'orthodoxie byzantine aux populations sémites qui supportent parfois difficilement la tutelle des Grecs.

## L'islam dans sa première grandeur

Alors que les blessures consécutives à ces violentes querelles théologiques ne sont pas cicatrisées, la Syrie subit au VIIe s. une vague d'invasions : raids sans lendemain des Perses et des tribus bédouines,
puis conquête musulmane consacrée par la victoire des Arabes contre
les troupes byzantines à la bataille du Yarmouk (en l'an 636, en
Jordanie actuelle). Les musulmans sont souvent accueillis en libérateurs par les populations sémites des villes de l'intérieur, à Damas et à
Apamée notamment. Il faut dire que les nouveaux conquérants ma-
nifestent une grande tolérance à l'égard des chrétiens, « gens du
Livre » comme eux. Du reste, les fouilles archéologiques montrent
que les sanctuaires chrétiens ont continué à être entretenus et restaurés jusqu'au IXe s. Avec Damas, choisie pour capitale par la première
dynastie musulmane, les Omeyyades, la Syrie est le centre du formidable empire qui s'étend de l'Atlantique à l'Indus. On lui doit la
construction des premières mosquées monumentales : celle d'Alep et
surtout celle de Damas deviennent le canon absolu de la beauté dans
tout le monde musulman pour plusieurs siècles.

Les Omeyyades sont détrônés en 750 (un seul héritier du trône
échappe au massacre ; il s'enfuit en Espagne où il fonde le brillant
émirat de Cordoue). Les maîtres de la nouvelle dynastie, les
Abbassides, choisissent dès lors Bagdad pour capitale, et la Syrie se
trouve reléguée au rang de province périphérique.

L'éloignement du centre du pouvoir impérial favorise les entreprises
des gouverneurs locaux qui s'emploient à s'émanciper de la tutelle du
calife. Devenue ventre mou de l'Empire, la Syrie connaît également la
tutelle des souverains musulmans d'Égypte (Toulounides puis
Fatimides, aux Xe et XIe s.), ainsi que celles des Turcs seldjoukides
qui, au milieu du XIe s., se taillent des fiefs en Syrie du Nord.

## La Syrie franque

Face à ces principautés divisées par d'incessantes querelles se présente
l'armée des croisés d'Occident. En 1098, elle prend Antioche après
un long et douloureux siège. De là, elle poursuit sa marche en suivant
la vallée de l'Oronte, puis la côte du Liban actuel avant de prendre
Jérusalem le 15 juillet 1099. La « Syrie franque » des chroniqueurs et

des historiens n'a jamais compris le territoire de l'actuelle Syrie – à l'exception du littoral, fermement tenu par les barons francs qui n'en sont délogés qu'en 1291, longtemps après la prise de Jérusalem en 1187 par Saladin (1138-1193), l'émir qui réussit à réunir sous son autorité les États et les peuples de l'Orient. Ce héros de la nation arabe – il est pourtant d'origine kurde – repose aujourd'hui à Damas, à l'ombre de la mosquée des Omeyyades.

La domination franque a laissé en Syrie une ligne de formidables forteresses, toutes situées sur les contreforts occidentaux du Djebel Ansariyé. Jamais, si ce n'est pour des raids sans lendemain, les croisés ne réussissent à s'implanter durablement dans la montagne, aux mains des Assassins (voir p. 141) et des sectes dissidentes de l'islam, et encore moins dans la plaine de l'Oronte. Voici donc le Krak des Chevaliers, qui dresse encore ses formidables murailles, passionnément déblayées et restaurées – non sans quelques arrière-pensées politiques – par les services archéologiques français à l'époque du Mandat (1920-1946). Voici encore le château du Marqab qui domine magnifiquement le littoral ; et le château de Saône – le Sahyoun –, officiellement appelé château de Saladin depuis 1957. À Tartous, l'ancienne Tortosa, la ville arabe a investi les constructions franques : une des visites les plus romantiques du littoral syrien.

## La domination ottomane : 1516-1918

Après le départ des croisés, la Syrie tombe aux mains des Mamelouks, dynastie d'esclaves qui s'est imposée sur le trône d'Égypte depuis 1250. On leur doit quelques-unes des plus belles constructions de la vieille ville de Damas, des médressa notamment. En 1516, la Syrie devient une province du vaste empire des sultans ottomans de Constantinople.

La Syrie ottomane, qui comprend le Liban et la Palestine, est divisée en trois provinces : Damas, Alep et Beyrouth, tandis que Jérusalem bénéficie d'un statut particulier. À leur tête, les gouverneurs ont pour tâche essentielle de lever les impôts pour alimenter les caisses du Sultan – en se servant largement au passage… Il faut dire que ces gouverneurs sont nommés pour une année et doivent leur poste aux bakchichs dont ils ont gratifié chaque échelon de l'administration ottomane et le sultan lui-même. Une façon d'affermer la charge, en somme. Une fois nommés, ils n'ont donc qu'une hâte : rentrer dans leurs fonds en faisant si possible un bénéfice. Il ne leur reste guère de temps pour l'aménagement de leur province. Parmi ces gouverneurs se distingue au XVIIIe s. une « dynastie », les Azem, dont on peut voir les somptueux palais à Damas et à Alep.

C'est pourtant sous l'administration nonchalante des Ottomans que la Syrie retrouve pleinement sa vocation commerciale. En témoignent les vastes caravansérails de la vieille ville de Damas. Les marchands occidentaux ne sont pas non plus absents, grâce au régime dit « des capitulations » qui protège leurs activités commerciales ; inauguré au XVIe s. entre François Ier et Soliman II le Magnifique, ce type de traité est ensuite conclu entre la Sublime Porte et les principales nations commerçantes d'Europe. Dès le XVIe s., la France entretient ainsi un consul à Alep ; au siècle suivant, c'est au tour des ordres religieux de s'implanter dans la grande ville de Syrie du Nord : les capucins en 1695, suivis des carmes l'année d'après.

L'affaiblissement progressif de l'Empire ottoman, « l'homme malade de l'Europe », aiguise les appétits des puissances de l'époque. C'est tout d'abord la jeune République française avec l'expédition de Bonaparte au Levant, en 1799, qui échoue devant Saint-Jean-d'Acre (aujourd'hui en Israël). Puis vient le tour de l'Égypte des khédives qui occupent la Syrie de 1832 à 1841. L'intervention des puissances européennes contraint les armées égyptiennes à regagner les rives du Nil. Le retour des Ottomans déclenche les premiers massacres entre Druzes, musulmans et chrétiens dans les montagnes libanaises, préfiguration des massacres de 1860 qui résonnent d'un sinistre écho dans les pogroms antichrétiens de Damas la même année. À cette occasion, l'émir Abd el-Kader, adversaire de la France en Algérie et exilé à Damas, protège des centaines de chrétiens en les soustrayant à la fureur de la populace. Une colonne française envoyée par Napoléon III débarque au Liban avec pour but avoué de rétablir le calme.

La domination ottomane s'achève le 3 octobre 1918, avec l'entrée à Damas des troupes du prince Fayçal, fils du chérif de la Mecque et compagnon de combat du célèbre Lawrence d'Arabie.

## Le Mandat français : 1920-1946

« Nous sommes de retour, Saladin », lance le général Gouraud, le Haut-Commissaire français en Syrie, en heurtant de sa botte le tombeau du conquérant. Le mot est sans doute apocryphe. Colporté jusqu'à nos jours, il en dit long sur le sentiment des populations arabes quant à la présence occidentale en Orient. Le 1er octobre 1918, les troupes arabes entrent dans Damas. Pour les combattants de la grande révolte arabe, il est sûr que Damas va devenir la capitale d'un vaste royaume arabe comprenant tout le Proche-Orient. La diplomatie occidentale en décide autrement : les accords Sykes-Picot, en 1916, prévoient en effet après la guerre l'instauration d'un mandat occidental sur le Proche-Orient : à la Grande-Bretagne, la Palestine et l'Irak, à la France, le Liban et la Syrie. Les Britanniques nomment pourtant le prince Fayçal gouverneur de Syrie. Dans le même temps, des groupes nationalistes syriens, actifs depuis la fin du XIXe s., réclament la création d'une grande Syrie indépendante, englobant Liban et Palestine. De fait, le congrès national syrien, élu en 1919, proclame le 8 mars 1920 l'indépendance de la Syrie, une monarchie constitutionnelle avec Fayçal pour souverain. En réaction, chrétiens et Druzes de la montagne libanaise proclament le 22 mars suivant l'indépendance du Liban.

C'est bien peu pour faire abandonner leurs projets aux Occidentaux ; le 25 avril 1920, la conférence de San Remo confirme les accords Sykes-Picot et donne à la France le mandat sur la Syrie dont les troupes britanniques se sont retirées le 26 novembre 1919. Le 14 juillet 1920, le général Gouraud lance un ultimatum au gouvernement de Damas. Le 24 juillet suivant a lieu, à Khan Maysaloun, la bataille décisive entre les troupes françaises, 10 000 hommes environ appuyés par l'artillerie et l'aviation, et les 3 000 combattants arabes hâtivement préparés. Dès 10h du matin, la bataille est jouée ; le lendemain, les troupes françaises entrent à Damas tandis que le roi Fayçal part pour un exil qui le conduira sur le trône d'Irak.

## L'administration française

Après moult délibérations, la puissance mandataire établit son siège à Beyrouth, plutôt chrétienne et francophile. La Syrie est, quant à elle, divisée : deux États, Damas et Alep, bénéficient d'une administration autochtone ; deux territoires, celui des Alaouites et celui des Druzes, sont gérés directement par les Français qui en profitent pour encourager les méfiances des populations locales à l'égard de Damas et de ses notables. C'est pourtant du Djebel Druze que, durant l'été 1925, après la réunion d'Alep, de Damas et de Lattaquié en un seul État, part la grande révolte contre la puissance mandataire. Elle s'étend vite à tout le sud du pays. Il faut plus d'un an pour mater le soulèvement, encouragé en sous-main par les Britanniques (les Druzes sont, depuis le XIXe s., les alliés traditionnels des Anglais en Orient).

L'été 1926, les Français entrent à Souweyda, capitale du Djebel Druze, et mettent en fuite Sultan El-Attrache, le chef de la révolte. Sa statue orne toujours le centre de la ville. Plusieurs mois plus tard, les Français réussissent à pacifier l'oasis de Damas, non sans avoir fait bombarder la vieille ville. Un calme relatif règne dès lors, non sans une sourde opposition des nationalistes syriens. Peu avant la déclaration de guerre, en juin 1939, la France cède la ville d'Antioche et sa région, le Sandjak d'Alexandrette, à la Turquie pour prix de sa neutralité dans le conflit qui s'annonce. Cette perte d'Antioche, aujourd'hui appelée Antakyé, débouché naturel de la région d'Alep depuis l'Antiquité, est ressenti jusqu'à nos jours comme un drame national – une sorte d'Alsace-Lorraine proche orientale.

## L'indépendance

La déclaration de guerre, puis la défaite, amènent en Orient le général Dentz, Haut-Commissaire aux ordres du gouvernement de Vichy. Les forces anglaises font alors le blocus des côtes libanaises et syriennes, tandis qu'en juin 1941, les Forces Françaises Libres sous la conduite du général Catroux affrontent victorieusement les troupes françaises restées fidèles à Vichy. Le 28 septembre 1941, Catroux proclame la fin du Mandat français et l'indépendance de la Syrie. Il faut pourtant attendre cinq ans, les violents heurts en mai 1945 au cours desquels Damas est bombardée une nouvelle fois, l'intervention des Britanniques qui consignent les troupes françaises dans leurs casernes pour que, quelques mois plus tard, le dernier soldat français quitte le territoire syrien sous l'opprobre générale.

Le bilan de 25 ans de présence française ? Une profonde incompréhension entre une administration de type colonial, qui applique les méthodes en usage en Algérie, et une opinion syrienne frustrée dans ses aspirations nationales : abandon de la promesse par les puissances de la création d'un État arabe à l'issue de la Première Guerre mondiale ; démembrement progressif de la Syrie géographique et historique avec la création d'un État libanais et la cession du Sandjak d'Alexandrette à la Turquie. L'occupation du Golan par Israël après 1967 s'ajoute à l'exaspération de l'opinion syrienne. À l'actif de la présence française, on note une modernisation de l'urbanisme de Damas et d'Alep, et la formation d'une élite administrative et militaire qui jouera un rôle non négligeable au moment de l'indépendance.

# LES REPÈRES

| En Syrie | | Dans le monde |
|---|---|---|
| | Av. J.-C. | |
| 6000-4500 : Période de Tell al-Halaf. Révolution agricole. | 6500 à 4500 | 5300 av J.-C : 1ers mégalithes dans l'Ouest de la France et au Portugal |
| 2600 : Dynastie de Mari | 2600 à 2500 | Grandes pyramides en Égypte |
| 2400 : Première dynastie d'Ebla | 2400 | 2335 : Règne de Pépi Ier en Égypte |
| Sargon conquiert Mari et Ebla et fonde l'empire de Sumer et Akkad. | Vers 2300 | 2285-2260 : Règne de Pépi II |
| 1850 : Seconde dynastie amorite à Mari | 1850 | 1800-1770 : Shamshi-Adad Ier fonde l'empire d'Assyrie |
| 1750 : Hammourabi détruit Mari 1610-1580 : Les Hittites détruisent Alep et prennent Babylone | Vers 1750 | Hammourabi fonde l'empire babylonien. Unification de la Mésopotamie. Linéaire A en Crète |
| Protectorat égyptien sur la Syrie | 1470-1450 | Destruction de la crète minoenne |
| Les Hittites conquièrent le Nord ; apogée d'Ougarit ; invention de l'alphabet par les Phéniciens | Vers 1350 | Guerre en Anatolie entre Hittites et Ahhiawas |
| Vers 1200 : Invasion des Peuples de la Mer ; destruction d'Ougarit | 1300-1100 | 1250-1184 : Guerre de Troie. Fin de la civilisation mycénienne |
| Sédentarisation des Araméens qui fondent des royaumes en Syrie. | Vers 1000 | Âge du fer en Europe. Arrivée des Étrusques en Italie. |
| 732 : Prise de Damas par les Assyriens | VIIIe s. | 753 av. J.-C. : Fondation de Rome |
| 539 : Prise de Babylone par Cyrus ; les Perses remplacent les Assyriens | VIe s. | 550 : Pythagore crée une école philosophique |
| 333 : Alexandre le Grand occupe la Syrie. 301 : Début de l'ère séleucide : Antioche capitale de la dynastie macédonienne | IVe s. | 321 : Naissance de la dynastie des Maurya en Inde. 302 : traité de paix entre Chandragupta et Séleucos |
| 64 : Pompée s'empare du pays au nom de Rome. Fin de l'empire séleucide. 20 : L'Euphrate sépare les Empires parthe et romain | Ier s. | 63 : Cicéron est élu consul. 59 : Consulat de César |
| | Apr. J.-C. | |
| 193-211 : Règne de Septime Sévère. | IIe s. | Dynastie « syrienne » à la tête de l'Empire romain |
| 267-272 : Zénobie, reine de Palmyre | IIIe s. | 267 : Les Goths saccagent la Thrace, la Macédoine et la Grèce |
| 531-579 : Les Sassanides en Syrie | VIe s. | 527-565 : Règne de Justinien Ier |
| 611-622 : Chosroès II rejette les Romains et occupe la Syrie (satrapie perse). 634-635 : Conquête par les Arabes musulmans. 660 : Damas devient capitale omeyyade | VIIe s. | 622 : Première année de l'Hégire (calendrier musulman). 629-639 : Règne de Dagobert Ier |
| 750 : Les Omeyyades sont renversés par les Abbassides | VIIIe s. | 711 : Conquête arabe de l'Espagne |
| 1071: Bataille de Manzikert, défaite de Byzance devant les Seljoukides 1099 : Création des royaumes francs de Syrie | XIe s. | 1054 : Début du schisme entre Rome et Byzance 1096-1099 : Première croisade |

# DE L'HISTOIRE

| En Syrie | | Dans le monde |
|---|---|---|
| 1149 : Nour ed-Din, maître d'Alep, réunit la Syrie musulmane contre la présence franque. 1187 : Saladin reconquiert des places fortes croisées | XIIe s. | 1155 : Frédéric Barberousse est sacré empereur romain germanique. 1180-1223 : Règne de Philippe Auguste |
| 1560-1918 : Période ottomane : la Syrie, province secondaire d'un immense empire | XV-XVIe s. | 1453 : Prise de Constantinople par les Turcs ottomans. 1562 : Début des guerres de religion en France |
| 1860 : Druzes et musulmans se révoltent contre les chrétiens. Massacres à Damas | 1860 | Abraham Lincoln, président des États-Unis. Guerre de Sécession |
| 1914 : Le sultan d'Istanbul s'allie à l'Allemagne contre les alliés | 1914-1918 | Première Guerre mondiale |
| Début du Mandat français | 1920 | Éclatement de l'Empire ottoman |
| 1925 : Le chef druze el-Attrache mène la révolte contre les Français | 1923-1925 | 1923 : Mustafa Kemal (Atatürk) fonde la République turque |
| Cession par la France à la Turquie du Sandjak d'Alexandrette | 1938-1939 | 1938 : Réalisation de l'Anschluss en Autriche |
| 1941 : Fin officielle du Mandat. 1943 : Choukri al-Kouwatli élu président de la République | 1939-1945 | 1939-1945 : Deuxième Guerre mondiale. 1943 : Destitution et arrestation de Mussolini |
| 1946 : Le dernier soldat français quitte le territoire syrien | 1946-1948 | 1948 : Création de l'État d'Israël |
| Proclamation de la République Arabe Unie | 1958 | Adoption de la Ve République en France |
| Coup d'État militaire ; la Syrie retrouve son indépendance | 1961 | Construction du mur de Berlin |
| Le parti Baas est au pouvoir | 1963 | Assassinat du président Kennedy |
| Juin 1967 : Guerre de Juin. Le Golan est occupé par Israël | 1967 | 1968 : Événements de mai |
| Le général Assad arrive au pouvoir | 1970 | Mort de Nasser |
| Guerre d'Octobre contre Israël | 1973 | Premier choc pétrolier |
| 76 : Début de l'intervention syrienne au Liban | 1976-1977 | 77 : Visite du président Sadate à Jérusalem |
| Rupture diplomatique avec Bagdad | 1980-81 | 1981 : Assassinat de Sadate |
| Insurrection de Hama | 1982 | Opération Paix en Galilée |
| La Syrie se range sous la bannière américaine contre l'Irak | 1990 | 2 août 1990 : L'Irak envahit le Koweit. Guerre du Golfe |
| Le président Assad réélu pour 7 ans | 1991 | Traité de Maastricht |
| Premières rencontres officielles syro-israéliennes | 1992 | Marché unique européen |
| Rencontre entre Clinton et Assad pour relancer les négociations israélo-syriennes. Août : élection du nouveau parlement ; des candidats indépendants entrent à l'assemblée | 1994 | Accords du GATT |
| | 1995 | Poursuite des négociations israélo-palestiniennes |

## Une instabilité chronique : 1946-1970

Les deux premières décennies de la Syrie indépendante consacrent la place prépondérante de l'armée dans la vie politique du pays. Après la défaite de 1948 lors de la guerre contre Israël, au cours de laquelle les troupes syriennes se battent vaillamment, les élites politiques issues de la période mandataire se révèlent rapidement incapables de gérer l'indépendance. L'année 1949 connaît ainsi pas moins de trois coups d'État militaires : le dernier, du 19 décembre, porte au pouvoir le colonel Chichakli, un pragmatique qui réussit à se maintenir au pouvoir pendant près de cinq ans. En 1954, sentant une partie de l'armée se détourner de lui, et devant les manifestations populaires réclamant la fin du régime militaire, il se démet de ses fonctions et rend le pouvoir aux civils.

Une nouvelle assemblée est élue d'où ne se dégage aucune majorité claire. Tandis que se succèdent d'éphémères gouvernements de coalition, monte au zénith du firmament arabe l'étoile du colonel Nasser. Celui qui a su en 1956, lors de l'affaire de Suez, tenir tête à deux des grandes puissances mondiales (l'Angleterre et la France) ainsi qu'à Israël, apparaît dès lors comme le nouvel espoir du monde arabe – un nouveau Saladin. Le 1er février 1958 est proclamée solennellement l'union de l'Égypte et de la Syrie, prélude à l'union espérée de l'ensemble du monde arabe. Les deux pays n'en font plus qu'un, dirigé par Nasser depuis Le Caire, où siègent à partir de 1960 les députés élus par la « province du Nord » (la Syrie). Dans le même temps, des fonctionnaires égyptiens investissent les administrations de Damas. Passée la première euphorie, vient le temps de la désillusion pour les Syriens devenus les provinciaux du Caire.

Le 28 septembre 1961, un groupe d'officiers s'empare du pouvoir à Damas et proclame la sécession de la Syrie de la République Arabe Unie. Nouvelle période d'instabilité gouvernementale, nouveau coup d'État le 8 mars 1963, qui porte au pouvoir le parti Baas. Un Conseil national du Commandement de la Révolution dirige le pays. Dans les allées du pouvoir s'opposent, en fait, plusieurs tendances : baasistes (voir p. 52) plus ou moins radicaux, politiciens de la vieille garde et pro-nassériens. Ces sourdes luttes intestines tournent à l'avantage de la frange la plus radicale du parti Baas, en l'occurrence un groupe de jeunes officiers qui fomentent un nouveau coup le 23 février 1966. Malgré la cuisante défaite contre Israël en 1967, à l'issue de laquelle la Syrie doit évacuer le Golan, occupé depuis par Israël, cette frange radicale emmenée par le Dr Atassi réussit à se maintenir au pouvoir. C'est l'époque de l'aide massive de l'Union soviétique à l'allié syrien ; c'est aussi à l'intérieur du pays une époque de dirigisme économique de plus en plus mal ressenti par la population. C'est pour faire face à ce mécontentement grandissant qui, en divisant la Syrie, l'affaiblit sur la scène extérieure (la lutte contre Israël), qu'un groupe d'officiers conduit par le général Hafez el-Assad chasse les idéologues et s'empare du pouvoir, marquant le début de la politique de « Rectification ». En clair : le début de la Syrie d'Hafez el-Assad qui a réussi depuis à diriger son pays à travers les vicissitudes d'une histoire régionale mouvementée, qu'elles aient pour nom guerre d'Octobre 1973, guerre du Liban ou guerre du Golfe.

# AU CŒUR
# DU MONDE ARABE

*Après les années troublées qui suivirent
l'indépendance en 1946, la Syrie a réussi
à s'imposer comme un interlocuteur majeur
sur la scène proche-orientale comme au niveau
international. Ardent défenseur de la laïcité
dans une région marquée par un retour
du confessionnalisme, le régime syrien est, à ce jour,
l'un des derniers hérauts du nationalisme arabe.*

Depuis 1970, le général Hafez el-Assad préside aux destinées de la Syrie. Dans une société bigarrée où coexistent plutôt pacifiquement musulmans sunnites, Druzes, Alaouites et chrétiens de différentes confessions, l'accession au pouvoir suprême d'un membre de la communauté alaouite, la plus méprisée jadis, a suscité tour à tour inquiétude parmi les musulmans sunnites ou espoir parmi les communautés minoritaires. Les chrétiens, notamment, voient en Hafez el-Assad le garant d'une laïcité bien souvent mise à mal dans de nombreux pays arabes secoués par la vague de l'islamisme. Réélu en 1991 pour un quatrième mandat avec 99,98 % de suffrages exprimés, le président Assad bat aujourd'hui des records de longévité politique dans la région, et a réussi à conserver à la Syrie son rôle prépondérant dans la politique régionale dominée par le conflit israélo-arabe. Il confirme ainsi le vieil adage qui fit le tour des chancelleries du monde entier : « La guerre ne se gagne pas sans l'Égypte, et la paix est impossible sans la Syrie. ».

## Le parti Baas

Héritier des mouvements nationalistes des années trente, le parti Baas, Al-Hizb al-Baas al-Arabi (le parti de la renaissance arabe) naît en 1939 autour de deux intellectuels, Michel Aflak et Salah ad-Din Bitar. Sa devise « Unité, Liberté, Socialisme » et son principe fondateur « Une seule nation arabe à la mission éternelle » résument sa philosophie, exposée dans la constitution de 1947. Le Baas est tout d'abord un parti nationaliste qui se donne pour but l'unification du peuple arabe (chrétiens comme musulmans). Le Baas est également inspiré par les idéaux socialistes, seuls capables de conduire la nation arabe à sa réunification. Considérant que les États arabes actuels sont la conséquence de la colonisation, le parti Baas s'est doté d'une « direction nationale » où siègent des représentants venus de tous les États arabes et de « directions régionales » au niveau de chacun de ces États. Depuis la rupture entre les partis Baas syrien et irakien, il existe deux « directions nationales », l'une à Damas, l'autre à Bagdad.

## La Syrie du président Assad

On ne compte plus les noms de rues, de places, d'édifices publics qui portent le nom d'Assad et des centaines de statues du président accompagnent le voyageur d'un bout à l'autre du pays. C'est peu dire que de parler de culte de la personnalité. Reconnaissons-le, l'homme n'est pas banal : de haute stature, le visage carré, le front étonnamment large et la mâchoire on ne peut plus volontaire ; ajoutons l'image, complaisamment entretenue par les journaux officiels – il n'en existe pas d'autres – d'un bourreau de travail, restant à son bureau 16 heures par jour, avalant à la suite les dossiers les plus complexes en fumant cigarette sur cigarette ; d'un redoutable négociateur qui a su tenir tête aux plus grands de ce monde ; d'un homme aussi qui est toujours disponible pour recevoir le plus humble des citoyens… On obtient largement avec cela de quoi tisser une légende.

## Un pouvoir monolithique

Dès son accession au pouvoir, le général Hafez el-Assad s'est employé à mettre un bémol au dirigisme économique du régime précédent : c'est le « Mouvement rectificatif » qui, tout en maintenant sous la tutelle de l'État les grandes entreprises industrielles et le secteur bancaire, lâche un peu la bride aux entrepreneurs privés. Sur le plan politique, il crée en 1972 le Front national progressiste regroupant divers petits partis « progressistes » sous la houlette du Baas qui y reste majoritaire. Hors de ce front national (la *jabha*), point de salut. Les dirigeants qui entendent rester autonomes doivent bien vite se résoudre à l'exil, à Bagdad auprès du « frère ennemi » (voir plus bas) pour certains d'entre eux. Malgré la constitution en 1990 à Paris d'un Front de Salut National, l'opposition au général Assad reste profondément divisée en tendances rivales et incapable de se réunir autour d'un projet politique cohérent. Elle ne trouve que très peu d'échos à l'intérieur du pays.

**La Syrie est un État laïc, où la promotion des femmes constitue l'un des soucis permanents du gouvernement.**

Cette absence d'alternative politique au régime du président Assad ouvre un boulevard aux islamistes. Ils parviennent à canaliser un certain mécontentement, notamment parmi les petits boutiquiers et artisans du souk, frustrés de voir le régime accorder la priorité au développement de la grande industrie. Cette pression islamiste atteint son comble lors des tragiques événements de Hama, en 1982 : des milliers d'islamistes en armes s'emparent de la ville. Toute la puissance de feu de l'armée syrienne est employée pour venir à bout du soulèvement, au prix de plusieurs dizaines de milliers de victimes (25 000, admet-on généralement). Depuis, les diverses fractions islamistes se terrent dans une clandestinité totale tandis que certaines d'entre elles ont choisi de rallier le régime.

S'il peut être impitoyable, le président Assad sait aussi faire preuve de réalisme et « lâcher du lest », notamment sur le plan économique (voir plus bas) lorsque la pression sociale se fait trop forte au point de compromettre l'unité du pays. Car toute la politique intérieure de celui que l'on a pu appeler le Bismarck arabe est déterminée par un souci constant : conserver à la Syrie son rôle prépondérant dans la politique proche orientale, un rôle que compromettraient de trop vives tensions intérieures.

## Dans l'œil du cyclone

Depuis 1948, la Syrie est en état de guerre avec Israël contre lequel elle a dû soutenir trois conflits, qui se sont soldés en 1967 par l'occupation du plateau du Golan par Israël, et en 1973 par des pertes estimées à près de 8 000 victimes militaires et l'anéantissement de l'essentiel de ses infrastructures économiques et industrielles. À ces trois conflits s'ajoute un quatrième, celui du Liban où l'armée syrienne est présente depuis le 31 mai 1976 avec l'assentiment de certaines composantes de la communauté chrétienne qui souhaitaient alors la voir s'interposer entre les forces en présence. Depuis, les troupes syriennes sont toujours présentes au pays du Cèdre.

Vers l'est, une hostilité radicale oppose la Syrie au régime irakien, baassiste lui aussi, mais d'une faction rivale à laquelle Michel Aflak servit de mentor jusqu'à sa mort en 1989. Cette hostilité poussa Hafez el-Assad vers une alliance surprenante avec l'Iran des mollahs, à partir de 1980, et lors du déclenchement de la guerre irako-iranienne.

Au sud, les relations sont loin d'être au beau fixe avec le royaume hachémite de Jordanie, depuis le Septembre Noir de 1970 au cours duquel les Bédouins du roi Hussein désarmèrent par la force les combattants palestiniens. Ce conflit faillit tourner à la guerre ouverte avec la Syrie, tentée un moment de porter secours à la résistance palestinienne.

Quant aux relations avec les organisations palestiniennes, elles restent marquées par le profond ressentiment que garde Hafez el-Assad envers Yasser Arafat, au point que Damas abrite les organisations palestiniennes les plus radicales, opposées à Arafat et au processus de paix avec Israël : le FPLP de Georges Habache et le FDLP de Nayef Hawatmeh.

## Vers la paix

Pour contourner ce relatif isolement, le régime de Damas cultiva longtemps son alliance avec l'URSS, avant de se ranger en 1990 derrière la bannière américaine lors de l'affaire koweïtienne. Son revirement valut au président Assad d'être reconnu comme un interlocuteur incontournable par l'administration américaine. Cette reconnaissance connut son point d'orgue avec la rencontre, le 16 janvier 1994 à Genève, entre les présidents Clinton et Assad.

Après les accords israélo-palestiniens de septembre 1993 et la paix conclue entre Israël et le royaume de Jordanie l'année suivante, la Syrie reste, avec son « allié » libanais, le seul pays du « champ de bataille » à n'avoir pas conclu d'accord avec Israël. Depuis 1994, des négociations à haut niveau se poursuivent entre officiels israéliens et syriens. Elles pourraient aboutir, à terme, au retour du Golan sous la souveraineté syrienne, seule condition à la paix pour le régime de Damas. Il est ainsi possible de rêver à un Proche-Orient enfin pacifié où l'on pourrait, dans la journée et au volant de sa voiture, relier Damas à Jérusalem après 250 km de route.

## La libéralisation de l'économie

Les effets de la loi de libéralisation économique n° 10 du 10 mai 1991, qui accorde d'importantes facilités financières et douanières aux investisseurs, ne se sont pas fait attendre : aux heures de pointe, de luxueuses berlines flambant neuves disputent les rues de la capitale à des milliers de minibus privés, les « rats blancs » qui pallient les carences des transports publics. De nombreux restaurants de luxe ont ouvert leur porte et, en quelques années, pas moins d'un millier d'entreprises privées ont été créées. Par cette loi, le régime de Damas poursuit un double objectif : revitaliser l'économie syrienne en favorisant l'entreprise privée et confronter à la concurrence le secteur public, qui représente encore 65 % de l'industrie. Le tout dans la perspective probable d'une paix avec Israël et l'ouverture d'un grand marché proche-oriental. Déjà, en plus des compagnies pétrolières présentes depuis une dizaine d'années (Elf-Aquitaine et Total y représentent la France), de grands groupes internationaux s'intéressent à la Syrie : Nestlé a, d'ores et déjà, conclu un accord pour s'implanter en Syrie, General Motors et Nissan sont également sur les rangs pour la création d'usines de montage. Seule reste en suspens la question des milliards de dollars placés à l'étranger, bien souvent depuis 1958, par les Syriens expatriés. Beaucoup d'entre eux hésitent encore à investir en Syrie, du moins tant que le secteur bancaire, entièrement sous le contrôle de l'État, n'aura pas été libéralisé.

## Les promesses de l'irrigation

Près d'un Syrien sur deux vit à la campagne, un sur quatre y travaille ; c'est dire l'importance du secteur. Depuis les réformes agraires successives entreprises depuis 1958, fermage et métayage ont pratiquement disparu. La terre est exploitée par de petits propriétaires, notamment dans la région côtière, ou par des coopératives qui permettent l'exploitation rationnelle et la mécanisation des terres récemment bonifiées grâce à l'irrigation. Les coopératives exploitent environ le tiers des terres cultivées, le reste appartenant aux petits propriétaires. Les principales productions sont l'orge et le blé qui occupent respectivement 40 et 25 % des terres cultivées, principalement dans la région d'Alep et de la Djéziré, tandis que la région côtière est le domaine des cultures maraîchères et fruitières. Malgré de grands projets d'irrigation, notamment sur les rives de l'Euphrate (voir p. 199), cette dernière ne concerne encore qu'environ 10 % des terres agricoles. L'agriculture reste ainsi largement tributaire des précipitations (qui ont été exceptionnellement bonnes depuis le début des années 1990) et n'autorise pas de grands rendements : 2 072 kg de blé à l'hectare (contre 6 333 en France). Le coton est pratiquement la seule culture industrielle (autour d'Alep) et a permis l'émergence d'un important secteur textile (voir plus bas). Mentionnons enfin la présence d'un important cheptel, ovin notamment, avec près de 16 millions de têtes, ce qui place la Syrie au 18e rang mondial.

## Une industrie largement étatisée

L'industrie syrienne repose essentiellement sur le raffinage du pétrole, à Homs et à Baniyas, le textile et l'agro-alimentaire. Malgré l'ouverture progressive de certains secteurs d'activité au privé, elle reste majoritairement (à 65 %) contrôlée par l'État. Le marasme économique des années 80, dû en grande partie au coût de la présence syrienne au Liban qui s'ajoutait à celui de l'effort de guerre contre Israël, a été surmonté, grâce à la découverte d'importants gisements de pétrole dans la région de Deir ez-Zor. La Syrie, qui n'était jusque-là qu'un médiocre producteur d'un pétrole de mauvaise qualité, extrait aujourd'hui près de 30 millions de brut (en 1993, contre 9 millions en 1986), ce qui propulse le pays au 21e rang mondial. Parallèlement, des gisements prometteurs de gaz naturel commencent à être exploités près de Homs et de Palmyre. L'exploitation traditionnelle du phosphate est aujourd'hui en perte de vitesse.

## Le défi de la paix

La politique volontariste conduite par le président Assad depuis 1970 s'est soldée par de spectaculaires réussites. Pour en citer quelques-unes, mentionnons l'électrification complète des campagnes (alors que la quasi-totalité des villages ne connaissaient pas l'électricité en 1960) ; la création d'un excellent réseau routier ; un effort soutenu en matière de scolarisation, notamment dans le secondaire où le nombre de filles atteint aujourd'hui 40 % des effectifs alors qu'il n'était que de 20 % en 1960.

Au chapitre des grands travaux, à la construction de vastes zones d'habitation à la périphérie des grandes villes s'ajoute l'édification du gigantesque barrage de Tabqa sur l'Euphrate (p. 199) qui, à certains égards, est emblématique des réalisations économiques du régime syrien. Emblématique, il l'est par la dimension colossale du projet, point culminant d'un vaste plan d'irrigation des sols, comprenant la construction de 125 barrages dans tout le pays ; il l'est aussi par les difficultés que rencontre l'État à tirer tout le parti de cette formidable réalisation. Mis en service en 1975, le barrage devait permettre l'irrigation de 600 000 hectares. En 1995, on arriverait à peine à 100 000. Deux raisons principales à cela : une forte salinité des terres irriguées que n'avaient pas prévue les experts et la pesanteur tatillonne d'une administration chargée d'encadrer la gestion de ces terres gagnées sur le désert.

En 25 ans, le régime du président Assad a ainsi doté la Syrie d'une solide armature industrielle (équipements et formation d'une main-d'œuvre qualifiée) qui devrait permettre au pays d'affronter la compétition internationale. Le régime peut ainsi revendiquer un certain nombre de réussites économiques globales. Mais saura-t-il satisfaire les aspirations d'une population très jeune – 50 % des Syriens ont moins de vingt ans – en matière d'emploi et de consommation à l'heure où fleurissent les antennes paraboliques, se développent les moyens modernes de télécommunication et où les perspectives de paix dans la région tirent la société syrienne du relatif isolement culturel dans lequel elle se trouvait jusqu'alors ?

## Une société composite

Au cours de votre voyage, vous rencontrerez des bruns, des roux ou des blonds aux yeux bleus (certains esprits imaginatifs veulent y voir l'empreinte de la présence des croisés voici huit siècles !). C'est la manifestation la plus visible de l'extrême diversité de la société syrienne où se côtoient musulmans sunnites, Alaouites, Druzes, Arméniens, chrétiens de toutes confessions, Bédouins, Kurdes... Tous, pourtant, revendiquent pleinement leur citoyenneté syrienne et l'on n'a pu jusqu'à présent constater de crispation identitaire de telle ou telle communauté, comme ce fut le cas dans le Liban voisin ou dans d'autres États multi-confessionnels issus du démembrement de l'Empire ottoman. Cette coexistence est certainement à mettre au crédit du caractère laïc de l'État depuis l'indépendance – caractère résolument réaffirmé par les différents régimes inspirés par les doctrines du parti Baas, de 1963 jusqu'à nos jours. Ainsi les recensements officiels ne font-ils plus état des appartenances confessionnelles, et l'on en est réduit à des estimations pour évaluer l'importance des différentes communautés.

## Le poids du passé

Comme dans tous les pays issus du démembrement de l'Empire ottoman, il est souvent délicat de distinguer entre appartenance confessionnelle et appartenance communautaire, cette dernière pouvant, dans certains cas, aboutir à une revendication nationale. Pour les autorités ottomanes, les non-musulmans étaient réunis en *milet*, terme que l'on pourrait traduire par nation, selon leur appartenance confessionnelle : il existait ainsi des *milets* grec orthodoxe, syriaque, maronite, juif, représentés auprès de la Sublime Porte par le plus haut dignitaire de chacune de ces communautés, patriarche, catholicos ou grand rabbin. Certains d'entre eux, le patriarche grec orthodoxe notamment, occupaient une place éminente dans le protocole impérial. Quant aux musulmans, ils étaient tous placés sous l'autorité du Sultan, le Commandeur des Croyants. Ceux d'entre eux qui appartenaient à des sectes minoritaires occupaient souvent une position beaucoup moins enviable que celle des chrétiens. Il en fut ainsi des Alaouites en Syrie, misérable communauté montagnarde, méprisée pendant des siècles sous l'Empire ottoman.

La disparition de l'Empire laissa des communautés chrétiennes fortement structurées, fières de leurs réalisations culturelles et bien souvent davantage opposées entre elles pour défendre leurs prérogatives que réunies par une foi commune. Les sanglants affrontements entre milices chrétiennes durant la guerre du Liban en ont apporté récemment une tragique illustration.

Par ailleurs, ces mêmes chrétiens, frottés aux idées nationalistes du XIXe s. européen, jouèrent un rôle non négligeable dans la renaissance culturelle du monde arabe, la *nahda* qui s'épanouit au siècle dernier. Après la Seconde Guerre mondiale, certains d'entre eux s'engagèrent résolument dans la voie du nationalisme arabe. Rappelons que l'un des deux fondateurs des théories du parti Baas fut Michel Aflak, un chrétien. Et que le chrétien Georges Habache, un nom très répandu dans le quartier chrétien de Bab Touma à Damas, dirige l'une des fractions les plus radicales de la résistance palestinienne.

## La place de l'islam

Bien que résolument laïque, la Syrie n'en reste pas moins fortement marquée par l'islam. Et si la Constitution de 1973 garantit la liberté de croyance et de culte, un amendement précise néanmoins que le président de la république doit être musulman. Neuf Syriens sur dix se réclament de l'islam ; à plus de 80 %, ils suivent la tradition sunnite (voir p. 59). Parmi les communautés musulmanes minoritaires, mentionnons en premier lieu les Alaouites (environ 13 % des musulmans syriens). Rattachée à la tradition chiite (voir p. 59), la secte alaouite est née en Irak, lorsqu'en 859 Ibn Nouçayr se proclama successeur du 10e Imam. Reprenant la tradition chiite qui accorde une dimension divine à Ali, gendre du Prophète et son 4e successeur, les Alaouites allèrent jusqu'à en faire le « sens de la divinité ». Quant au Prophète, il n'en est que le « voile », le Ism, tandis que Salman, un des compagnons du Prophète en est la « porte ». Les initiales de ces trois personnages, Ali, Mahomet et Salman composent une trinité sacrée, le AMS, que ne peuvent approcher que les seuls initiés. La doctrine alaouite se répandit en Syrie du Nord dès le Xe s. et prospéra dans le Djebel Ansariyé durant les croisades, profitant des troubles du temps. Avec le triomphe de l'islam orthodoxe des Mamelouks, maîtres de tout l'Orient à la fin du XIIIe s., les Alaouites furent pourchassés, massacrés et seuls quelques survivants réussirent à se maintenir dans les régions les plus pauvres et les plus reculées du Djebel. Leurs descendants survécurent misérablement, en butte à toutes les persécutions et pressurés d'impôts jusqu'à la fin de la Première Guerre mondiale. Au début du Mandat français, 98 % des Alaouites étaient analphabètes.

L'arrivée des Français au Levant permit aux Alaouites de sortir de leur isolement. Fidèle à la vieille maxime qui enjoint de diviser pour régner, la puissance mandataire leur accorda une large autonomie qui alla jusqu'à la création d'un « État alaouite indépendant » de 1922 à 1936. Cette indépendance toute relative (elle était placée sous l'autorité d'un gouverneur français) permit néanmoins la formation d'élites dont certains membres se révélèrent fort actifs dans le mouvement nationaliste syrien. Dans le même temps, d'autres membres de la communauté, dans un souci de promotion sociale, trouvèrent à s'enrôler dans les Troupes Spéciales, bataillons indigènes incorporés aux Forces françaises du Levant, et embryon de la future armée nationale syrienne.

Les Alaouites, divisés en quatre clans, suivent une religion ésotérique, une religion du « sens caché » que seuls quelques-uns, les cheikhs, sont appelés à approcher. La religion des Alaouites se manifeste surtout par leurs fêtes : celle de l'Achoura commémore la mort de Hussein, le fils d'Ali, à la bataille de Kerbala. Une fête célébrée néanmoins à grands

## Sunnite et chiite

En Syrie, 80 % des musulmans sont sunnites et 0,5 % sont chiites. Ce sont là les deux grandes branches de l'islam. Les sunnites (partisans de la *Sunna*, la tradition) sont les héritiers des quatre premiers califes, les successeurs du prophète Mahomet à la tête de la communauté des Croyants, sous l'autorité desquels fut codifiée la tradition musulmane. Les chiites sont les descendants des défenseurs du parti (*chia*) d'Ali, cousin et gendre du Prophète dont il épousa la fille Fatima. Les tribus de la Mecque s'opposèrent à sa nomination comme 4e calife, tout comme le gouverneur de Syrie, Mo'awiya, fondateur de la dynastie omeyyade. Ali fut déposé et assassiné en 661. Après la mort de son fils Hussain à Kerbala en 680, la communauté fut dirigée par une succession d'imams, descendants d'Ali. Les chiites se divisent en deux grandes tendances : les uns reconnaissent la succession des imams jusqu'au 7e de la lignée ; ce sont les ismaéliens ; les autres prolongent la lignée jusqu'au 12e imam : ce sont les chiites duodécimains, que l'on trouve aujourd'hui en Irak et en Iran. Les deux branches considèrent que leur dernier imam respectif a « simplement » disparu et qu'il reviendra à la fin des temps. Cet aspect messianique a conféré une dimension ésotérique au chiisme qui le fait considérer comme hérétique par les sunnites. Les chiites représentent aujourd'hui environ 10 % de la communauté musulmane mondiale.

coups d'excellent arak, ce qui suffit à rendre la communauté abominable aux musulmans orthodoxes. Dans la montagne alaouite, on célèbre également Noël ou l'Épiphanie ainsi que des fêtes liées aux saisons qui tirent peut-être leur origine d'un très ancien fond sémite.

## Les chrétiens

Le Liban est traditionnellement considéré comme le bastion de la chrétienté en Orient. La Syrie peut, pour sa part, s'enorgueillir d'abriter l'une des plus anciennes communautés chrétiennes au monde. On continue à prier de nos jours dans des églises qui furent, pour certaines, fondées dans les premiers siècles de notre ère. Mais, à la différence du Liban voisin, on ne trouve pas en Syrie de région peuplée majoritairement de chrétiens, sauf peut-être dans certains villages du Qalamoun au N de Damas (voir p. 106). Diversité et dispersion caractérisent, en effet, la communauté chrétienne de Syrie : diversité puisque le million de chrétiens (un peu moins de 10 % de la population) se divise en pas moins de onze Églises différentes (voir p. 62) ; dispersion ensuite puisque l'on trouve des chrétiens aux quatre coins du pays, à Alep où ils représentent environ 15 % de la population (contre 1 Aléppin sur 3 en 1918), dans les régions agricoles du N-E, à Damas, dans le Hauran… Depuis une trentaine d'années, on assiste néanmoins à une disparition progressive des communautés villageoises dont les membres gagnent en masse les grandes villes, Damas en tout premier lieu. Ils trouvent là de plus sûrs moyens de subsistance, mais aussi la possibilité de pratiquer leur culte : par manque de moyens, les communautés chrétiennes peinent, en effet, à entretenir un réseau d'églises et de prêtres à travers le pays et préfèrent concentrer leur mission pastorale dans la capitale.

# LES RAMEAUX
## DE L'ÉGLISE D'ANTIOCHE

*Sur les cinq patriarcats qui composaient la chrétienté primitive, celui d'Antioche fut le plus fécond. De ce creuset surgirent des théories originales qui donnèrent naissance à autant d'Églises dissidentes. Leurs héritières se partagent aujourd'hui les chrétiens d'Orient.*

Les chrétiens de Syrie sont avant tout des Arabes : ils en conservent la culture et les modes de représentation, y compris dans l'iconographie religieuse. Page enluminée de l'Évangile de Luc, XVIIIe s., Musée de Damas. L'église d'Ezraa, grecque orthodoxe, est la plus ancienne de Syrie qui soit encore ouverte au culte.

### Les querelles christologiques

Au Ve s., la chrétienté orientale fut déchirée par des querelles théologiques, portant notamment sur la question de la nature du Christ. En 431 furent condamnées, au Concile d'Éphèse, les thèses de Nestorius, prêtre originaire d'Antioche, puis patriarche de Constantinople. Il refusait d'accorder au Christ une double nature, humaine et divine, pour ne voir en Jésus qu'un homme, ne pouvant admettre que le Verbe ait souffert sur la croix et déniant à Marie le titre de Mère de Dieu. Déposé, Nestorius se retira dans un couvent près d'Antioche, région dans laquelle il recrutait l'essentiel de ses partisans. L'agitation ne cessant pas, les autorités religieuses décidèrent alors de l'exiler dans un monastère du désert égyptien tandis que ses partisans se séparaient de l'Église officielle pour créer l'Église nestorienne. Celle-ci connut un grand essor en Orient, sous la protection des Sassanides, et les missionnaires nestoriens s'en allèrent jusqu'en Chine. Cette Église de l'Orient est principalement représentée dans l'Irak actuel. On en compte quelques milliers de fidèles en Syrie.

En 451, le concile de Chalcédoine condamna les thèses monophysites qui, prenant le contre-pied de celles de Nestorius, ne voulaient voir dans le Christ qu'une nature divine. Dispersés et pourchassés, ses partisans furent regroupés au siècle suivant par un évêque, Jacques, surnommé Baradée, la « guenille » en syriaque, à cause de l'habit de mendiant sous lequel il parcourut clandestinement tout l'Orient. En 560, il crée à Antioche un patriarcat monophysite et autour de lui une hiérarchie, à l'origine de l'Église qui, depuis, porte son nom :

l'Église jacobite. Elle compte aujourd'hui près de 80 000 fidèles en Syrie.

Derrière ces querelles christologiques, « byzantines » dira-t-on, il est permis de voir l'opposition des chrétiens d'Orient à la tutelle de la hiérarchie de l'Église officielle, grecque et impériale. Aux subtilités théologiques héritières de la philosophie grecque, ces chrétiens d'origine sémite opposent un monothéisme intransigeant (que l'on peut rapprocher du judaïsme et de l'islam) et empreint d'une grande piété populaire. Ces Orientaux s'opposent également à l'hégémonie culturelle de l'hellénisme et entendent conserver dans leur liturgie leur propre langue sémitique, un dialecte araméen, le syriaque qui, aujourd'hui encore, sert de langue liturgique à certaines de ces Églises.

**Tout en se plaçant sous l'autorité du pape, les Grecs catholiques conservent leurs liturgies et leur iconographie orientales. Icône melkite.**

## Le mouvement uniate

Après le schisme d'Orient en 1054, qui consacra définitivement la rupture entre les chrétientés d'Orient et d'Occident, l'idée naquit à Rome de s'attacher certains de ces rameaux disjoints de l'Église orientale. Après la rencontre manquée des croisades, pendant lesquelles les chrétiens d'Orient, à l'exception des Arméniens, fidèles alliés des Francs, furent tenus en bien piètre estime par les Occidentaux, le projet connut un début de réalisation à partir du XVIe s. et du régime des capitulations. Par traité, le sultan de Constantinople accordait des facilités commerciales aux Occidentaux, notamment aux Français, et en faisait les protecteurs des chrétiens d'Orient. Les efforts des missions religieuses européennes (jésuites, capucins, etc.) aboutirent au XVIIIe s. à la création d'Églises orientales qui, tout en conservant leur liturgie et leur autonomie sous l'autorité de leur patriarche, reconnurent néanmoins l'autorité du souverain pontife. Ce furent les Églises grecque catholique, arménienne catholique et syrienne catholique (jacobite). Une fraction de l'Église nestorienne choisit, pour des raisons de rivalités internes, de se placer sous l'autorité de Rome dès le XVIe s. ; elle s'appelle aujourd'hui l'Église chaldéenne.

**Fac-similé de la stèle de Singanfu (Chine). Après avoir été chassés de Syrie au lendemain du concile d'Éphèse, les commerçants nestoriens ont remonté la route de la Soie pour aller s'installer en Chine où ils ont constitué une communauté chrétienne. On a retrouvé quelques-unes de ces stèles qui portent en caractères chinois des pages de l'Évangile nestorien. En bas figurent des écritures syriaques. La communauté fut interdite vers le IXe s. par un empereur qui voulait resiniser le pays.**

## Les onze communautés chrétiennes

Si l'on ajoute les fidèles des Églises latine et maronite, et quelques milliers de protestants, on aboutit au chiffre de onze Églises chrétiennes pour la seule Syrie.

**Églises orthodoxes**
– grecque orthodoxe : 400 à 450 000 fidèles, sous l'autorité du patriarche d'Antioche et de tout l'Orient, siégeant à Damas.
– syrienne orthodoxe : 50 à 80 000 fidèles sous l'autorité du patriarche d'Antioche, siégeant à Damas.
– arménienne orthodoxe : 100 à 150 000 fidèles divisés en deux catholicossats (les patriarches arméniens ont titre de Catholicos).
– assyriennes (nestorienne) : quelques milliers de fidèles qui relèvent du patriarcat de Séleucie siégeant à Bagdad.

**Églises catholiques**
– grecque catholique (également appelée melkite) : 150 000 fidèles qui relèvent du patriarcat d'Antioche siégeant à Damas.
– syrienne catholique (jacobite) : 30 000 fidèles ; patriarcat à Beyrouth.
– arménienne catholique : 25 000 fidèles divisés en deux patriarcats, l'un siégeant à Damas, l'autre à Beyrouth.
– maronite : 20 000 fidèles dépendant du patriarche du Liban.
– chaldéenne : 5 à 6 000 fidèles dépendant du patriarcat de Bagdad.
– latine : 3 à 5 000 fidèles sous la double autorité d'un vicaire apostolique à Alep et d'un nonce à Damas.

Ajoutons enfin quelques milliers de protestants qui se divisent en plusieurs tendances et se recrutent principalement dans les élites aisées.
*Les chiffres indiqués ici ne sont que des estimations, les recensements officiels ne faisant plus état de l'appartenance confessionnelle depuis 1960.*

Si les chrétiens sont peu représentés dans les instances officielles (tiennent-ils tant, d'ailleurs, à être identifiés avec le pouvoir actuel ?), ils sont, en revanche, très présents dans les activités industrielles et commerciales ainsi que dans les professions libérales (avocats, médecins) et intellectuelles (enseignants, journalistes, activités culturelles). De ce fait, les chrétiens occupent globalement une position économique, sociale et culturelle prééminente. Si cette position fut un temps menacée lors des grandes vagues de nationalisation des premières années de gouvernement du régime baasiste, il semble que les nouvelles mesures de libéralisation de l'économie doivent rendre toute sa place à une communauté chrétienne dynamique, rompue aux affaires et traditionnellement ouverte sur le monde. D'autant que la constitution laïque leur garantit une absolue liberté de culte. Elle leur reconnaît également un statut personnel qui leur permet d'être jugés par leurs propres tribunaux en matière de droit privé (mariages, successions…). Enfin, les différentes Églises gèrent, sous la tutelle de l'État, une quarantaine d'écoles privées, fréquentées par les élites, chrétiennes comme musulmanes, et qui sont restées jusqu'à nos jours autant de bastions de la francophonie. Ces nouvelles perspectives économiques devraient également mettre un terme à une vague d'émigration, traditionnelle en Syrie depuis le début du XXe s., mais qui frappe plus particulièrement les chrétiens.

## Syrien, chacun à sa manière

Dans la mosaïque syrienne, on trouve encore d'autres minorités religieuses ou ethniques : les Druzes (au nombre de 400 000 environ, voir p. 15), regroupés pour la plupart dans le Hauran et le Golan. Les Ismaéliens (1 % des musulmans, voir p. 15) se trouvent principalement dans la région de Salamiyé, à l'est de Hama.

Avec les Arméniens, les Kurdes forment la minorité ethnique la plus importante de Syrie. De langue indo-européenne, ce dernier peuple du Proche-Orient sans État compte de 22 à 25 millions d'individus selon les estimations. Ils se répartissent sur un territoire montagneux de près de 400 000 km², à cheval sur trois pays, l'Irak, l'Iran et la Turquie, et dont une partie déborde sur le nord-est de la Syrie. Au nombre de 200 à 300 000 en Syrie, ils habitent principalement les régions au nord-est d'Alep, la Djéziré et Damas.

On trouve également des communautés circassiennes ou tcherkesses originaires du Caucase (environ 10 000 personnes), turques (dans la région de Lattaquié) et turkmène (originaire du Caucase et de l'est de la mer Caspienne) dans le nord du pays. Mentionnons, enfin, l'existence d'une communauté juive, présente en Syrie depuis plus de 2 000 ans. À en croire les Actes des Apôtres, c'était au début de notre ère une communauté florissante, dotée de nombreuses synagogues (Ac. 9, 2). Les juifs syriens, présents à Damas et à Alep, connurent avec la création de l'État d'Israël une existence difficile du fait de l'état de guerre : carrières militaires et administratives leur furent interdites – comme c'est le cas pour les Arabes israéliens depuis 1948 –, et surtout, il leur était interdit de quitter le pays, ce qui a pu faire dire d'eux qu'ils constituaient une communauté-otage. Depuis 1992, cette dernière interdiction a été levée et cette communauté, forte alors de 4 000 individus, est en voie d'extinction rapide du fait de l'émigration.

## Le tourisme

Ce n'est certes pas le manque d'attraits qui a longtemps détourné les touristes de la Syrie, mais plutôt la situation politique et diplomatique difficile d'un pays en guerre et qui devait consacrer une grande partie de son budget à la défense. Et il faut bien admettre que les positions tranchées, que le pouvoir syrien a défendues dans la région, ont dessiné un visage du pays peu rassurant pour les visiteurs occidentaux. Depuis la crise du Golfe en 1990 et le soutien apporté par le gouvernement syrien à la coalition occidentale, les choses ont bien changé. Les transformations se sont encore accrues avec les récentes mesures de libéralisation de l'économie qui ont permis l'éclosion d'un important secteur touristique privé. On ne compte plus les agences de voyage, les loueurs de voiture ; les équipements hôteliers se multiplient tandis que sur le plan des transports, de nombreuses compagnies privées ont brillamment assuré la relève de la compagnie nationale Karnak, dont les bus essoufflés ont longtemps détenu le monopole des liaisons interurbaines. Ajoutons à cela que les autorités syriennes se sont lancées dans de vastes campagnes internationales en vue de promouvoir le pays. On reste toutefois encore loin – mais peut-être plus pour très longtemps – de l'affluence, et l'on peut encore se retrouver seul à parcourir des sites aussi prestigieux qu'Apamée ou Bosra.

# DAMAS***

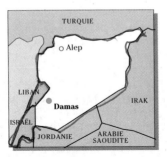

*« Un grain de beauté sur la joue du monde » :
pour des générations de poètes arabes,
Damas fut l'image même du Paradis sur terre
– au point que Mahomet refusa de s'y rendre,
de crainte de commettre un péché.*

Damas doit tout à la Ghouta, cette oasis sans palmiers née du fleuve Barada, descendu des hauteurs de l'Anti-Liban, et six fois détourné par autant de canaux dont le plus ancien remonte à l'époque des Araméens. Pour les Bédouins surgis du désert, l'oasis dut, en effet, apparaître comme un rêve odorant et parfumé : la rose de Damas fit la fortune du petit village de Mezzé, et les milliers d'abricotiers donnaient alors un succulent petit fruit dont on tire encore le Qamr ed-Din, la Lune de la Religion, une délicate friandise que l'on savoure de Koweït au Caire durant les nuits de Ramadan.

Mais, aujourd'hui, le plus pieux des musulmans ne commettrait aucun péché en se rendant à Damas : l'oasis a peu à peu été mangée par les constructions modernes et les vergers, qui jadis venaient buter contre les murs de l'antique cité, ont cédé la place à des boulevards circulaires et à des immeubles sans grâce. Si quelques arpents de la Ghouta ont été préservés, c'est plutôt à l'intérieur de la vieille ville qu'il faut chercher les beautés de Damas. Les souks « haussmaniens » n'ont peut-être pas le mystère de ceux d'Alep ; il s'en dégage pourtant

**Le célèbre mur de Barada, à l'intérieur de la mosquée des Omeyyades de Damas, est l'une des seules parties de la décoration originale du VIIIe s. à avoir échappé aux incendies successifs. La mosaïque représente un paysage des environs de Damas, traversé par la rivière Barada qui donna au mur son nom.**

les mêmes couleurs et les mêmes parfums. Et, parmi la foule brouillonne, déambulent les paysannes de l'oasis dont on pouvait naguère reconnaître le village d'origine aux broderies de leurs robes. Elles viennent reluquer les vitrines ruisselantes d'or – seules les Bédouines portent de l'argent –, palper les étoffes que déroulent pour elles avec patience les marchands accroupis au fond de leur échoppe, ou découvrir les tout derniers ustensiles en plastique ou en aluminium, le *nec plus ultra* de la modernité. Ici, ce sont plutôt les hommes qui se chargent de l'approvisionnement quotidien.

Cernée par les souks, les écoles coraniques léguées par les Mamelouks et les coupoles des tombeaux – le grand Saladin repose là tout près – s'élève la mosquée des Omeyyades, orgueil de Damas depuis le VIIIe s. La Via Recta de la cité romaine – là même où saint Paul rencontra Ananie – traverse toujours la ville d'ouest en est. De part et d'autre, un fouillis de ruelles, bordées de façades aveugles qui ne laissent en rien deviner le charme des jardins intérieurs des palais damascènes. Ici ou là surgit du sol un chapiteau corinthien. Plus loin ouvre un bain mamelouk, un caravansérail ottoman. Ailleurs enfin, c'est un arc romain qui soutient miraculeusement une demeure branlante.

Vers l'est, la Via Recta conduit au quartier des chrétiens. Au fond d'une ruelle, on vous montrera la maison d'Ananie où a séjourné saint Paul. De l'autre côté de la Rue Droite, le quartier juif est aujourd'hui presque entièrement vidé de ses habitants traditionnels.

Une journée à Damas se terminera au sommet du Qassioun, en compagnie des Damascènes qui viennent en famille goûter la fraîcheur du soir. À vos pieds s'étend la ville dont les tentacules de béton gagnent d'année en année sur l'oasis – et il vous faudra beaucoup d'imagination pour vous extasier, avec Lamartine, sur ce « labyrinthe de jardins, de vergers, de palais, de ruisseaux, où l'œil se perdait, et ne quittait un enchantement que pour en retrouver un autre » (*Voyage en Orient*, 1885).

## ■ DAMAS MODE D'EMPLOI

### Accès

L'aéroport est à une trentaine de km au S-E de la ville : pour gagner le centre, le moins cher est d'emprunter le bus de l'aéroport (départ toutes les 30 mn env.) : terminus rue al-Ittihad I-BC3, à deux pas du quartier des hôtels. Paiement en livres syriennes uniquement ; prévoyez de faire du change à votre arrivée à l'aéroport (voir p. 29).

À la sortie de l'aérogare, vous ne trouverez pas de taxis urbains (de couleur jaune) ; les seules voitures particulières habilitées à vous conduire au centre-ville sont des voitures de location appartenant aux compagnies qui ont un guichet dans l'aéroport. Toutes pratiquent les mêmes tarifs : de l'ordre de 20 US$ en 1995, payable uniquement (en principe) en devises.

### S'orienter

Les principaux centres d'intérêt de Damas se trouvent dans la vieille ville (voir plan II pp. 78-79) ; vers l'O s'étendent les quartiers modernes construits depuis le début du siècle. C'est là que se trouvent concentrés la plupart des hôtels : autour de la place Merjé I-B3 pour les petits hôtels à très bon marché ; dans le quartier autour des rues Port-Saïd et 29-Ayar I-BC2-3 pour les établissements de meilleur standing. Le Musée national se trouve dans les parages I-B2.

Sur les contreforts du Qassioun qui limite la ville au N, s'étendent les quartiers résidentiels d'Abou Romané I-B1 et Malki I-A1 avec leurs belles demeures, leurs artères ombragées et leurs boutiques à l'occidentale. Un peu plus haut, se trouve Salihiyé, un pittoresque quartier populaire autour de vénérables écoles et mosquées dont les plus anciennes datent du XIe s. Plus haut encore, les maisons « en contravention » (voir p. 75) s'accrochent au flanc de la colline.

Au S de la vieille ville, le faubourg populaire du Midan I-AB1 conserve quelques mosquées mameloukes cernées par un urbanisme anarchique.

À l'E de la vieille ville se trouvent principalement des zones industrielles et des camps de réfugiés palestiniens qu'on longe en venant de l'aéroport.

Le quartier le plus animé le soir est celui de la place Youssef al-Azmé I-B2 avec ses restaurants, ses cinémas et ses boutiques populaires.

## Circuler

**En ville.** Les distances ne sont pas bien grandes et il est tout à fait facile de rejoindre la vieille ville à pied depuis la place Youssef al-Azmé (quartier des hôtels I-B2). Traversant les quartiers animés autour de la place Merjé, la balade est même attrayante. Il existe, bien entendu, des lignes d'autobus d'État ainsi que des minibus, les désormais fameux « rats blancs » (voir p. 37) qui permettent de se déplacer d'un bout de la ville à l'autre. Si les Damascènes connaissent bien les lignes de bus et de minibus (du moins celles qui les conduisent chez eux), il n'en va évidemment pas de même pour les étrangers qui, en l'absence de toute signalisation, auront du mal à les utiliser efficacement. Un conseil : si à la fin de votre promenade vous êtes trop fatigué pour rentrer à votre hôtel à pied, prenez un taxi. Le prix en est extrêmement modeste pour un Occidental (env. 50 LS pour un trajet en ville).

**De Damas vers la province.** Trains, minibus, bus ordinaires, bus « Pullman », taxis collectifs («service taxis»), avion, tous les moyens de transport sont disponibles depuis Damas vers la province. La meilleure façon de se déplacer de ville en ville est d'emprunter un bus Pullman (voir p. 37), équipé d'air conditionné et avec réservation de sièges.

**Bus Pullman :** la gare principale se trouve rue Omar Bin Abi Rabia I-B3 : une vingtaine de compagnies y sont regroupées et desservent la plupart des localités du pays, plusieurs fois par jour, ce qui fait des départs quasi continus. Toutes pratiquent à peu près les mêmes tarifs. Le mieux est de venir la veille de son départ pour choisir son horaire et réserver sa place. Toutefois, pour un départ le jour même (en dehors des week-ends et jours fériés), il serait bien étonnant que vous ne trouviez pas une place pour la destination de votre choix dans l'heure qui suit. De cette gare routière, on peut également trouver des autobus vers la Jordanie, le Liban, la Turquie et l'Europe orientale.

**Bus ordinaires :** pour la côte, le N et l'E du pays : rue Farès el-Khoury hors plan par D4 ; pour Saidnaya, Maaloula et les villages du Qalamoun : place Bilal hors plan par D4 ; pour Bosra et le S, Zabadani et Bloudan : rue Abdoul Rahman Annasir hors plan par A5.

**Minibus :** pour Bosra et le S, Zabadani et Bloudan : rue Abdoul Rahman Annasir hors plan par A5 ; pour Maaloula et les villages du Qalamoun : souk al-Hal, Zablatani hors plan par D5.

**Taxis services :** pour le S, la Jordanie et le Liban : rue Abdoul Rahman Annasir ; pour les villes de la côte, du N et de l'E du pays : rue Muhammad Anwar Kamel (derrière le stade des Abbassides hors plan par D4).

**Le train :** les départs des trains s'effectuent à la gare de Qadam hors plan par A5 : liaisons avec Alep, Raqqa, Deir ez-Zor, Qamishli. On peut acheter les billets et réserver sa place à la gare du Hidjaz I-B3.

**L'avion :** depuis Damas, Syrian Arab Airlines dessert Alep, Lattaquié, Deir ez-Zor et Qamishli.

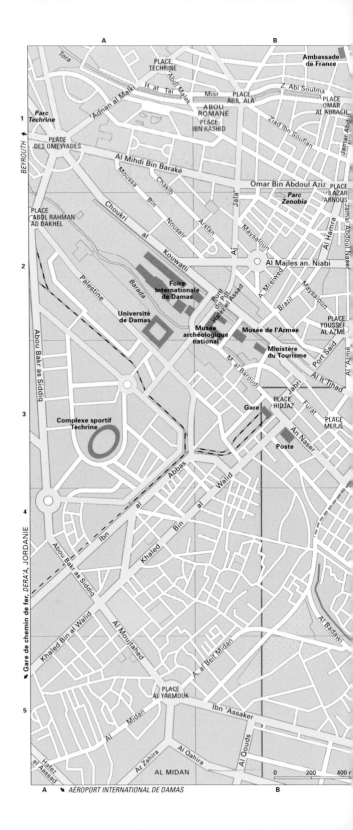

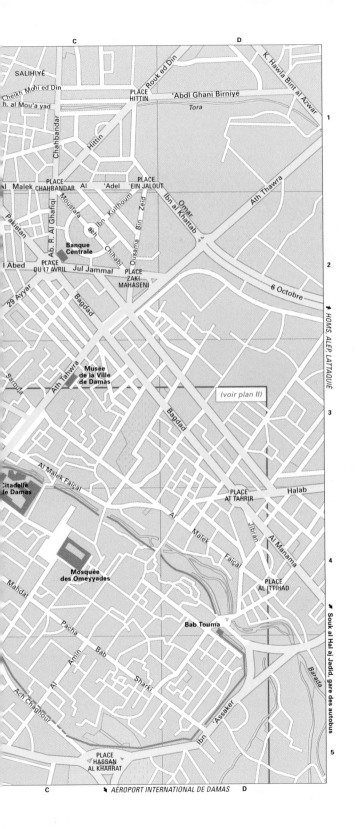

**C**        **D**

SALIHIYÉ

Cheikh Mohi ed Din

h. al Mou'a yad

Chahbandar

Hittin

PLACE
HITTIN

Rouk ed Din

'Abdl Ghani Birniyé

Tora

K. Hawla Bint al Azwar

**1**

Al Malek

PLACE
CHAHBANDAR

Al

'Adel

PLACE
'EIN JALOUT

Moustafa

ach

Ibn Kulthoum

Chihabi

Ousama Bin Zeid

Ibn al Khattab

Omar

Ath Thawra

Pakistan

Ab. R. Al Ghafiqi

**Banque
Centrale**

l Abed

PLACE
DU 17 AVRIL

Jul Jammal

PLACE
ZAKI
MAHASENI

**2**

29 Ayyar

Bagdad

6 Octobre

▲ HOMS, ALEP, LATTAQUIÉ

Sarouja

Ath Tahwra

**Musée
de la Ville
de Damas**

Bagdad

(voir plan II)

**3**

Al Malek Faïçal

**Citadelle
de Damas**

PLACE
AT TAHRIR

Halab

Al

Malek

Faïçal

Jibran

Al Manama

**4**

Mahdat

**Mosquée
des Omeyyades**

PLACE
AL ITTIHAD

↗ Souk al Hal aj Jadid, gare des autobus

Pacha

Bab

**Bab Touma**

Amin

Bab

Barada

Al

Sharki

Ach Chaghour

Ibn

'Assaker

**5**

PLACE
HASSAN
AL KHARRAT

**C**        ✈ *AÉROPORT INTERNATIONAL DE DAMAS*        **D**

## Programme

**Un jour :** c'est trop peu !

**Deux jours :** un minimum si l'on veut approcher les multiples facettes de la ville. Le 1ᵉʳ sera consacré à la vieille ville : la mosquée des Omeyyades, le palais Azem, les souks, la Rue Droite et le quartier de Bab Sharki. Le 2ᵉ vous conduira au Musée national, passionnante introduction aux brillantes civilisations qui se sont succédé en Syrie. Comptez au moins 2h (30mn de plus pour prendre le thé après la visite, dans les agréables jardins du musée) ; tout près, la Tekkiyé Suleimaniyé abrite aujourd'hui un beau centre d'artisanat. Dirigez-vous ensuite vers le quartier populaire de Salihiyé, bordé de belles mosquées anciennes avant de redescendre vers le centre-ville et la place Youssef al-Azmé, pour déambuler parmi la foule des promeneurs. Vous pourrez également vous faire conduire (en taxi) au belvédère du Qassioun, pour embrasser d'un coup d'œil toute la ville à vos pieds, au soleil couchant.

**Trois jours :** une journée supplémentaire vous permettra de découvrir plus à fond les charmes secrets de la vieille ville, en partant par exemple à la découverte des vieux palais damascènes et des quartiers d'artisans. Deux petits musées méritent aussi une visite : le Bimaristan dans la vieille ville, et le Musée historique de la ville de Damas I-C3, lui-même logé dans un ancien palais.

## Fêtes et manifestations

**Sept. :** foire de Damas.

**Oct.-nov. :** festival du Cinéma ou du Théâtre (alternativement d'une année sur l'autre : l'année 1995 fut celle du cinéma). Le festival se déroule à l'hôtel Cham Palace.

# Une des plus anciennes cités du monde

Mentionnée au IIIe millénaire dans les tablettes de Mari, au XVIIIe s. av. J.-C. sur les murs du temple d'Amon à Thèbes, puis au siècle suivant dans les archives diplomatiques d'Amarna, la capitale rêvée d'Aménophis IV et de la belle Néfertiti, Damas n'entre dans l'histoire qu'aux alentours du Xe s. av. J.-C. C'est alors la capitale de l'un de ces petits royaumes araméens qui se disputent la Syrie du Nord (voir p. 42). Déjà, ses souverains avaient fort à faire avec le puissant voisin de l'Ouest, le royaume d'Israël – au point de payer tribut au roi David (2 Sam 8, 5-6). Tour à tour alliée ou ennemie des royaumes hébreux de Juda et d'Israël, Damas subit à partir du VIIIe s. avant notre ère le joug des grands empires mésopotamiens. Sargon II l'Assyrien pille la ville en 721 avant d'aller prendre Samarie, capitale du royaume d'Israël. Aux Assyriens succèdent les Babyloniens (VIIe s.), puis les Perses (VIe s.), sous lesquels la ville reste importante. Ce n'est qu'avec l'arrivée d'Alexandre et le partage de son empire entre ses généraux que l'astre de Damas décline quelque peu : Séleucos Nicator, le premier roi séleucide, choisit en effet Antioche pour capitale.

L'arrivée des Romains bouleverse entièrement la physionomie de la cité. Les nouveaux maîtres de l'Orient édifient une ville nouvelle, entourée d'un mur et traversée par de larges avenues se coupant à angles droits. Au-dessus du sanctuaire du dieu araméen Hadad s'élève désormais un magnifique temple dédié cette fois à Jupiter, le Damascénien, très bon et très grand. C'est l'un des plus grands édifices religieux de l'Orient romain. Malgré bien des modifications, ce plan romain reste lisible dans la vieille ville.

## Capitale d'un empire arabe

Très tôt touchée par le message chrétien (la mémoire de saint Paul est ici toujours vénérée), Damas eut à souffrir de ses convictions religieuses du fait des empereurs de Constantinople aux Ve et VIe. s. La population, en majorité sémite, était, en effet, gagnée pour l'essentiel au monophysisme (voir p. 60), théorie condamnée au concile de Chalcédoine en 451. Dès lors, se dressèrent les bûchers où furent jetés les hérétiques. Ces massacres n'épargnèrent pas l'importante communauté juive de la ville ni les Samaritains. Si l'on ajoute à cette « inquisition » avant l'heure le poids fiscal de l'Empire qui pressurait les malheureux habitants, on comprend que c'est comme de véritables libératrices que furent accueillies en 635 les armées musulmanes conduites par Khaled ibn al-Walid. C'est Mansour ibn Sarjoun, héritier d'une famille de notables arabes chrétiens, et grand-père de saint Jean Damascène, qui négocia avec les vainqueurs les termes de la reddition de la ville. Son propre fils, Sarjoun, servit d'intendant et de ministre des armées à Mo'awiya, le premier des Omeyyades. Un chrétien se trouvait ainsi à la tête des troupes musulmanes qui contrôlaient un empire s'étendant de l'Atlantique à l'Indus.
À en croire les chroniqueurs, les musulmans se montrèrent d'une grande tolérance. Ils installèrent leur campement à la lisière de la ville et se contentèrent d'édifier un modeste lieu de prière à côté de la cathédrale Saint-Jean-Baptiste qui, depuis Théodose (378-395), avait succédé au temple de Jupiter. Pour les musulmans, le Précurseur est aussi un prophète. Ce n'est qu'au siècle suivant que les choses se gâtèrent avec l'avènement du calife Walid Ier (705-715). Il chassa les chrétiens de la cathédrale et entreprit de construire à sa place une somptueuse mosquée : celle des Omeyyades aux travaux de laquelle participèrent nombre d'architectes, de maçons et de mosaïstes byzantins. La dynastie omeyyade s'acheva dans le sang par le massacre de tous les prétendants au trône. Une nouvelle dynastie dominait l'Orient, celle des Abbassides qui régnèrent depuis Bagdad. Pour plus de douze siècles, Damas ne sera plus capitale.

## Sous la menace des croisés

L'éloignement avec le centre du pouvoir incita les gouverneurs de la ville à s'émanciper de la tutelle des Abbassides. S'ouvrit alors, comme dans toute la Syrie, une période de troubles et d'instabilité du IXe au XIe s. Lorsque la ville n'était pas gouvernée par des vassaux théoriques de Bagdad, depuis belle lurette sourds aux injonctions de leur suzerain, elle était occupée par la puissance montante du Proche-Orient, l'Égypte des Toulounides puis des Fatimides. Paradoxalement, ce fut l'arrivée des croisés qui mit un terme provisoire à cette instabilité chronique : les émirs de Damas trouvèrent dans le royaume de Jérusalem un rempart efficace contre la menace égyptienne et adoptèrent une neutralité bienveillante à l'égard de la noblesse franque avec qui ils entretenaient des rapports courtois. Il fallut l'arrivée de la seconde croisade (1147-1149) pour mettre un terme à ce fragile équilibre ; emmenés par le roi de France Louis VII et l'empereur d'Allemagne Conrad, les croisés n'entendaient rien à la subtile politique locale ; après de longs mois d'inaction, ils se jetèrent sur le seul allié des Francs en Orient, l'émir de Damas. Le 24 juillet 1148, Louis VII et ses barons

# LA CARAVANE DE LA MECQUE

*Depuis les premiers temps de l'islam jusqu'au milieu
du XIXe s., Damas fut l'un des principaux points de départ
de la caravane qui conduisait les pèlerins à la Mecque.
L'autre était Le Caire.*

La Mecque entourée
des monts Arafat.
Miniature syrienne
du XIXe s. conservée
au palais Azem
de Damas. L'édifice
cubique recouvert
d'un drap noir abrite
une pierre sacrée
qui aurait été
déposée là
par Abraham.

## Un convoi de 20 000 pèlerins

Un mois avant le départ du convoi, le 15 du mois
de shawwal, les pèlerins commençaient à gagner
la grande ville syrienne. Venus de tous les coins
du monde musulman, ils se regroupaient selon
leur origine géographique et voyageaient ainsi tout
au long du chemin : les Roumis venus de la région
de Constantinople, les Halabi originaires d'Alep,
les Ajam arrivés de Perse… Puis l'immense cortège
se mettait en branle : en tête, 40 cavaliers brandissaient
des bannières de soie ; suivaient des troupes d'hommes
à cheval, des fantassins escortant des pièces d'artillerie,
les janissaires précédant immédiatement
le mahmal et le sanjak, l'étendard du sultan.
La caravane s'arrêtait tout d'abord à une centaine
de km au sud de Damas, pendant une semaine, afin
d'attendre les derniers retardataires.
Alors le long voyage de 35 étapes commençait,
un voyage qui n'était pas de tout repos…

## Bandits ou pas, la caravane passe…

Tout musulmans qu'ils fussent, les Bédouins
n'entendaient pas laisser la caravane traverser
leurs territoires sans en tirer de substantiels profits.
Il fallait donc aux pèlerins payer leur passage,
sous peine d'être attaqués et détroussés, ou de voir
au long du chemin les puits empoisonnés.
Cette tâche fut tout d'abord assurée par des notables
de Damas, puis par des fonctionnaires nommés
pour un an par le sultan. Le paiement s'effectuait
en deux fois : à l'aller puis au retour. Or, ces braves

### Le mahmal

Brodé de tissu
d'or, ce baldaquin
abritait un pré-
cieux exemplaire
du Coran, recou-
vert d'un magni-
fique tapis, deux
cadeaux person-
nels du sultan à la
mosquée de la
Mecque. Pour le
porter, on choisis-
sait le plus beau
des chameaux qui se puisse trouver. Après avoir accompli sa tâche, la bête
était dispensée de porter toute charge jusqu'à la fin de sa vie. On peut voir des
photographies du pèlerinage et l'un de ces mahmal au palais Azem de Damas.

**Pèlerins allant à la Mecque,** œuvre de Belly, 1861 (musée du Louvre). La foule, dont le cortège se perd à l'horizon, est encadrée par les étendards du sultan, chargés d'accompagner la caravane et de la protéger. On distingue à l'arrière le mahmal. Des commerçants suivaient la caravane pour vendre aux pèlerins eau, vivres et vêtements.

fonctionnaires ottomans, soucieux, eux aussi, de tirer avantage de leur fonction, s'abstenaient bien souvent de payer le passage du retour, exposant ainsi les pèlerins aux razzias des Bédouins. Année après année, le sultan, protecteur des Lieux saints et du pèlerinage, voyait ainsi son autorité bafouée. Aussi, à partir du début du XVIIIe s., ordonna-t-il au gouverneur de Damas d'accompagner en personne la caravane. Nommé pour l'occasion émir el-Hajj, chef du pèlerinage, il en tira un grand prestige en même temps que l'insigne avantage de ne pas être astreint à guerroyer auprès de son maître. C'est que le convoiement de la caravane était affaire d'importance et pas seulement pour des raisons religieuses.

## Dix mille chameaux chargés d'or

Jamais tout au long de l'année une caravane vers l'Arabie n'était aussi bien gardée. C'était l'occasion pour les commerçants de faire de fructueuses affaires. Turcs et Persans vendaient à Damas les produits de leur pays, tapis, bijoux, soie, puis achetaient des produits locaux, du textile principalement, qu'ils vendaient en chemin aux pèlerins. Avant d'entamer le voyage de retour, les mêmes marchands lestaient leurs chameaux de café du Yémen (le moka), d'encens et de plantes de l'Arabie-Heureuse, mais aussi de produits venus de l'Extrême-Orient, soie, parfums, épices, apportés par bateau jusqu'au port de Jeddah.

Avec le percement du canal de Suez en 1869, qui rendit très commode le voyage par bateau, la caravane de Damas perdit de son importance. Le coup fatal lui fut porté en 1908, avec l'ouverture de la ligne de chemin de fer du Hedjaz, qui reliait Damas à Médine. C'est aujourd'hui l'avion qui assure le transport des pèlerins à La Mecque.

se lancèrent à l'assaut de Damas ; bien vite, les chevaliers s'enlisèrent dans le labyrinthe de la Ghouta où ils furent un à un taillés en pièces avant même de pouvoir atteindre les murs de la ville. Le 28 juillet, Louis VII décida sans gloire de lever le camp. Cette cuisante et inutile défaite eut pour désastreuse conséquence de jeter la population de Damas dans les bras du gouverneur d'Alep, l'atabeg Nour ed-Din. En 1154, le maître de la Syrie réunifiée entrait à Damas en triomphateur. Ce fut pourtant à Saladin, son lieutenant et successeur, qu'il revint de porter les coups décisifs à la Syrie franque. Après avoir conquis l'Égypte, Saladin put, en effet, lancer l'ensemble du monde musulman du Proche-Orient contre le royaume de Jérusalem qu'il prit en 1187. Il mourut en 1193 à Damas, et y fut enterré (voir p. 81).

## Capitale d'une province ottomane

La ville connut alors une période de grande prospérité, malgré le raid sans lendemain des Mongols, qui pillèrent la ville en 1260. Sous la domination des Mamelouks, maîtres de l'Égypte de 1250 à 1517, Damas se couvrit de monuments, médrassa et bains somptueux, en même temps qu'elle devint un carrefour commercial d'importance. La renommée de ses artisans s'étendit dans tout l'Orient, si bien que lorsque les Mongols pillèrent à nouveau la ville en 1400, leur chef les déporta tous à Samarkand, sa capitale (aujourd'hui en Ouzbékistan). En 1516, le sultan Sélim Ier entra à Damas avant de mettre fin l'année suivante à la dynastie mamelouke. Les Ottomans restèrent quatre siècles, jusqu'en 1918, lorsqu'ils en furent chassés par les troupes arabes de Fayçal et de Lawrence d'Arabie – le temps pour eux d'ériger quelques mosquées comme la belle Suleimaniyé et de favoriser quelques grandes dynasties de gouverneurs locaux, telle la famille Azem dont on admire toujours le merveilleux palais au cœur de la vieille ville. En abandonnant Damas en 1918, la puissance ottomane laissa également derrière elle des élites locales majoritairement gagnées à l'idée d'une indépendance nationale. L'octroi à la France d'un mandat sur la Syrie après la Première Guerre mondiale devait les frustrer dans leur attente.

## Le Mandat français

« Fayçal, Fayçal, Aurens ! » C'est à ces cris de joie lancés par une foule en délire que les troupes arabes conduites par Lawrence d'Arabie font leur entrée dans la ville le 1er octobre 1918. Depuis la veille, le drapeau arabe flotte déjà sur le toit de l'hôtel de ville avant même que les dernières troupes turques et allemandes aient quitté la ville. Et tandis qu'explosent un à un les dépôts de munitions sabotés par les Turcs, les Bédouins de Lawrence prennent possession de la ville dans une pagaille indescriptible. La joie est de courte durée : le jour suivant, l'armée britannique, accompagnée par un détachement français, fait son entrée en ville. Tout en nommant Fayçal gouverneur, les alliés entendent faire respecter les accords de partage du Proche-Orient entre la France et l'Empire britannique, les fameux accords Sykes-Picot. Ce n'est que deux ans plus tard que les Français imposent véritablement leur autorité sur la ville, après avoir écrasé les troupes de Fayçal à la bataille de Maysaloun (voir p. 46).

Damas doit au Mandat français quelques bâtiments publics (le Musée notamment), le percement des grands boulevards… et deux bombardements. Le premier en 1925, lors de la grande révolte du Djebel Druze : les troupes coloniales, cernées par le labyrinthe de la Ghouta aux mains des insurgés, avaient grand peine à tenir la vieille ville qui fut bombardée depuis la citadelle. Des quartiers entiers furent livrés aux flammes et, parmi eux, quelques-uns des plus beaux palais de Damas. Le second eut lieu les 29 et 30 mai 1945, lorsque les troupes françaises furent débordées par les manifestations populaires en faveur de l'indépendance. Quelques mois plus tard, les troupes françaises se retiraient sans gloire. Après douze siècles, Damas retrouvait son rôle de capitale.

## Une capitale surpeuplée

La capitale syrienne a désormais phagocyté ses vieux murs. La Ghouta disparaît peu à peu sous un quadrillage d'immeubles modernes et les habitations bon marché grimpent à l'assaut du mont Qassioun, tandis que d'immenses places, celle des Omeyyades ou celle des Abbassides, marquent le développement de la ville vers l'ouest et vers l'est. C'est que Damas s'est plus étendue depuis 1945 qu'entre le Moyen Âge et l'indépendance. La ville même compte aujourd'hui près de 1,6 million d'habitants (plus du 10e de la population syrienne), et la périphérie (Damas-Campagne) presque autant.

Malgré l'alignement presque militaire des barres de HLM qui semblent monter la garde aux approches de la ville – un héritage architectural du long flirt avec le grand frère soviétique –, le développement de la ville s'est bien souvent affranchi de toute directive officielle. Depuis les années 50, les paysans de tout le pays sont « montés » à la capitale dans l'espoir d'y trouver de meilleures conditions d'existence. Les programmes de logement se sont bien vite révélés insuffisants pour loger tout le monde. On s'est alors regroupé, le plus souvent dans des zones périphériques encore vierges de toute construction. Pas vraiment occupant légal, pas non plus squatter : ce sont les *mukhalafat* (habitations « en contravention ») qui occupent notamment le flanc du Qassioun – quartier de ruelles étroites, tortueuses et pentues, où le nouvel arrivant occupe un arpent de terre laissé libre et y construit sa maison. Mais que l'on ne s'y trompe pas : il ne s'agit pas ici de bidonvilles de matériaux précaires, comme dans tant de villes du tiers-monde, mais de maisonnettes pourvues d'une cour, le plus souvent embaumée d'un jasmin et d'un rosier, et d'une terrasse à l'étage où l'on prend le frais en famille les soirs d'été. Sans compter que ces habitations sont reliées tout ce qu'il y a de plus officiellement au réseau municipal d'eau, d'électricité et d'égouts.

En contrebas, à l'ouest de la vieille ville, le long de rues aérées, tirées au cordeau, ombragées de sapotilliers et de faux poivriers, s'élèvent de vastes demeures d'où s'échappent des jaillissements de jasmin, de rosiers ou de lauriers roses. C'est le cas du quartier chic de Malki, où les élégantes Damascènes viennent faire du lèche-vitrines.

Mais la disparition progressive de la Ghouta fait déjà sentir ses dramatiques conséquences : la ville est de plus en plus poussiéreuse sous un climat de plus en plus désertique.

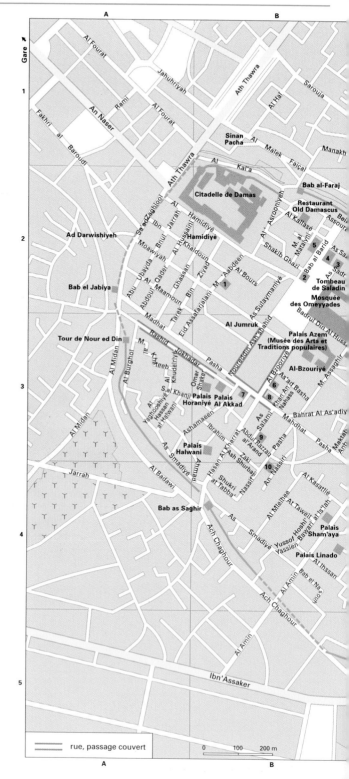

A                                          B

Gare ↗

Al Fourat

Jahuhriyah

Ath Thawra

Sarouja

An Naser

Rami

Al Fourat

Al Hai

Manakh

Fakhri al Baroudi

Sinan Pacha

Al Malek Faïçal

Ath Thawra

Al Kal'a

Bab al-Faraj

Citadelle de Damas

Restaurant Old Damascus

Al Kaffasé

Beit Assour

Ad Darwishiyeh

Sa az-Zaghloul

Ibn Jarrah

Al Hussaini

Al Khaldoun

Hamidiyé

Al Astoonīyeh

Shakib Ghazi

M al Maraini

As Sa

Hamidiyé

5

Bab al Barid

As Sa

Moawiyah

Al Qader

Ghassan

Bin Ziyad

M 'Aabdeen

Al Bours

4

3

Abu Ubayda

Abdoul Maamoun

Tarek

Eid Assafarjalani

1

2

As Sadr

Bab el Jabiya

Madhat

As Sulaymaniyé

Tombeau de Saladin

Mosquée des Omeyyades

Tour de Nour ed Din

Rashid

Pasha

Al Jumruk

Badrul Din Al Huss

Palais Azem (Musée des Arts et Traditions populaires)

Al Midan

Al Burghol

M al Kteeb

Mokhadar

Nourreddin Ash'shahid

Al Bzouriye

As'ad Basha

M Assaghir

Al-Bzouriyé

Omar Shaker

Khan Al Nanaas

7

6

8

S al Khanji

Al Yaghooshiye Hassan al Halwani

Khudairiy

Palais Horaniyé

Palais Al Akkad

As Saani

Bahrat Al As'adiy

Ashamaaen

Ibrahim

Abdul Razzak al Arand

Mahdhat

Pasha

Maktab Anb

Al Midan

Ahmad

Zaki Kharra

Hasan Al Ash Shurbali

9

An Nassiri

Jarrah

As Smadiye

Al Badawi

Shukri at Tabba

Nassiri

10

Al Kasatlie

Palais Halwani

Palais Sham'aya

Bab as Saghir

As Smadiye

At Mleihee At Taweil

Yussof Hoshn Yassien

Bawari al Istah

Palais Linado

Ach Chaghour

Al Amin

Al Ihssan

Bab el Nasou

Ach Chaghour

Al Amin

Ibn 'Assaker

── rue, passage couvert

0    100    200 m

A                                          B

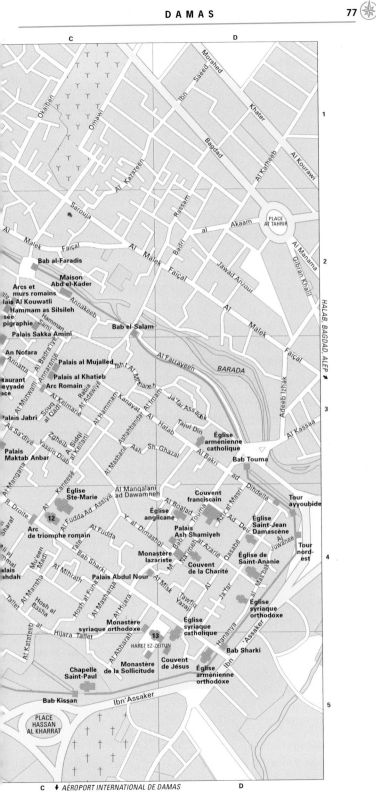

# LA VIEILLE VILLE

Le périmètre de la vieille ville recouvre à peu de choses près celui de la ville antique, peut-être celui de l'époque hellénistique (IIIe s. av. J. C.), plus certainement celui de la ville romaine (Ier s. av. J.-C.) : un rectangle de 1 330 m de côté sur 850 défendu par une muraille droite, sauf sur la face N où elle le suivait le cours du Barada. Il en subsiste çà et là quelques soubassements, notamment vers l'est du côté de Bab Touma II-D3. À l'intérieur, des rues rectilignes se coupaient à angles droits : cette ordonnance antique a depuis longtemps disparu pour laisser place à l'enchevêtrement caractéristique des villes arabes, à deux exceptions près : le quartier de Hariqa (de l'Incendie, II-A2), qui doit son plan rectiligne à sa reconstruction complète après que les troubles de 1925 ont complètement dévasté le périmètre, et la Via Recta, la Rue Droite, qui traverse la ville d'est en ouest. Bordée de part et d'autre d'une colonnade, celle-ci mesurait dans l'Antiquité 26 m de large. Au nord, s'élevait le temple de Jupiter, un des plus vastes d'Orient. On ignore aujourd'hui l'emplacement des autres édifices publics, disparus sous la surface du sol. Depuis l'Antiquité, ce dernier s'est, en effet, élevé de plusieurs mètres. On a cru retrouver le théâtre dans l'arrondi que dessinent les rues du quartier Tal an-Najjarin II-BC3.

Nous vous proposons une promenade à travers la vieille ville, depuis la citadelle à l'ouest jusqu'à Bab Sharki à l'est. Il vous faudra une journée complète pour la suivre entièrement, tout en vous ménageant de longs instants de détente à la terrasse d'un café ou aux étals des souks. Si vous voyagez en été, nous vous conseillons de scinder cette balade en deux demi-journées : pendant les grosses chaleurs, les rues se vident à la mi-journée, ce qui ôte beaucoup de charme à la promenade. (*Les reports au plan renvoient au plan de la vieille ville pp. 76-77*).

## La citadelle

Commençons la visite par le quartier de la citadelle, côté O, en empruntant la rue Al-Kal'a B1. La **citadelle** qui s'élève à dr. est fermée à la visite. De grands travaux ont été entrepris depuis des années, dans la perspective toujours repoussée d'une éventuelle ouverture à la visite. Occupant probablement le site du camp militaire romain, l'actuelle bâtisse remonte aux périodes ayyoubide et mamelouke (XIIIe-XVe s.), avec de nombreux aménagements au cours des siècles. Elle fut, en effet, utilisée jusqu'en 1985 (elle servait alors de prison). C'est du haut de ses murailles que les troupes françaises bombardèrent la ville en 1925.

Tournez ensuite à dr. dans la rue Al-Asrooniyé. En prenant la première rue à g., rue Bein al-Assourain, vous pourrez suivre une promenade qui vous permettra de longer les murs nord de la ville et d'en découvrir les anciennes portes (voir p. 79).

La seconde rue à g. dans la rue Al-Asrooniyé (rue Al-Kallaseh) a été récemment aménagée en une jolie promenade qui, accessoirement, permet aux dignitaires de gagner la Grande Mosquée en voiture sans encombre.

En continuant tout droit, vous parviendrez au souk Hamidiyé.

## Promenade : le nord des murs de Damas jusqu'à Bab Touma**

En suivant la rue Bein al-Assourain BC2, vous découvrirez bientôt à g., après une chicane, la porte de la Délivrance, Bab al-Faraj B2, datant du XIIIe s. Si vous la franchissez et continuez tout droit, vous arriverez à la rue Malek Faïçal ; presque en face, légèrement à g., se trouve le quartier des dinandiers (voir p. 96).

Revenez dans la rue Bein al-Assourain – une pittoresque allée en partie couverte et bordée de jolies portes ouvragées – et continuez vers l'E jusqu'à la rue Al-Amara qui la coupe perpendiculairement. Vous êtes alors en plein cœur du quartier chiite de Damas. En témoigne une nouvelle mosquée construite dans le style iranien, ainsi que les envolées d'*abaya*, ces longs voiles noirs portés par les femmes. Ce sont pour la plupart des Iraniennes venues à Damas en pèlerinage qui en profitent pour faire quelques emplettes dans les bazars. En tournant à g. dans la rue Al-Amara, vous atteindrez à 50 m la porte des Vergers, Bab el-Faradis C2. Elle remonte au XIIe s. et fut construite non loin de l'emplacement de la porte romaine de Mercure.

Prenez ensuite la rue qui longe la mosquée iranienne à g. (rue Annakeeb) ; à 50 m, deux portes à g. signalent l'entrée du palais qu'habitait l'émir algérien **Abd el-Kader** lors de son exil à Damas. Continuez tout droit pendant 300 m environ, jusqu'à la porte de la Paix (**Bab el-Salam** C2). Elle fut construite au XIIe s. et rénovée au siècle suivant, sur l'emplacement de la porte romaine de la Lune.

Vous poursuivrez votre chemin vers l'E en suivant, à l'extérieur de l'enceinte cette fois, la rue Al-Farrayeen qui conduit après 300 m à la porte de Thomas (Bab Touma, voir plus bas). En chemin, vous longerez une partie du mur et le cours du Barada.

## Le souk Hamidiyé*

Il porte le nom du sultan Abdoul Ḥamid II, sous le règne duquel (1876-1909) il fut construit. Sa double rangée de boutiques à étage et sa charpente métallique témoignent des innovations architecturales du siècle passé, adaptées au goût oriental. Trottoirs et réverbères sont un héritage du Mandat français. Quant aux milliers de petits trous qui étoilent la couverture métallique pour en faire une sorte de voûte céleste, on prétend parfois que ce sont les impacts de la mitraille que les soldats français déversèrent sur la ville du haut de la citadelle. Le souk Hamidiyé est pour moitié bordé de boutiques destinées aux touristes ; sauf exception (voir p. 96), ce n'est pas là que vous ferez les meilleures affaires. C'est du reste l'un des seuls endroits en Syrie où vous serez accosté par des rabatteurs qui vantent les mérites de leur boutique.

## Le Bimaristan An-Nouri** (musée de la Médecine arabe)

*Depuis la rue Al-Asrooniyé, tournez à dr. puis immédiatement à g. dans la rue Mussallam Aabdeen. Entrée à env. 100 m à g. Comptez 20 mn de visite. Ouv. t.l.j. sf mar. de 8h à 14h ; entrée payante.*

Ce superbe édifice remonte au XIIe s. et fut construit par Nour ed-Din pour servir d'hôpital et de faculté de médecine. C'est, depuis 1978, un musée consacré à la médecine arabe. On y voit évoquée la mémoire des grands noms de la science musulmane (Avicenne est sans doute le plus connu des Occidentaux) et diverses expositions de photos et d'instruments médicaux du début du siècle.

Après la visite, regagnez le **souk Hamidiyé** dans lequel vous tournerez à dr. en direction de la mosquée des Omeyyades. Le souk recouvre ici la voie romaine qui conduisait à l'entrée occidentale du temple de Jupiter. Du reste, vous ne tarderez pas à voir se dresser devant vous les vestiges d'un **arc romain** : il marquait l'entrée du périmètre sacré. Au pied des colonnes ont pris place aujourd'hui les marchands de livres pieux. Au-delà s'élève le mur d'enceinte de la mosquée.

À dr., juste avant l'arc romain, la rue Nour ed-Din ash Shahid B3, en grande partie couverte et bordée de vieux khans (caravansérails), abrite l'un des souks les plus pittoresques de la ville.

## La mosquée des Omeyyades***

➤ *BC2-3 Ouv. du lever au coucher du soleil pour les fidèles, et pour les visiteurs de 9h à 17h (f. le ven. au moment de la grande prière de la mi-journée) ; entrée payante pour les étrangers. L'entrée des visiteurs étrangers se trouve immédiatement à g. de l'entrée des fidèles, en face de l'arc romain. Du fait des travaux de restauration entrepris en 1993, elle est provisoirement aménagée du côté N, au-delà du tombeau de Saladin B2. Cela dit, rien ne vous empêche, si vous ne voyagez pas en groupe, d'entrer par la porte principale, comme tout bon musulman. Une exception (d'importance) : les femmes qui doivent obligatoirement revêtir une pelisse couvrant tête, bras et jambes. Cet élégant accessoire n'est fourni qu'à l'entrée réservée aux étrangers. Les meilleures photos (mur de mosaïques et trésor) se prennent le matin. Une heure exquise pour la visite : dès après le lever du soleil, lorsque l'immense cour est encore presque déserte. On ne se déchausse qu'à l'entrée de la salle de prières.*

La construction de la mosquée des Omeyyades fut entreprise en 705, sous le règne du calife Walid Ier, ce qui en fait l'un des premiers édifices monumentaux érigés par les musulmans. Au cours des siècles, elle représenta l'archétype de la beauté dans l'ensemble du monde musulman, de l'Inde à l'Atlantique, au point que comparer la beauté de leurs mosquées à celle de la mosquée de Damas devint un lieu commun pour les souverains musulmans désireux d'asseoir leur prestige.

**Trois mille ans de dévotion.** Depuis plus de trente siècles, ce périmètre est consacré au culte : celui de Hadad, tout d'abord, le dieu sémitique, puis de Jupiter Damascénien avec les Romains, avant que ne s'élève dans la seconde moitié du IVe s., à la place du temple païen, une église dédiée à saint Jean-Baptiste. Entrés à Damas en 636, les musulmans se contentèrent tout d'abord d'un modeste lieu de prière, à côté de l'église du Précurseur (qu'ils considèrent également comme un prophète). Ce n'est qu'en 705 que le calife Walid Ier, à la suite sans doute des troubles consécutifs à l'avancée des troupes byzantines, décida de détruire l'église pour la remplacer par une mosquée monumentale. La construction en fut achevée en 712 et demanda, à ce que disent les chroniques, sept années de revenus de l'État. L'œuvre était gigantesque et réclama sans aucun doute les compétences d'**artisans byzantins**. Des architectes dessinèrent les plans de la salle de prières et de sa façade selon les modèles chrétiens en vigueur à l'époque en Syrie, mais adaptés aux exigences du culte musulman ; des mosaïstes, dont certains seraient venus de Constantinople, couvrirent murs et plafonds de la cour de somptueux panneaux colorés dont il ne reste aujourd'hui que la partie O, le célèbre **mur de Barada**.

L'édifice connut bien des vicissitudes : il fut pillé et en partie détruit à deux reprises par les Mongols, aux XIIIe et XVe s., avant d'être incendié accidentellement en 1893 : le sinistre ne laissa que les murs de la salle de prières mais épargna la cour.

**La cour.** Ce vaste quadrilatère de 55 m sur 122, dallé de marbre, est bordé d'un portique sur trois côtés. Trois minarets la dominent : au S-O (du côté du souk Hamidiyé) le minaret du sultan Qait Bey, construit à l'époque mamelouke, au XVe s., dans le style alors en faveur au Caire ; le minaret de Jésus au S-E, dans sa partie inférieure, date du XIIIe s., tandis que le sommet fut construit à l'époque ottomane. Selon une légende locale, c'est par là que Jésus redescendra sur terre à l'heure du Jugement Dernier. Côté N, le minaret de la Fiancée est le plus ancien : sa base date du IXe s., la partie supérieure du XIIe s.

À l'O de la cour se dresse un édicule soutenu par des colonnes d'origine antique : c'est le **Khazné**, le Trésor où étaient entreposées les richesses de l'État à l'époque omeyyade. À ne pas manquer : les décorations de **mosaïques** qui couvre le côté O du péristyle ainsi que les murs et le plafond de l'entrée occidentale. Ce sont les seuls vestiges de la décoration originelle (encore qu'ils aient été considérablement restaurés dans les années 1960) : on peut y voir des paysages dont certains représentent des vues de la ville de part et d'autre du Barada, tandis que d'autres préfigurent le Paradis promis aux fidèles.

**Du côté opposé** (c'est-à-dire à l'E), une petite pièce ouvre sous le péristyle : la légende veut qu'y aurait été entreposée la tête de Hussein, le fils de Ali, après sa mort à Kerbela : c'est l'une des étapes obligées du pèlerinage des chiites iraniens, nombreux à Damas.

**La salle de prières.** La décoration de la façade sur la cour date pour l'essentiel des restaurations des années 60. L'intérieur est rythmé par deux rangées de colonnes parallèles à la façade qui délimitent trois nefs où prennent place les fidèles, face au mur de la qibla qui indique la direction de la Mecque. Vous noterez que nombre de fûts de colonnes et de chapiteaux sont d'origine antique. À côté du mihrab central, la niche pratiquée dans le mur de la qibla, s'élève le minbar, la chaire d'où prêche l'imam lors de la prière. À g. de la chaire, s'élève un édifice du siècle dernier : il recouvre le reliquaire qui contiendrait la **tête de saint Jean-Baptiste**.

En sortant de la mosquée, dirigez-vous vers le tombeau de Saladin, à l'extérieur du mur N.

## Le tombeau de Saladin*

➤ *B2 Ouv. t.l.j. de 9h à 17h ; l'entrée est libre mais il est d'usage de donner une petite gratification au gardien. Se déchausser avant d'entrer.*

Construit à la fin du XIIe s., cet édifice modeste abrite pourtant la tombe de l'un des plus grands chefs de guerre du monde musulman, l'émir d'origine kurde Salah ed-Din (1138-1193). Le Saladin des

Occidentaux réussit, en effet, à réunir sous sa bannière l'ensemble du monde musulman et reprit Jérusalem aux Croisés en 1187. Sa mémoire a toujours été vénérée à travers les siècles et plus particulièrement depuis 1948 et l'instauration de l'état de guerre. Saladin fut, n'est-ce pas, le libérateur de Jérusalem.

À l'intérieur, on peut voir deux cénotaphes (le corps d'un musulman doit être, en effet, enterré à même la terre) : l'original, en bois, et un autre en marbre, don du sultan Abdoul Hamid en 1878. C'est aux largesses de l'empereur d'Allemagne Guillaume II que l'on doit la dernière réfection de l'édifice (1898) : les lampes portent ainsi le monogramme impérial à côté de celui du sultan. Contre les murs, beaux carreaux de faïence du XVIIe s.

En sortant de l'enceinte du tombeau, vous pourrez voir, à 100 m à dr., au coin de l'accès N de la Grande Mosquée, une jolie école coranique du XVe s : la **médressa Jaqmaqiyé** B2 construite à l'époque mamelouke et qui abrite aujourd'hui le musée d'Épigraphie arabe (visite t.l.j. sf mar. de 9h à 14h ; entrée payante ; petite collection de manuscrits islamiques : pour amateurs éclairés).

En sortant du tombeau de Saladin par la g., vous pourrez atteindre (à 200 m env.) deux jolies médressa ayyoubides du XIIIe s. qui se font face de part et d'autre d'une ruelle. Celle de dr., la **médressa Zahiriyé*** B2 est aujourd'hui une bibliothèque universitaire. Une pièce immédiatement à dr. après l'entrée (demandez à vous faire ouvrir) renferme le tombeau du sultan Baybars, le général d'origine caucasienne qui enleva, entre autres conquêtes, le Krak des Chevaliers en 1271. Très belle **décoration**** intérieure de marbres polychromes.

La médressa en face (**médressa Adiliyé**) abrite la dépouille de Al-Adil Saif ed-Din, le frère de Saladin. La chambre funéraire se trouve dans le premier coin g. de la cour.

Avant d'atteindre votre prochain objectif, le palais Azem, il vous faudra gagner le mur S de l'enceinte de la mosquée, rue Badr ul-Din al-Hussaini B3, puis tourner à dr. dans le souk des Orfèvres, le **souk Assagha**.

En longeant tout droit, la mosquée, vous découvrirez bientôt, dans le mur, les vestiges de l'entrée de l'église chrétienne (c'était à l'époque romaine l'entrée S du temple de Jupiter) : au linteau, on peut encore lire une inscription en grec à la gloire du royaume du Christ (Psaume 145, 13 : « Ton Règne est un Règne de tous les temps »).

En poursuivant tout droit puis en tournant à g. de manière à suivre le mur d'enceinte, vous trouverez à dr. une ruelle (♥ An-Nofara B3) sur laquelle ouvre à dr. un petit café populaire (sans doute le plus photographié de la ville). Le jeudi soir et les soirs de Ramadan, on peut y entendre des conteurs populaires.

Revenez au **souk des Orfèvres** ; l'or laisse bientôt place aux épices et aux parfums ; au bout de la rue, vous tournerez à g. À 100 m ouvre le palais Azem.

## Le palais Azem***

➤ B3 Visite t.l.j. sf mar. de 9h à 16h ; entrée payante.

Le palais Azem est, sans aucun doute, la plus belle de ces demeures damascènes (il en existait plus de 150) qui font l'une des richesses de la ville. Celui-ci fut construit au milieu du XVIIIe s. pour le compte de

Assad Pacha al-Azem, gouverneur de la ville. Il appartenait à une famille de hobereaux originaire de la région d'Alep, qui réussit entre 1725 et 1783 à monopoliser la fonction de gouverneur de Damas au service de la Porte. C'est là une performance si l'on songe que la charge était renouvelable tous les ans au bon vouloir du sultan. Redécoré au XIXe s., le palais servit de résidence aux autorités françaises durant le Mandat (1920-1946) et fut gravement endommagé par un incendie lors des troubles de 1925. Racheté par l'État syrien en 1951, il abrite depuis 1952 un **musée des Arts et traditions populaires**. Les collections disposées dans les pièces qui bordent les deux cours du palais, le haramlik (quartier des femmes) et le sélamlik (quartier des hommes), présentent des objets usuels du siècle dernier, une collection de costumes de différentes provinces du pays et plusieurs reconstitutions, à l'aide de mannequins de cire, de scènes de la vie publique ou privée : théâtre de marionnettes, salon d'un gouverneur, préparation des atours d'une mariée, des scènes de la vie quotidienne chez les Druzes et les Bédouins, des bains… Le véritable intérêt réside dans la découverte de cette merveille d'architecture et de décoration que constitue le palais : marqueterie de marbres polychromes, superbes plafonds de bois peint, fontaines rafraîchissantes, cours plantées d'essences rares, d'orangers et de cédrats. La visite se fait en suivant l'itinéraire fléché qui vous conduit du haramlik au sélamlik en passant par les bains.

On pénètre tout d'abord dans la partie privée, le haramlik, protégé des regards de l'extérieur par une entrée en chicane. Au N de la cour (à g. en entrant) court un portique sous lequel ouvre une succession de pièces. C'est là que la famille s'installait en hiver pour profiter de la chaleur du soleil. L'été, on se réfugiait dans l'iwan (porche monumental) du côté S, c'est-à-dire orienté au N et donc protégé de l'ardeur du soleil. Devant murmurait l'eau d'une fontaine. Le sélamlik où le maître de maison recevait ses invités a beaucoup souffert des destructions de 1925 (c'est ce qui explique la présence des constructions peu gracieuses qui le bordent en partie).

En sortant du palais, continuez tout droit, puis tournez dans la première rue à g., le **souk Al-Bzouriyé** B3. Occupé en grande partie par des marchands d'épices et de fruits secs, il conduit à la Rue Droite après env. 200 m.

À 100 m à g., vous pourrez jeter un coup d'œil au **hammam Nour ed-Din** (il est annoncé aujourd'hui par un grand panonceau en anglais). Fondé au XIIe s. par Nour ed-Din, c'est le plus ancien bain public toujours en activité. Pour les amateurs (les hommes uniquement), on peut y prendre un bain, s'y faire masser et frictionner, le tout pour 250 livres. *Ouv. de 8h à minuit.*

Immédiatement après, toujours à dr., s'ouvre le **khan Assad Pacha**, qui porte le nom de son constructeur, celui-là même qui fit édifier le palais Azem. Construit au XVIIIe s., c'est le plus vaste de Damas et l'un des premiers exemples de khan doté d'une cour centrale entièrement couverte d'une coupole. Il est depuis de nombreuses années en réfection, et l'on ne désespère toujours pas de le voir un jour ouvert à la visite.

Encore 100 m et vous atteignez la Via Recta (la Rue Droite), le décumanus romain qui traversait et traverse toujours la ville d'ouest en est. Si vous êtes fatigué, vous pourrez vous arrêter là et remettre au lendemain la suite de la visite de la vieille ville. Si vous souhaitez continuer, sachez qu'il vous reste encore 3 bonnes heures de promenade, qui vous conduiront à l'autre extrémité de la ville, dans les quartiers chrétiens de Bab Sharki et Bab Touma.

## La Rue Droite, ou Via Recta

➤ Venant du souk Al-Bzouriyé, tournez d'abord à dr. pour voir le très beau **khan de Soleiman Pacha** B3, construit au XVIIIe s. par un gouverneur du clan Azem. Il comportait à l'origine un double dôme qui couvrait la cour centrale. Continuez vers l'O ; la 2e petite allée à g. conduit au palais Horaniyé B3. Cette magnifique demeure du XVIIIe s. a été partagée en plusieurs habitations. On peut encore voir un superbe iwan (porche monumental) au beau plafond ouvragé et quelques éléments de décoration.

Revenez sur la Rue Droite à la hauteur du souk Al-Bzouriyé : prenez à dr. la rue Al-Kharrat B3. Le premier coin de rue à g. est occupé par l'un des plus beaux palais de Damas, le **palais Sibai** B3. Aujourd'hui restauré, il abrite la résidence de l'ambassadeur d'Allemagne *(en principe on ne visite pas)*. Un bel exemple de rénovation.

Tournez à g. pour longer le palais et continuez tout droit jusqu'à la rue Nassif Pacha B3-4. En tournant à dr., vous trouverez, à une centaine de mètres à g., l'entrée d'une autre somptueuse demeure, la ♥ **maison Nizam**\*\* B3-4. Elle date du XVIIIe s. et servit au siècle dernier de résidence au consul britannique. Elle aussi a été remarquablement restaurée et devrait, dans un avenir proche, abriter un nouveau musée ou servir de pavillon touristique. On peut, en attendant, admirer ses cours et la décoration de ses pièces.

Revenez sur vos pas pour rejoindre la Rue Droite. Peu avant de l'atteindre, vous laisserez à droite la rue Tal al-Najjarin BC3 ; dans l'arrondi qu'elle dessine et dans la déclivité, certains archéologues ont voulu reconnaître l'emplacement du théâtre romain. Tournez à dr. dans la Via Recta. À 150 m environ, la **rue Maktab al-Anbar** (à g.) conduit au **palais**\* du même nom (à dr. de la rue) : après avoir long-temps servi d'école, il a été remarquablement restauré et abrite aujourd'hui une partie de l'administration du gouvernorat de Damas. On peut y entrer.

Revenez sur la Rue Droite et continuez votre chemin pendant environ 200 m jusqu'à découvrir les vestiges d'un arc antique : il marquait l'intersection du décumanus et du cardo maximus de la ville romaine. C'est aujourd'hui le quartier des ébénistes.

Prenez à dr. la rue Al-Madar C4 qui s'ouvre devant l'arc romain ; elle conduit au ♥ **palais Dahdah**\*\*\* B4, une des plus belles demeures de la ville, toujours habitée. Après 150 m, tournez dans la ruelle à dr. (le palais est signalé par des panonceaux en anglais). Pour entrer, sonnez à la petite porte à g. de la rue ; M. Georges Dahdah vous fera l'honneur de sa maison et de sa collection d'antiquités (voir p. 96). Abstenez-vous néanmoins de le déranger pendant l'heure de la sieste *(de 12h à 16h)*.

Revenez sur la Rue Droite et tournez à droite. Immédiatement à g. se trouvent l'**église de Marie** et le Patriarcat grec orthodoxe. À l'époque byzantine, s'élevait au même endroit la cathédrale Sainte-Marie. Gravement endommagée à plusieurs reprises, notamment par les troupes de Tamerlan au début du XVe s., elle fut reconstruite au XVIIIe s. et démolie à nouveau lors des émeutes antichrétiennes de 1860. L'état actuel date de la seconde moitié du XIXe s. avec d'importants travaux d'embellissement en 1953. À l'intérieur de l'église, belle iconostase de marbre.

Au-delà de l'arc romain commence le quartier chrétien de la ville. À dr. de la Via Recta se trouvait également l'ancien quartier juif, avec ses écoles et sa synagogue. La plupart des maisons sont aujourd'hui abandonnées.

Depuis le Patriarcat, 500 m environ vous séparent de Bab Sharki, la porte orientale de la ville. Avant de l'atteindre, vous laisserez, à g., la rue Bab Touma CD4 qui conduit à la porte du même nom (voir p. 86). Puis, à dr., l'impasse az-Zeituné CD4, sur laquelle donnent le Patriarcat grec catholique, un monastère syriaque orthodoxe et d'autres édifices religieux. La petite place est particulièrement animée le dimanche matin lorsque les fidèles de toutes confessions s'y croisent en sortant de l'office. On y trouve également un remarquable restaurant, la Guitare (voir p. 94).

## Bab Sharki

➤ D5 La Rue Droite se termine à **Bab Sharki** ; cette porte à triple passage est la seule des portes romaines à être parvenue jusqu'à nous dans son état originel. L'ouverture centrale servait aux chars et aux cavaliers tandis que les piétons utilisaient les passages latéraux. Vous remarquerez le début de la colonnade du décumanus qui courait jadis à travers toute la ville. C'est par là, dit-on, que Khaled ibn al-Walid, le général musulman, entra triomphalement à Damas en 636. Le minaret fut construit sous le règne de Nour ed-Din (XIIe s.). À dr. de la porte, se trouvent les patriarcats arménien orthodoxe et grec catholique.

## La chapelle Saint-Paul*

➤ Avant d'en terminer avec la visite de la vieille ville, vous pourrez vous rendre à la chapelle Saint-Paul, puisque tout le quartier est lié au souvenir de l'apôtre (voir p. 86). Pour cela, franchissez la porte de la ville et longez le mur par la droite. À cet endroit, le mur d'enceinte conserve à sa base des pierres de gros appareil de l'époque romaine. La partie haute est un ajout postérieur. Après 400 m environ, le mur est interrompu par une porte monumentale. C'est par là, dit la légende, que Paul réussit à quitter la ville dans un panier. La chapelle moderne à l'intérieur du mur (accès par la g.) est desservie par la communauté grecque catholique. À l'intérieur, on peut voir les vestiges de la porte mamelouke du XIVe s.

Revenez à Bab Sharki, franchissez la porte et tournez à dr. dans la rue St-Ananie D4-5, bordée de boutiques de souvenirs. Elle conduit à la chapelle du même nom, à dr., à env. 100 m de la Via Recta.

**La chapelle Saint-Ananie**\*\*. *Ouv. t.l.j. sf dim. et fêtes religieuses de 9h à 13h et de 15h à 18h. L'entrée est gratuite mais une offrande sera*

## Paul à Damas

Après sa conversion sur le chemin de Damas, Paul, aveuglé, fut conduit en ville où il demeura trois jours sans manger ni boire.

« Il y avait à Damas un disciple nommé Ananie. Le Seigneur l'appela dans une vision [...] : «tu vas te rendre dans la rue appelée Droite et demander, dans la maison de Judas, un nommé Saul de Tarse ; il est là en prière et vient de voir en vision un homme nommé Ananie entrer et lui imposer les mains pour lui rendre la vue. [...]» Ananie partit, entra dans la maison, lui imposa les mains et dit : « Saul, mon frère, c'est le Seigneur qui m'envoie afin que tu retrouves la vue et que tu sois rempli d'Esprit Saint. » Des sortes de membranes lui tombèrent aussitôt des yeux et il retrouva la vue. Il reçut alors le baptême, et quand il se fut alimenté, il reprit des forces [...].

Il passa quelques jours avec les disciples de Damas et sans attendre il proclamait dans les synagogues que Jésus est le fils de Dieu. [...] Un temps assez long s'était écoulé quand [ses ennemis] se concertèrent pour le faire périr. [...] Ils allaient jusqu'à garder les portes de la ville, jour et nuit, pour pouvoir le tuer. Mais une nuit, les disciples le prirent et le descendirent le long de la muraille dans une corbeille. »

Actes 9, 10-25

appréciée. D'après la tradition, une église aurait été construite vers le Ve s. à l'emplacement de la maison d'Ananie, où Paul avait trouvé refuge. Cette église, dont l'existence est attestée par des récits de voyageurs musulmans aux premiers temps de l'islam, fut détruite sans doute vers le XIIIe s. Le souvenir du lieu se perpétua pourtant, si bien que des fouilles entreprises dans les années 1920 mirent au jour les vestiges d'un édifice byzantin et, par-dessous, ceux d'une habitation que les archéologues datèrent du Ier siècle de notre ère. Pour accéder à la **chapelle**, on descend quelques marches pour aboutir à ce qui apparaît de nos jours comme une crypte. À dr., une petite pièce, où sont exposés des chromos illustrant la vie de saint Paul, passe pour être une partie de la maison d'Ananie.

Pour terminer votre visite de la vieille ville, tournez à dr. en sortant de la chapelle St-Ananie et continuez tout droit dans la rue Al-Azarié : elle se termine après 200 m dans la **rue Bab Touma**. À g., celle-ci ramène à la Rue Droite, en passant devant le monastère des frères lazaristes puis devant l'église syriaque orthodoxe dédiée à saint Georges. En tournant à dr., vous arriverez après 250 m à la **porte de Thomas** (Bab Touma D3), en traversant l'un des quartiers commerçants les plus animés du secteur chrétien. Beaucoup de boutiques appartiennent ici à des membres de la communauté arménienne. À mi-chemin environ, vous laisserez à dr. le couvent des frères Franciscains *(ouv. de 9h à 12h et de 16h30 à 18h30)*.

## Bab Touma**

➤ D3 Plantée au milieu d'une place, la porte de Thomas remonte dans sa physionomie actuelle à l'époque ayyoubide (XIIIe s.). Elle fut construite à l'emplacement de la porte de Vénus de la cité romaine.

# LA VILLE MODERNE

La ville moderne gravite autour de deux places particulièrement animées, la place Merjé I-B3 et la place Youssef al-Azmé I-B2. La **place Merjé** se trouve au cœur d'un quartier populaire de petits commerces et d'hôtels bon marché. Cette place est également appelée **place des Martyrs**, en mémoire des victimes des bombardements français de 1945. Au centre, une colonne de bronze commémore l'ouverture, à l'époque ottomane, d'une ligne télégraphique entre Damas et la Mecque.

La belle avenue An-Naser I-B3, qui part du souk Hamidiyé, conduit à la gare du Hedjaz. Ce fut la grande artère officielle du XIXe s. ottoman tandis que les fonctionnaires turcs créaient le quartier de Kanawat au S de l'avenue. Le Sérail (à g.) servit de siège à l'administration ottomane puis à celle du Mandat français, avant d'abriter le palais de Justice depuis l'indépendance de 1946.

La **gare du Hedjaz** I-B3 fut construite par les Ottomans pour l'ouverture en 1908 de la ligne de chemin de fer entre Damas et Médine (la célèbre ligne du Hedjaz que s'évertuèrent à faire sauter Lawrence d'Arabie et ses hommes durant la Première Guerre mondiale). La ligne a disparu mais la gare est restée, belle construction dans le style oriental du début du siècle (il y a même toujours un guichet qui délivre des billets pour les trains qui partent de la gare de Qadam, voir p. 67). Ne négligez pas d'aller y jeter un coup d'œil. Le plafond est superbe.

De la gare du Hedjaz, en remontant vers le N par les rues Jabri et Port Saïd I-B3, vous arriverez à la place Youssef al-Azmé I-B2 ; c'est l'autre centre animé de la ville moderne, au centre du quartier des grands hôtels et des agences de voyage.

## Le Musée national***

➤ *I-B2 Ouv. t.l.j. sf mar. de 9h à 16h. Le ven., f. de 11h30 à 13h. Entrée payante. Sacs et appareils photos ne sont pas autorisés à l'intérieur. Il faut donc les laisser au guichet où l'on délivre les billets. On peut, en revanche, les récupérer pour se promener dans les agréables jardins ou prendre en photo la belle façade du musée. Comptez un minimum de 2h de visite.*

Le Musée national abrite la plus riche **collection archéologique** de Syrie (avec le musée d'Alep) et constitue une remarquable introduction à un voyage à travers le pays. Il comprend trois sections principales : l'une consacrée à l'Antiquité classique, une autre à l'archéologie de l'Orient ancien, la troisième aux antiquités islamiques. Deux autres sections, préhistoire et art contemporain, sont d'un intérêt moindre pour le visiteur étranger.

Sur l'entrée du bâtiment est plaquée la **façade** reconstituée d'un palais omeyyade du désert de la Palmyrène, Qasr el-Kheir el-Gharbi (voir p. 197), construit au VIIIe s. Dans le hall d'entrée, maquette du palais.

Le couloir à g. conduit au département des antiquités classiques, celui de dr. aux sections consacrées à l'Orient ancien et aux antiquités islamiques.

## Le département des Antiquités classiques

À ne pas manquer : la salle et la synagogue de Doura Europos, ni les superbes casques en bronze de la salle du Hauran.

**Salles du Hauran 3 et du Djebel Druze** 2.** *Première salle à g. dans le couloir.* Deux salles exposent quelques-unes des innombrables pièces trouvées dans cette région du S de Damas. À l'époque romaine, ce grenier à blé de l'Empire, avec Bosra pour capitale, était couvert de petites localités opulentes et de riches villas (voir p. 99), ce qui explique l'importance des découvertes archéologiques. Les statues sont taillées dans un style assez rude, comme la pierre du pays, un basalte noir et rugueux. Voyez surtout un **Hercule** trouvé à Souweyda, deux **casques** et **masques*** romains en bronze, un sarcophage romain au fond de la salle ; dans la seconde salle parallèle à la première, une belle **tête radiée de Baal** et dans la vitrine à dr. un charmant **ex voto** représentant un bambin tendant le bras.

**Salle de Palmyre* 4.** *En face de la précédente, de l'autre côté du couloir.* Les plus belles collections de statues palmyréniennes se trouvent au musée de Palmyre. Bustes funéraires et jolie **mosaïque** représentant Cassiopée dévoilant sa nudité.

**Salle de Doura Europos*** 5.** *Dans le prolongement de la salle précédente, après un petit recoin où sont présentés des tessères de Palmyre (voir p. 192-193).* On peut y voir deux remarquables **fresques*** trouvées dans le temple des dieux palmyréniens à Doura Europos (pour l'histoire de Doura Europos, voir p. 205). La plus petite montre un prêtre versant des libations ; l'autre présente un groupe de personnages : deux prêtres avec leur bonnet conique qu'accompagne une noble famille palmyrénienne. Maquette du site et très beau caparaçon de cheval. Regagnez le couloir bordé de vitrines présentant statuettes et bijoux, jusqu'à un patio où sont exposées des mosaïques provenant de Shahba.

**La synagogue de Doura Europos*** 6.** *Accès par la porte vitrée donnant sur le patio.* Voici l'une des plus remarquables pièces du Musée national : le mur de la synagogue de Doura Europos qui, lors de la destruction de la ville, s'effondra face contre terre ce qui eut pour heureux effet d'en préserver les peintures. Et quelles peintures ! Elles illustrent un cycle de scènes tirées de l'Ancien Testament (le détail en est fourni sur place par des panneaux explicatifs), et elles ont conservé leur fraîcheur du temps où elles présidaient à la lecture de la Torah. Mais ce qui passionna le plus historiens et spécialistes, ce fut d'y découvrir des scènes où étaient représentés sous leur forme humaine Patriarches et Prophètes. C'est là un usage rigoureusement contraire à l'orthodoxie du judaïsme, mais qui n'était pas rare dans ces premiers siècles de notre ère, comme l'ont montré plusieurs mosaïques de cette période mises au jour en Palestine. Le judaïsme de l'époque restait profondément influencé par la culture hellénistique dominante.

**L'hypogée palmyrénien* 7.** *Revenez au patio des mosaïques et descendez l'escalier.* Dans le sous-sol du musée a été reconstituée une tombe souterraine de Palmyre, l'hypogée de Yarhai, datant du second siècle de notre ère. On y voit le tombeau monumental du chef de famille devant lequel s'alignent des bustes funéraires masquant autant de niches où étaient placés les défunts.

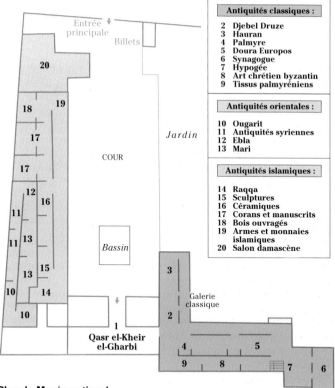

**Antiquités classiques :**

2  Djebel Druze
3  Hauran
4  Palmyre
5  Doura Europos
6  Synagogue
7  Hypogée
8  Art chrétien byzantin
9  Tissus palmyréniens

**Antiquités orientales :**

10  Ougarit
11  Antiquités syriennes
12  Ebla
13  Mari

**Antiquités islamiques :**

14  Raqqa
15  Sculptures
16  Céramiques
17  Corans et manuscrits
18  Bois ouvragés
19  Armes et monnaies
    islamiques
20  Salon damascène

**Plan du Musée national**

**Le christianisme primitif\* 8.** *En haut des marches qui ramènent de la salle précédente, engagez-vous dans la première salle à g.* Trois salles en enfilade sont consacrées au christianisme primitif. On peut voir, dans la première, des fresques du XIIe s. provenant de l'église de Qara (voir p. 109) ; dans la seconde, en fait un petit recoin, une collection de **bijoux** ; dans la troisième, quelques **manuscrits** chrétiens dont certains en syriaque, une table de libation, c'est-à-dire un autel des premiers temps du christianisme, comme celui, toujours utilisé, que l'on peut voir dans l'église Saint-Serge de Maaloula (voir p. 108).

**La salle des tissus palmyréniens\* 9.** *Dans le prolongement de la précédente.* Les tissus exposés ici et découverts dans les tombeaux de Palmyre témoignent du rôle de plaque tournante que joua la riche cité du désert : aux coton, lin et laine produits localement s'ajoute la soie de Chine. Quant aux couleurs, si le jaune était tiré d'un végétal local, le pourpre venait du murex de Phénicie, le rouge de la cochenille de Perse et le bleu de l'indigo de l'Inde. Quelques tissus coptes (chrétiens d'Égypte) sont également exposés.

Votre visite de la section classique s'achève là ; il vous faut maintenant traverser le hall d'entrée pour gagner les sections consacrées à l'Orient ancien et à l'art islamique. Passé le hall, vous gravirez quelques marches qui vous conduiront à un patio. Au mur, une carte signale les principaux sites archéologiques du pays. Sous le portique, s'ouvre la première salle consacrée à Ougarit.

## Le département des antiquités orientales

**Salle d'Ougarit (Ras ash-Shamra)\*\*\*** 10.
C'est là que l'on peut voir la pièce sans doute
la plus importante du musée et qui concerne
l'humanité tout entière : le premier exemple
d'un alphabet, gravé sur une minuscule
tablette. Il s'agit de signes cunéiformes
qui dessinent un alphabet de 30 lettres.
Il date du XIVe s. av. notre ère (voir
p. 149). À voir dans cette même salle : les
restes d'une table en ivoire, une **statuette de
Baal\*\*\*** en bronze et en or ainsi qu'une **tête
d'homme\*\*\*** en ivoire, pièces remarquables qui témoignent toutes de la richesse et du raffinement de la civilisation d'Ougarit. Dans la seconde salle consacrée à Ougarit,
on peut voir des poteries, des armes et des sceaux-cylindres.

**Salles des antiquités syriennes\*** 11. *Deux salles dans le prolongement
de la précédente.* On peut y voir quelques-unes des innombrables
trouvailles effectuées sur divers sites du pays. À voir notamment une
stèle araméenne du VIIIe s., une collection de sceaux-cylindres, et
une maquette du site de Ain Dara (voir p. 183).

**Salle d'Ebla** 12. *À dr. de la précédente.* Des dessins montrent des reconstitutions du site. Les pièces les plus importantes trouvées à Ebla
sont exposées aux musées d'Alep et d'Idlib (voir pp. 168 et 179).

**Salle de Mari\*\*\*** 13. *Dans le prolongement de la précédente.* À voir surtout de très belles **statues d'orants\*\*\*** provenant du temple de Nini
Zaza, un splendide **pectoral\*\*\*** en or et lapis-lazuli, sans oublier la cé-
lébrissime statue de **Our Nina\*\*\***, la Grande Chanteuse. Avec la salle
de Mari se termine la section consacrée aux antiquités orientales. Elle
débouche sur la salle de Raqqa, la première du département des antiquités islamiques.

## Les antiquités islamiques

À ne pas manquer : le cavalier de Raqqa, les cénotaphes mamelouks.

**Salle de Raqqa\*** 14. Consacrée à la grande cité portuaire des
Abbassides (voir p. 201), cette salle présente de belles maquettes de la
ville au temps de sa splendeur. Le magnifique **cavalier\*\*\*** de porcelaine provenant de Chine date du IXe s. Avant de venir s'échouer au
bord de l'Euphrate, il dut suivre la longue route de la Soie, qui partait
de X'ian, la capitale chinoise de l'époque, et aboutissait aux côtes de
la Méditerranée, en suivant un temps le cours de l'Euphrate. Les antiquités islamiques sont ensuite présentées en deux galeries parallèles :
dans les deux premières salles sont exposées des objets en verre et des
faïences ; viennent ensuite les manuscrits parmi lesquels on peut admirer de beaux Corans enluminés d'origine persane ; les salles suivantes exposent de remarquables ouvrages en bois sculpté,
notamment des cénotaphes d'époque mamelouke (XIIIe s.). Le long
de la galerie de dr., qui court sur toute la longueur de cette section,
sont exposées des monnaies des grandes dynasties musulmanes ainsi
qu'armes et armures. Enfin, ce département se termine par un superbe salon de réception, magnifiquement décoré par des artisans
contemporains à la manière des palais damascènes.

## La Tekkiyé Suleimaniyé✱✱

➤ *I-B2-3 Rue du Barada, immédiatement à l'E du Musée national. Ouv. t.l.j. sf ven. de 9h à 19h.*

C'est l'un des plus gracieux édifices qu'ait laissé à Damas l'époque ottomane. Il fut érigé au XVIe s. en l'honneur de Soliman le Magnifique (1520-1566) sur des plans dessinés par le grand architecte Sinan (1489-1588) à qui l'on doit, entre autres merveilles, la mosquée Suleimaniyé qui domine le paysage d'Istanbul. Il s'agit d'un vaste complexe regroupant une mosquée, une médressa (ajoutée ultérieurement) et un khan, un des lieux de regroupement des pèlerins en partance pour la Mecque. Rappelons que l'organisation annuelle du pèlerinage à la Mecque était l'une des charges essentielles des gouverneurs de Damas (voir pp. 72-73).

Le khan a retrouvé aujourd'hui sa vocation commerciale puisqu'il abrite une vingtaine de boutiques où l'on peut se familiariser avec la richesse de l'artisanat syrien. Il n'est, bien entendu, pas interdit d'acheter : la majorité des commerçants acceptent les cartes de crédit internationales, ce qui facilite bien les choses.

Le jardin à côté du khan abrite un **musée** consacré à l'armée.

# À VOIR ENCORE À DAMAS

S'il vous reste encore du temps, vous pouvez compléter votre découverte de Damas par deux visites : celle d'un quartier populaire, accroché au flanc du Qassioun, et celle d'un musée consacré à l'histoire de la ville.

### ♥ Le quartier Salihiyé✱✱

➤ *I-C1Pour atteindre le quartier, le meilleur moyen de ne pas vous perdre est de vous faire conduire en taxi jusqu'à la mosquée Cheikh Mohi ed-Din, qui se trouve à peu près au centre du quartier.*

Depuis le début de l'époque ottomane, les contreforts du Qassioun furent occupés par les mystiques et les sages désireux de s'abstraire de la cohue de la ville, par de riches notables à la recherche de l'air pur, ou, bien plus tard, par les communautés de nouveaux immigrants qui ne trouvaient pas à s'installer en ville. Les noms de certains quartiers conservent la mémoire de ces arrivées successives : Charkasiyé, où s'installèrent les Caucasiens, Al-Akrad, quartier des Kurdes, tandis que les Crétois musulmans contraints de quitter leur belle île à la fin du XIXe s. s'installèrent dans le quartier de Al-Muhajirin. Aujourd'hui et toujours plus haut, ce sont les habitations « en contravention » (voir p. 75) qui grimpent à l'assaut du Qassioun.

Au centre de ces faubourgs, se trouve celui de Salihiyé, également appelé cheikh Mohi ed-Din. C'est un très pittoresque quartier populaire, serré autour de son marché installé tout au long de la rue principale du quartier, la rue Madares hors plan par C1, qui devient vers le N-E la rue Al-Baraa ibn Malek.

De part et d'autre de cette rue, s'élèvent quelque 70 mosquées et écoles construites entre les XIe et XVe s. Beaucoup sont aujourd'hui abandonnées, et seules quelques-unes sont ouvertes en dehors des heures de prière. Parmi elles, la plus intéressante est la **mosquée Cheikh Mohi ed-Din** qui, dans son état actuel, date du XVIe s. Elle abrite, dans une crypte à g. de l'entrée de la salle de prières, le tombeau du grand maître soufi andalou, Ibn Arabi (1165-1240). Autour du tombeau règne un fascinant recueillement, entretenu par les mystiques en prière. C'est près de la tombe de son maître que l'émir algérien Abd el-Kader, lui-même un grand soufi, voulut être enterré. Son corps fut cependant rapatrié en Algérie en 1965, suivant le désir du jeune gouvernement algérien.

## Le Musée historique de la ville de Damas*

➤ *I-C3 Rue At-Thawra ; ouv. t.l.j. sf mar. de 8h30 à 15h ; entrée payante.*

Aménagé dans un ancien palais damascène, le musée présente une intéressante collection de photographies du vieux Damas, quelques beaux exemples d'ameublement et de décoration traditionnels ainsi qu'une remarquable **salle des maquettes**\*\*: l'une de la vieille ville, l'autre du quartier Salihiyé.

# LES BONNES ADRESSES

## Hôtels

▲▲▲▲ **Cham Palace**, rue Maysaloun I-B2, P.O. box 7570 ☎ (011) 223.23.00, fax 224.57.62. *400 ch.* VISA, AE, DC, MC. Le vaisseau amiral de la compagnie Cham (voir p. 97). Situé en plein cœur du centre-ville, ce magnifique établissement propose tous les services d'un hôtel de grand luxe, augmentés de la traditionnelle hospitalité levantine (bien agréable, le garçon qui offre le café arabe dans le lobby). Superbe architecture intérieure inspirée de celle des palais damascènes. À ne pas manquer, même si vous n'y logez pas : le restaurant tournant du 15e étage, l'Étoile d'Or (voir p. 94), où l'on dîne de spécialités locales, la ville illuminée à ses pieds.

▲▲▲▲ **Le Méridien**, av. Choukry al-Kouwatli I-A2, P.O. box 5531 ☎ (011) 371.87.30, fax 371.86.61. *372 ch.* VISA, AE, DC, MC. Une des institutions hôtelières de Damas. L'usage du français y est largement répandu, ce qui en fait un des repaires de la communauté francophone. La table – orientale et française – y est remarquable, et la rénovation complète de la totalité des chambres a été achevée en 1995. Très bonne librairie où l'on trouve quantité d'ouvrages en français sur la Syrie ainsi que journaux et magazines français.

▲▲▲▲ **Sémiramis**, pont Victoria I-B3, P.O. box 30301 ☎ (011) 212.02.25, fax 221.67.97. *120 ch.* VISA, AE, DC, MC. Grand luxe au cœur de la ville. Même si l'hôtel est planté au bord d'un carrefour, on n'est pas incommodé par le bruit grâce au double vitrage dont les chambres sont équipées. Un des lieux de prédilection des hommes d'affaires arabes.

▲▲▲ **Fardoss Tower**, rue Fardoss I-B2, P.O. box 30996 ☎ (011) 223.21.00, fax 223.56.02. *100 ch.* VISA, AE, DC, MC. Excellent établissement moderne au centre-ville. Jolies parties communes et ch. d'un grand confort. Un bon point pour le restaurant du 1er étage. Le pub de l'hôtel *(ouv. jusqu'à une heure avancée de la nuit)* est un des hauts lieux de la vie nocturne damascène et un rendez-vous de la jet set locale : viennent s'y produire de célèbres chanteurs libanais et européens. La directrice des ventes (son bureau se trouve immédiatement à g. de l'entrée) s'est engagée à consentir une réduction aux lecteurs de cet ouvrage : affaire à suivre…

▲▲▲ **Omeyyad,** rue Brazil I-B2, P.O. box 7811 ☎ (011) 221.77.00. *80 ch.* VISA, AE. Très bon confort. La décoration a conservé l'empreinte des années 50, ce qui confère un charme indéniable aux parties communes (le bar notamment). Un bon choix dans le centre-ville.

▲▲▲ **Plaza,** quartier piétonnier de la rue Port Saïd I-B3, P.O. box 2447 ☎ (011) 221.92.26, fax 223.19.77. *110 ch.* VISA, AE. Bon confort moderne sans grande originalité. Bon restaurant oriental au 10e étage, avec vue sur la ville.

▲▲ **Alaa Tower,** Bahsa I-B3, ☎ (011) 222.32.51, fax 224.68.65. *34 ch.* Bon petit hôtel moderne et confortable ; ch. plutôt petites mais propres. Joli restaurant au 1er étage (on n'y sert pas d'alcool).

▲▲ **Al-Bustan,** rue Barada I-B3 ☎ (011) 222.47.92. *90 ch.* Un petit peu défraîchi ; à côté du Sémiramis. Les ch., assez grandes, restent néanmoins très correctes. On parle un peu français à la réception.

▲▲ **Al-Kairawan,** Bahsa I-B3 ☎ (011) 224.32.30. *56 ch.* Lugubre mais assez propre, pas trop cher et en plein centre-ville.

▲▲ **Al-Majed,** rue Muhammad Sayed al-Absi (derrière le cinéma les Ambassadeurs I-C2) ☎ (011) 441.38.74. *40 ch.* Excellent petit hôtel, assez bien tenu avec un accueil très sympathique. Fréquenté de temps à autre par les – riches – Iraniens en pèlerinage, ce qui explique qu'une grande partie des ch. soient en réalité des suites destinées aux familles. Idéal pour 4 personnes, d'autant que les prix sont très doux. Au pied de l'hôtel, un des restaurants les plus rigolos de la ville : le Club des travailleurs (voir plus bas).

▲▲ **Damascus International,** rue Bahsa I-B3 ☎ (011) 221.34.00. *135 ch.* Assez propre et sans grand intérêt. Passable.

▲▲ **Omar Khayyam,** place Merjé I-B3 ☎ (011) 222.03.25. *60 ch.* Le « meilleur » hôtel du quartier de la place Merjé. Par un de ces mystères qui font le charme de l'Orient, l'hôtel est officiellement classé 4 étoiles. Or, les parties communes (qui durent être assez belles) sont pratiquement laissées à l'abandon, les ch. tout juste propres, quant à l'ascenseur, ses nombreuses facéties, incitent à emprunter l'escalier… À part ça, le personnel est plutôt sympathique. Folklorique.

▲▲ **Orient Palace,** place Hidjaz I-B3 ☎ (011) 221.15.10. *80 ch.* Un grand établissement de l'époque du Mandat français : il en reste de belles parties communes et des ch. spacieuses. Un petit dépoussiérage pourrait en faire un hôtel de charme.

▲ **Afamia,** rue Omar bin Abi Rabia I-B3 ☎ (011) 222.91.52. *42 ch.* Modeste établissement assez bien tenu. Jolie réception et personnel sympathique. Certaines ch. sont pourvues de petits balcons (pas d'air cond.). Un bon choix dans cette catégorie.

▲ **Hamra,** rue Furat I-B3 ☎ (011) 221.07.17. *26 ch.* Petit hôtel tout simple et relativement bien tenu. Toutes petites ch. avec sanitaire minimal. On ne parle guère que l'arabe à la réception. Peut-être faudrait-il songer à changer l'ascenseur, seul moyen d'atteindre les chambres (avec l'escalier de secours).

▲ **Noura,** rue Muhammad Sayed Al-Absi, (derrière le cinéma les Ambassadeurs I-C2) ☎ (011) 442.72.69. *11 ch.* Simplissime : pour tout petit budget.

## Restaurants

◆◆◆ **Club d'Orient,** rue Ahmad Mreiwed I-B2 ☎ (011) 221.30.04. Une institution pour les élites politiques et économiques du pays. Le décor est étonnant : du rococo oriental avec moult dorures et fauteuils Louis XV. La table est remarquable et le service parfait : menu à midi et carte le soir. Il est prudent de réserver. À découvrir lors d'un séjour à Damas.

♦♦♦ **La Chaumière,** place Ibn Rashid, Abou Romané I-B1 ☎ (011) 333.88.83. Petit restaurant de spécialités françaises et orientales : chic et cher, pour un dîner en amoureux.

♦♦♦ **Le Chevalier,** place Ibn Rashid, Abou Romané, I-B1 ☎ 333.35.74. Même catégorie que La Chaumière, dont il est voisin et concurrent direct.

♦♦♦ **L'Étoile d'Or** ♥, hôtel Cham Palace, rue Maysaloun I-B2 ☎ (011) 223.23.00 poste 99.53. Le restaurant tournant de l'hôtel Cham offre la plus belle vue sur Damas illuminée. Excellente cuisine orientale. Dîner seulement à partir de 20h. Une étape quasi obligée lors d'un séjour à Damas ; ne vous laissez pas impressionner par le cadre luxueux : l'addition ne sera pas trop salée.

♦♦ **Abou Kamal,** place Youssef al-Azmé I-B2 ☎ (011) 222.42.65. Joli restaurant situé au 1er étage. Clientèle très familiale ; pas d'alcool.

♦♦ **Green Valley** ♥ **(Al-Wadi al-Akhdar),** Raboa, vieille route de Beyrouth hors plan par I-A1 ☎ (011) 221.15.80. En bordure de l'ancienne route de Beyrouth, juste à la sortie de la ville, une agréable guinguette au bord de l'eau (du Barada) ; une salle couverte pour l'hiver et de magnifiques jardins où l'on mange en été. Très fréquenté semble-t-il par le demi-monde damascène : on y vient déjeuner à peine sorti du lit (vers 15h) et y préparer la soirée à grandes lampées d'arak. Très animé les nuits d'été. Excellente cuisine.

♦♦ **Kamal,** rue 29-Ayar I-C2 ☎ (011) 222.14.94. Restaurant-pâtisserie très « bon chic bon genre » tout à côté de l'Office du tourisme. On ne sert pas d'alcool.

♦♦ **La Guitare,** Haret al-Zeitoun, Bab Sharki E2/IIC5 ☎ (011) 541.98.23. Charmant restaurant dans le quartier chrétien de la vieille ville : joli cadre à l'européenne (petites tables, nappes et décoration soignée) pour une carte de spécialités orientales pour les entrées et plutôt françaises pour les plats principaux. À découvrir.

♦♦ **Le Piano** ♥, rue St-Ananie, Bab Sharki II-D4 ☎ (011) 543.03.75. C'est le bar-restaurant branché de Damas ; il est très fréquenté par les résidents étrangers. On y vient surtout le soir pour prendre un verre entre amis dans une ambiance très joyeuse. Petite carte offrant principalement des salades composées. On peut y déjeuner dans le petit jardin.

♦♦ **Umayyad Palace,** rue Al-Khadraa II-C3 ☎ (011) 222.08.26. Restaurant « typique » à l'orientale aménagé dans une ancienne demeure. Une excellente initiative puisqu'elle a permis de réhabiliter une bâtisse qui sans cela tomberait en ruine. Le résultat ? Une ambiance un peu « touristique » (bien que l'on y trouve également de nombreux Syriens) où l'on mange sur des tables basses les mets proposés au buffet (pas de carte). Les sam., mer. et jeu., spectacle de derviches à 21h. Le prix du buffet est alors doublé. Pas d'alcool.

♦ **Al-Farunj,** rue Port Saïd I-B3 ☎ (011) 221.35.94. *F. le ven.* Restaurant populaire au 1er étage ; on y mange plutôt bien pour pas cher. Le garçon aura grand plaisir à s'adresser à vous en français.

♦ **Old Damascus,** rue Al-Kallasé II-B2 ☎ (011) 221.88.10. Un des restaurants « typiques » de la vieille ville. Joli cadre pour une cuisine de qualité. Le soir, des musiciens viennent agrémenter le dîner. Pas d'alcool.

♦ **Al-Ez,** rue Bab el-Barid II-B2 ☎ (011) 221.81.74. Un authentique restaurant populaire dans le souk Hamidiyé. Avant d'accéder au 1er étage (attention à la tête dans l'escalier), on passe devant le four d'où sortent des pains et des « pizzas » à la syrienne, que l'on peut également déguster sur le pouce au comptoir. Plusieurs salles à l'étage pour une excellente cuisine locale. Très fréquenté par les marchands du bazar et, de plus en plus, par les touristes avisés. Tous les soirs, on peut y assister à un spectacle : les lun. et jeu. viennent se produire des chanteurs populaires, les autres jours, des derviches. Enfin, les ven. après-midi on peut y déjeuner de 14h à 17h en compagnie de musiciens. Pas d'alcool.

♦ **Nadi al-Umal** ♥, rue Muhammad Sayed al-Absi (derrière le cinéma les Ambassadeurs, au pied de l'hôtel Majed I-C2). Il s'agit d'un club pour les travailleurs (c'est ce que le nom signifie en arabe) géré par le syndicat et installé dans un ancien palais damascène. On y trouve, entre autres activités, une salle de culturisme, une autre de karaté ainsi qu'un restaurant. L'hiver, les tables sont installées dans une petite salle, l'été dans la cour tout autour d'une jolie fontaine. La clientèle est surtout composée de jeunes (et moins jeunes) intellectuels et artistes, ainsi que de résidents étrangers travaillant principalement dans le secteur culturel. L'endroit idéal donc pour faire de passionnantes rencontres. On y mange fort convenablement à un prix très doux, à la portée de la bourse des travailleurs. Un des endroits les plus sympathiques de Damas, à ne pas manquer si l'on veut sortir des sentiers battus. De l'extérieur, rien n'indique l'établissement, sinon une porte ouverte dans un mur jaune au pied de l'hôtel Majed.

♦ **Club des Artistes**, allée At-Tantawi (derrière l'Ambassade de France I-B1). Un restaurant dans une salle couverte en hiver, et dans un jardin (moins joli que celui des Travailleurs) en été. Un bon endroit pour discuter le coup avec les artistes du cru. Une salle présente des expositions temporaires d'artistes contemporains.

## Achats

Depuis près de 15 siècles, la renommée commerciale et artisanale de Damas a parcouru l'Orient. Si les lames damasquinées que se disputaient les émirs de tout le monde musulman ont disparu des souks, restent les belles étoffes brodées, le travail du cuivre ou du verre soufflé, celui de la marqueterie (les magnifiques boîtes en bois incrusté), de l'orfèvrerie à quoi s'ajoute le commerce des tapis, des antiquités – des périodes suméfiennes aux souvenirs kitsch du début du siècle – des bijoux bédouins ou celui plus accessible des plaisirs de la bouche : pistaches et fruits secs (ah ! Les abricots secs de la Ghouta), épices, confiseries…

Un des grands plaisirs d'une promenade dans la vieille ville est d'en parcourir les souks (voir pp. 162-163), autant pour le plaisir de découvrir l'animation bruyante, les parfums entêtants, les beaux caravansérails du temps passé (il en existe près de 60, que l'on appelle ici des khans), que pour celui de s'abandonner à la tentation, d'un étal à l'autre. Comme dans toutes les villes arabes (et comme c'était le cas dans notre Moyen Âge), les boutiques sont regroupées par secteur d'activité. Rappelons que les souks sont fermés le vendredi, à l'exception des magasins du quartier chrétien de Bab Sharki pour qui le repos hebdomadaire reste le dimanche.

**Les souks.** Le souk Hamidiyé, le plus connu des touristes, est bordé pour l'essentiel de boutiques qui leur sont destinées : on y trouve le même bric-à-brac de nappes, cuivre, boîtes incrustées, verreries… Ce n'est pas toujours passionnant, à quelques exceptions près (voir p. 96).

Le souk des orfèvres se trouve immédiatement au S de la mosquée des Omeyyades : c'est la partie N du souk Assagha II-B3 où l'on trouve essentiellement des bijoux en or. De nombreuses échoppes acceptent les cartes de paiement internationales.

Plus bas, dans la même allée, commence le **souk des épices et des fruits secs**, qui se poursuit vers le S par la rue Al-Bzouriyé II-B3 jusqu'à la Via Recta.

Le **souk des tapis** se trouve au S du souk Hamidiyé, peu après l'entrée dans la vieille ville II-A2. On trouve là les petites boutiques des négociants et réparateurs qui conservent l'essentiel de leur collection dans leur boutique principale, dans un autre quartier de la ville. Une occasion de prendre un premier contact.

Près de l'Arc romain II-C4, le long de la Via Recta, s'alignent les boutiques des **ébénistes**. On y trouve de sublimes coffres anciens en bois (de noyer) incrusté de nacre. Bien sûr, ce n'est pas facile à ramener, encore que l'on puisse trouver de petites pièces et que les marchands s'engagent à vous expédier les plus grosses.

Quant au **cuivre**, on le trouve principalement dans les boutiques touristiques du souk Hamidiyé. Sachez pourtant que l'on peut les acheter aux artisans dans le quartier des dinandiers, au N de la rue Al-Malek Faiçal II-B1. On y fera d'intéressantes affaires pour peu que l'on parvienne à supporter le vacarme incessant du martèlement du métal.

**Les marchands.** En plus des souks, on pourra trouver à Damas quelques boutiques, établies de longue date et de solide réputation. C'est là que vous vous dirigerez de préférence pour des achats plus importants.

**Dabdoub,** devant l'entrée du palais Azem *(f. le sam.)* : merveilleux bric-à-brac où se côtoient de la brocante du siècle dernier, des ustensiles et bijoux bédouins, de beaux tissus, une petite collection de tapis de prix, quelques icônes du siècle dernier ou de menus objets antiques : sceaux-cylindres, verres et monnaies des époques romaine et byzantine.

**Stefan,** souk Hamidiyé. Un autre bric-à-brac de qualité, dans le souk Hamidiyé *(f. le dim.).*

**Shallati & Zaiem,** souk Hamidiyé. De jolies nappes à un prix intéressant.

**Bazar Nazir,** rue Taleh el-Fidah II-C4. Une étape pour les amoureux des tapis ; ils en trouveront plusieurs centaines empilées le long des murs de l'arrière boutique. On peut y dénicher de ravissants petits kilims pas chers du tout.

**Palais Dahdah** II-B4. À visiter impérativement ne serait-ce que pour découvrir un palais damascène toujours habité et pour entendre M. Georges Dahdah, le maître des lieux, raconter pour la millième fois la somptueuse réception qu'il avait organisée pour quelque 400 officiers français en 1946. Abstenez-vous simplement de toucher les cédrats qui poussent dans la cour et auxquels M. Dahdah tient comme à la prunelle de ses yeux. En plus de ses qualités d'homme du monde, M. Dahdah fut dans sa jeunesse un éminent archéologue qui exhuma des trésors de la terre de Syrie. L'essentiel de ses trouvailles se trouve aujourd'hui au Musée national. Il conserve néanmoins de superbes pièces qu'il consent à vendre aux amateurs : monnaies, lampes ou verres romains, petite statuaire… Et aussi de superbes carreaux de faïence, une de ses passions : faïence de Damas, bien sûr, mais aussi de sublimes Iznik. Pour amateur éclairé.

Mentionnons enfin la **Tekkiyé Suleimaniyé** I-B2-3 qui abrite une vingtaine de boutiques dont l'ensemble présente un panorama complet de l'artisanat et du commerce syriens : tissus, verres soufflés, cuivre, bois, tapis ; boîtes incrustées de nacre… Une excellente entrée en matière.

## Adresses utiles

**Agences de voyage.** Ain Dara, Tour de Damas I-B3, 12e étage ☎ (011) 222.40.16, fax 221.16.13. Une petite agence qui ne demande qu'à grandir et que dirige de main de maître M. Mamoun Al-Halabi, francophone distingué (après de longues études universitaires à Montpellier) et passionnément épris de l'histoire et de la culture de son pays. Donnez-lui 2 jours et il saura vous organiser un périple parfait à travers le pays, selon vos intérêts et votre budget. Possibilité d'excursions au Liban : M. Al-Halabi entretient des correspondants à Beyrouth qui pourront, en deux jours, vous obtenir le visa libanais si vous n'avez pas pris la précaution de le faire avant votre départ. **Sahara Travels,** rue Maysaloun, P.O. box 10.818 ☎ (011) 222.62.21, fax 224.78.16. Une agence de très solide réputation. On pourra vous organiser très rapidement excursions ou circuits complets dans le pays. Demandez M. Issam Halabi. **Cham Tours.** Hôtel Cham Palace. Le *nec plus ultra* en matière d'organisation de voyage en Syrie, catégorie luxe. On vous organise un voyage à la carte, avec nuits dans les hôtels de la chaîne Cham, ce que l'on fait de mieux en matière d'hôtellerie dans le pays, avec voiture et chauffeur. Demandez Mme Rawa Batbouta à la réception de l'hôtel.

**Ambassades et consulats. Belgique,** rue Ata al-Ayyoubi ☎ (011) 333.28.21. **Canada,** rue Fayez Mansour ☎ (011) 223.68.92. **France,** rue Ata al-Ayyoubi I-B1 ☎ (011) 332.79.92. **Suisse,** rue Omar bin Abdoul Aziz ☎ (011) 332.11.37.

**Banques.** Change : Commercial Bank of Syria, place Youssef al-Azmé I-B2 : espèces au rez-de-chaussée, chèques de voyage au 1er étage.

**Compagnies aériennes. Air France** I-B3 : Sadallah el-Jabri ☎ (011) 21.85.80. *Ouv. t.l.j. de 8h30 à 13h30 et de 16h30 à 19h30 ; le dim. de 8h30 à 13h30.* **Syrian Airlines :** agence centrale, place Hidjaz I-B3 ☎ (011) 222.90.01. Pour acheter un billet sur les lignes intérieures, adressez-vous à l'agence située rue Bagdad I-C2 ; réservations, confirmation ou modification de date (lorsque cela est possible) se font uniquement (même pour les vols intérieurs) à l'agence centrale à l'adresse et au n° de téléphone indiqués ci-dessus.

**Informations touristiques.** Office du tourisme : rue 29-Ayar I-B2 ☎ (011) 222.23.88. *Ouv. t.l.j. sf ven. et j.f. de 9h à 19h.*

**Librairies** I-B2. **Avicenne,** rue Fardoss : la meilleure adresse pour trouver un grand choix d'ouvrages en français et en anglais sur la Syrie ; journaux et périodiques français. **Librairie de l'hôtel Cham Palace :** journaux et périodiques français. **Librairie de l'hôtel Méridien :** un bon choix d'ouvrages sur la Syrie (parfois même très savants) et journaux français. **Family Bookshop :** rue Sahet el-Nejmeh, immeuble Ordre des médecins, Quartier du Parlement, B.P. 4889, ☎ (011) 44.73.28, fax 224.97.47.

**Location de voitures. Chamcar :** hôtel Cham Palace, rue Maysaloun I-B2 ☎ (011) 223.23.00 poste 90.50. **Europcar :** rue Saad bin Ubada, Baramké (au S du complexe sportif de Techrine) ☎ (011) 212.06.24 ; représentant aux hôtels Omeyyad et Méridien. **Budget :** rue Muhammad al-Bizm, Malki hors plan par A1 ☎ (011) 373.84.22.

**Pharmacie.** Pharmacie Centrale : place du 17 Avril près de la Banque Centrale I-C2 ☎ (011) 445.20.74.

**Poste centrale.** Rue Saadallah al-Jabri I-B3. Bureau Central des Télécommunications : rue An-Naser I-B3.

**Prolongation de visa.** Bureau de la sécurité, rue de Palestine hors plan par I-B4.

**Urgences. Premiers secours :** ☎ 110. **Pompiers :** ☎ 113. **Police :** ☎ 112. **Croissant Rouge :** ☎ 42.16.01.

# LES ENVIRONS DE DAMAS

*Si vous séjournez à Damas et que vous en avez épuisé les attraits, sachez que la capitale est un excellent point de départ pour de nombreuses excursions. Les deux plus belles vous conduiront l'une vers le S, dans le Hauran, à la découverte de Bosra et du Djebel Druze, l'autre vers le N dans le massif du Qalamoun, bastion de la chrétienté depuis le début de notre ère. Chacune vous demandera une journée complète.*

---

## LE HAURAN***

Au sud de Damas et jusqu'au Yarmouk, qui marque la frontière jordanienne, s'étend le Hauran, vaste plateau basaltique qui prolonge celui du Golan. Au S-E s'élève le Djebel Druze, avec Souweyda pour capitale, d'où partit en 1925 la grande révolte contre la présence française. L'austérité de ces paysages noirs ne doit pas faire illusion : la terre, une fois épierrée, est ici extrêmement fertile. Ce fut le grenier à blé de la Syrie romaine. Autour de Bosra, capitale de la province ro-

**Le théâtre romain de Bosra fut transformé en citadelle au XIIe s. par les Ayyoubides. Il sert aujourd'hui de cadre à un festival international où se produisent des troupes folkloriques venues du monde entier.**

maine d'Arabie, se développa un tissu de villages prospères et de petites localités, telle Philippopolis, l'actuelle Shahba, patrie de Philippe l'Arabe, empereur de Rome au IIIe s.

Sous l'empire byzantin, le Hauran fut le fief d'une tribu arabe christianisée, les Ghassanides, qui défendait les marches de l'Empire contre les raids des Bédouins. En majorité arabes, les habitants de la région, en butte aux brimades religieuses (ils étaient monophysites) et économiques des fonctionnaires impériaux, accueillirent en véritables libérateurs les armées musulmanes en 635-636, au point que les Ghassanides, pourtant chrétiens, se rangèrent à leur côté.

Une excursion dans la région vous permettra de découvrir les sites romains de **Shahba**\*\* et de **Bosra**\*\*\*; en chemin, vous vous arrêterez à **Souweyda**, la capitale des Druzes, au costume aussi noir que la terre qu'ils habitent.

Depuis Damas, l'itinéraire à travers le Hauran représente environ 330 km, soit 4 à 5h d'assez bonnes routes. Pour une journée entière d'excursion, il est indispensable de disposer de son propre véhicule : l'utilisation des transports en commun (possible) ne vous donnera pas le temps matériel de découvrir l'ensemble des sites en une journée. Pour une découverte plus en profondeur, il est possible de passer une nuit à l'hôtel de Bosra.

Inutile de prévoir des provisions de bouche : vous trouverez de nombreux petits restaurants à Bosra et à Souweyda, où vous pourrez suivre le précepte oriental qui dit qu'il faut manger chez un Druze mais coucher chez un chrétien (la cuisine est délicieuse chez l'un et l'on peut avoir confiance en l'autre).

## Shahba**

➤ *À 88 km de Damas.* Ce modeste village, aujourd'hui peuplé de Druzes, fut jadis une prospère cité romaine, née de la seule volonté d'un empereur. Philippe l'Arabe, qui régna de 243 à 249 après avoir fait assassiner son prédécesseur, était en effet natif de la région. Pour sa plus grande gloire, il fit construire cette ville et y logea sans doute sa famille et sa clientèle. Rien n'y manquait : théâtre, bâtiments publics, bains, sanctuaire impérial et de magnifiques villas. L'une d'elles a livré de remarquables mosaïques.

Les remparts de la ville dessinaient à peu près un carré de 1 000 m de côté, à l'intérieur duquel deux rues principales se coupaient à angle droit. C'est aujourd'hui la place principale du village : on peut y voir les restes du tétrapyle qui ornait le centre de la ville.

À voir surtout : le quartier du théâtre, à l'O de la rue principale (à dr. en venant de Damas). On l'atteint après 200 m environ en suivant l'ancien décumanus romain dont le dallage de basalte est parvenu jusqu'à nous. Le théâtre, de taille fort modeste, est remarquablement conservé ; à côté, bordant une antique place publique, un bâtiment carré passe pour être le temple funéraire de la famille de Philippe. Sur un autre côté de la place, s'élève la façade du palais précédée d'un nymphée, une fontaine publique, ou peut-être, selon certains archéologues, d'une tribune où siégeait l'empereur.

En revenant vers la rue principale et en la traversant, vous découvrirez les restes, encore imposants, des bains de la ville. Ne manquez pas de visiter le musée, à 100 m à l'E des bains *(ouv t.l.j. sf mar. de 8h à*

*14h ; entrée payante).* Il est construit au-dessus des ruines d'une villa pour abriter un superbe cycle de **mosaïques\*\*\*** : elles comptent parmi les plus belles œuvres que nous ait léguées le IVe s. À l'intérieur, vous verrez un buste de Philippe l'Arabe retrouvé sur place.

Revenez sur vos pas en direction de Damas, puis tournez à dr. après 2 km. À 11 km à l'E de Shahba, le petit village de ♥ **Shakka** mérite un détour si vous en avez le temps. C'était à l'époque romaine un bourg agricole de première importance et le siège d'un évêché sous l'empire byzantin. Le village, en grande partie peuplé de Druzes, est construit dans les ruines : restes d'un palais, d'une basilique et surtout d'une maison du IVe s. qui a conservé sa toiture et qui sert aujourd'hui de lieu de réunion aux initiés druzes. Une bonne occasion d'approcher cette communauté, d'autant que pour vous repérer dans le village, il vous faudra l'aide d'un guide : un des petits gamins du village se fera un plaisir de vous conduire.

## Qanawat*

➤ *À 100 km de Damas ; depuis Shahba, continuez vers le S pendant une dizaine de km, puis tournez à g. avant d'arriver à Qanawat, à 6 km du croisement.*

Fondée probablement au premier siècle avant notre ère, Qanawat fut l'une des cités de la Décapole romaine, une fédération lâche de villes conservant un semblant d'autonomie municipale. Importante cité chrétienne et siège d'un évêché au IVe s., elle déclina rapidement après la conquête musulmane. Plusieurs vestiges de constructions antiques se dressent encore dans le village.

Le **Seraya** *(ouv. du lever au coucher du soleil, entrée en principe payante) :* au centre du village, ce groupe de constructions d'origine romaine fut aménagé par la suite pour servir de lieu de culte chrétien. Les archéologues y ont relevé les vestiges de deux églises accolées et, plus à l'E, les soubassements d'un monastère ou du palais épiscopal.

Parmi les autres ruines disséminées à travers le village, signalons des thermes, un théâtre et, à la lisière N, sept colonnes dressées au sommet d'un promontoire : c'était le temple d'Hélios, le dieu soleil.

## Souweyda

➤ *Revenir à la route principale où vous tournerez à g. Souweyda se trouve 6 km plus loin.*

La capitale du Djebel Druze est aujourd'hui en pleine expansion : la vieille ville disparaît progressivement pour laisser place aux constructions modernes. À la lisière de la ville, on ne compte plus les somptueuses villas qui témoignent de l'opulence d'une partie de la communauté. Du passé ne reste plantée sur la place principale que la statue de Sultan Pacha al-Attrache, l'émir qui conduisit le soulèvement du Djebel Druze contre les forces mandataires. Le principal intérêt touristique de la ville est son tout nouveau musée qui se trouve à l'entrée de la ville lorsque l'on vient de Shahba.

**Le musée \*\*.** *(Ouv du 1er nov. au 31 mars de 9h à 15h, de 9h à 18h le reste de l'année ; f. le mar. ; entrée payante).* On peut y voir une remarquable collection de sculptures provenant de la région et pour la plupart réalisées dans le sombre basalte local. Les plus anciennes remontent à l'époque nabatéenne (IIe s. av. notre ère). Vous verrez également un superbe linteau, bien mis en valeur, qui témoigne du syncrétisme religieux des premiers siècles de notre ère : les représentations d'Aphrodite et d'Éros (à dr.) et d'Athéna en armes et cuirasse (à g.) encadrent Baal Shamin, le dieu palmyrénien (voir pp. 192-193). De remarquables panneaux explicatifs, réalisés par une équipe du CNRS, permettent d'approfondir l'histoire de la région et de ses peuples. D'autres sont consacrés à des sites de moindre importance du Hauran : une excellente entrée en matière pour une découverte plus en profondeur. Au centre du bâtiment, sont exposées de magnifiques **mosaïques**\*\*\* romaines provenant pour la plupart de Shahba : naissance d'Aphrodite et Vénus au bain.

### Restaurant

♦ **Al-Mdiaf** ☎ (0161) 22.69.83. Pas facile à trouver, ce restaurant qui se niche au fond d'une galerie, derrière la place principale. Bonne étape pour la mi-journée ; excellentes grillades et salades.

## Bosra\*\*\*

➤ Bosra est l'un des sites les plus étonnants en matière de réutilisation de matériaux antiques. Pas une maison du vieux village qui ne possède ici un chapiteau corinthien, là quelque fût de colonne, là encore un linteau portant des inscriptions grecques. Jusqu'au plus spectaculaire, le théâtre romain, l'un des plus vastes de l'Orient romain, qui fut transformé en forteresse par les musulmans de l'époque omeyyade (VIIe-VIIIe s.). La scène servit de citerne, les vomitoires de salles de garde, tandis que, contre les gradins, vinrent s'appuyer de puissantes murailles. Au XIIe s., elles surent résister aux assauts des armées franques, conduites par Baudouin IV, le petit roi lépreux. Dans son état actuel, la forteresse date des Ayyoubides (XIIIe s.).

Riche et grande cité romaine, au carrefour des grandes routes commerciales, Bosra compta jusqu'à 50 000 habitants. C'était la capitale de la province romaine d'Arabie. La dimension du théâtre et l'étendue du site témoignent encore de l'importance de la ville, qui était toujours florissante à l'époque byzantine. La population fut très tôt convertie au christianisme : les ruines d'une imposante basilique du IVe s. sont là pour le dire. Pour la tradition musulmane, c'est à Bosra que le Prophète rencontra Bahira, un moine chrétien par qui il connut les textes du monothéisme. Au VIIe s., Bosra fut occupée par les musulmans. Ils y construisirent la mosquée d'Omar, avant de laisser la ville sombrer dans l'oubli.

**Le théâtre**\*\*\*. *(Ouv t.l.j. de 9h à 16h du 1er nov. au 31 mars, de 10h à 18h le reste de l'année ; entrée payante).* Au début de notre siècle, l'intérieur du bâtiment était enseveli sous des tonnes de sable déposé par le vent au cours des siècles. Il fallut de longues années de travaux, entre 1947 et 1970, pour dégager et restaurer l'ensemble. Le théâtre de Bosra est l'un de plus impressionnants du Proche-Orient et l'un des mieux conservés : sa structure fut en fait protégée par sa transformation ultérieure en forteresse. Selon les archéologues, il fut construit dans la seconde moitié du IIe s. de notre ère. Quelque 6 000 spectateurs pouvaient s'y asseoir, 2 000 autres assistaient aux spectacles debout. Au-dessus, tendu entre le mur de scène et le haut des gradins opposés, un vélum venait protéger les spectateurs de l'ardeur du

**Bosra**

soleil. En suivant le parcours fléché à travers le site, vous parviendrez à la terrasse supérieure, l'ancien rempart ayyoubide. Là sont exposées en plein air quelques **sculptures** romaines, tandis qu'une tour de défense abrite un petit **musée ethnographique**. Une vaste salle de garde accueille un bien agréable petit café restaurant ; au-dessus, quelques chambres sont à la disposition des voyageurs (voir plus bas).

**La ville antique.** En sortant du théâtre, tournez à g. de manière à longer le mur extérieur, puis tournez à dr. et continuez tout droit jusqu'à l'arc monumental qui marquait le centre de la cité romaine. L'**arc monumental**, construit au IIIe s. et restauré à l'époque byzantine, s'élevait au croisement du décumanus (orienté E-O) et du cardo maximus (orienté N-S). Le décumanus, la grande artère de la cité, courait sur près de 900 m entre les deux extrémités de la ville. Mesurant 8 m de large, il était bordé de part et d'autre d'un portique, précédé d'une longue colonnade. C'est là que se sont installés les villageois, utilisant largement colonnes et pans de mur pour édifier leurs demeures. Le dallage original a été en grande partie dégagé.

En vous dirigeant vers l'O (c'est-à-dire en tournant à g.), vous parviendrez après 250 m à la porte occidentale de la ville, appelée **Bab el-Hawa** (porte des Vents) par les Arabes. De ce côté, le mur romain est encore bien conservé. En chemin, vous découvrirez un vaste entrepôt souterrain, le « **cryptoportique** », une magnifique salle de 106 m de long, aérée par 36 soupiraux qui donnaient sur le décumanus. On ne peut que regretter qu'elle ne soit aujourd'hui qu'un infect cloaque laissé à l'abandon.

En tournant à dr. depuis l'arc monumental, vous découvrirez à dr. les vestiges des **thermes** du IIIe s. En face se dressent quatre élégantes colonnes : elles marquent l'emplacement du **nymphée**, la fontaine publique qui décorait l'entrée de la principale rue commerçante, orientée N-S. À g. de la rue, de vastes entrepôts sont encore bien conservés. En continuant vers le N par la chaussée antique aujourd'hui dégagée, vous parviendrez à la **mosquée d'Omar**. Sa construction est attribuée au calife Omar, le conquérant de la Syrie au VIIe s., ce qui en ferait l'une des plus anciennes mosquées du monde musulman. Elle fut édifiée à l'emplacement d'un temple païen, comme en témoignent les pierres de gros appareil sur lesquelles elle repose. En face, le hammam Manjak date de l'époque mamelouke. Il abrite aujourd'hui un **musée des Traditions populaires** *(mêmes heures d'ouverture que la citadelle)*.

Revenez vers le décumanus et tournez à g. Peu après, vous devrez gravir un petit monticule : à cet endroit la chaussée n'a pas été dégagée. Peu après, droit devant vous, se trouve la « **porte nabatéenne** ». Datant du second siècle de notre ère, cette construction de basalte trahit dans son ornementation une profonde influence orientaliste, d'où son nom. Immédiatement au S de la porte (à dr.), gisent les vestiges d'une ancienne demeure romaine, peut-être celle du gouverneur de la province. Plus loin, s'ouvre une vaste citerne romaine qui avait à l'origine 8 m de profondeur. Au bord, s'élève une mosquée (Abou el-Feda) construite au XIIIe s.

À g. de la porte nabatéenne, une rue conduit aux impressionnants vestiges de la **cathédrale de Bosra**, qui fut consacrée au VIe s. En face, la **mosquée de Fatima** date du XIe s. Immédiatement au N, se trouvent les vestiges d'une basilique : c'est là, selon la légende, que le prophète Mahomet rencontra le moine Bahira et fut initié au monothéisme. En continuant tout droit, vous parviendrez à l'extrémité N-E de la ville. Vous y trouverez les vestiges de la **mosquée Mabrak**. Ce monument, daté de 1136 et restauré en 1989, fut construit, dit-on, à l'emplacement où s'agenouilla le chameau qui amenait le premier Coran introduit en Syrie.

Si vous êtes motorisé, vous pourrez ensuite continuer vers le N en tournant à g. en direction de Jemarrin. À 3 km environ, vous traverserez un petit cours d'eau : à g., on peut encore voir un beau **pont romain**\*\* à 3 arches. Sur la rive, vieille maison byzantine en partie occupée par des villageois.

## Hôtels

▲▲▲▲ **Bosra Cham Palace** ☎ (0151) 73.25.02. *100 ch.* On ne peut rêver plus bel emplacement : devant le théâtre que l'on découvre de la plupart des ch. Grand confort.

▲ **Auberge de la citadelle** ☎ (0151) 79.01.05. Le petit café restaurant au sommet du théâtre possède quelques ch. à louer. Si elles sont toutes occupées, on peut encore dormir sur des divans installés dans les pièces de réception du café. En tous cas, on ne vous laissera jamais dehors. Les propriétaires s'en font un point d'honneur : ce sont des Bédouins et ils veillent à être dignes de leur tradition d'hospitalité. Ce sont eux également qui gardent le site ; ils ont donc les clés et vous ouvriront si vous arrivez après l'heure de fermeture ou si vous voulez faire un tour le soir.

## De Bosra à Damas

*144 km de route par Dera'a.* La route principale qui ramène à Damas passe non loin de Dera'a, la ville frontière avec la Jordanie. Rien d'exceptionnel à y voir. Rappelons que c'est ici que Lawrence d'Arabie, déguisé en Bédouin, fut arrêté par les Turcs et qu'il fut cruellement torturé par ses geôliers. Il raconte ce douloureux épisode dans son livre de souvenirs, les *Sept piliers de la sagesse*. En rentrant à Damas, ne manquez sous aucun prétexte de faire un petit détour par **Ezraa**.

♥ **Ezraa\*\*\***. *À dr. de la route principale, à 43 km environ de Dera'a.* Cette petite localité conserve l'une des plus anciennes églises de Syrie toujours en fonction. De culte grec orthodoxe, cette église Saint-Georges s'élève à la lisière du quartier chrétien de la ville (demandez à l'un des habitants de vous montrer la maison du gardien qui en détient la clé ; elle se trouve à 200 m avant d'arriver à l'église, du côté g. de la rue). Une inscription au linteau de l'entrée originelle (face à l'est, alors que l'entrée se fait aujourd'hui par le S) date l'édifice de l'an 515 ; elle ajoute que cette maison de Dieu s'élève à l'emplacement de la demeure des démons, c'est-à-dire d'un ancien temple païen. Son architecture offre l'un des tout premiers exemples de plan centré à coupole. La forme rectangulaire qu'elle présente aujourd'hui est due à des constructions postérieures. L'intérieur est superbe de grâce et de simplicité. Sous la coupole (récente), l'octogone central repose sur huit piliers ; dans l'abside un tombeau passe pour être celui de saint Georges. À 200 m de là, une seconde église, Mar Elias, de culte grec catholique, est, elle aussi, datée du VIe s. Sa toiture est moderne. Deux émouvants témoignages de l'ancienneté, de la permanence et de la diversité du christianisme syrien.

# LE GOLAN

Le haut plateau du Golan, peuplé en majorité de Druzes, est depuis 1967 presque entièrement occupé par Israël. Une fraction du territoire fut rendue à la Syrie après la guerre de 1973, notamment sa capitale, Kuneitra, réduite à l'état de ruine par l'armée israélienne. La ligne de cessez-le-feu est actuellement gardée par des troupes des Nations Unies. Depuis la Syrie, on ne peut donc accéder à Kuneitra qu'à condition d'obtenir un permis (se renseigner à l'Office du tourisme de Damas, voir p. 97).

Dans l'éventualité d'un retrait israélien, mentionnons les principaux objectifs touristiques de la région : les contreforts du mont Hermon et ses pistes de ski, le château de Nimrod, magnifique forteresse franque dominant la dépression du lac de Tibériade, et les sources de Baniyas, où les Grecs vénéraient le dieu Pan et où l'on peut voir quelques vestiges croisés.

# LE QALAMOUN***

Au N de Damas, le plateau du Qalamoun est délimité au S par un rebord montagneux qui le sépare de la Ghouta, à l'O par la chaîne de l'Anti-Liban, à l'E par la steppe syrienne, tandis qu'au N, il s'incline en pente douce vers la vallée de l'Oronte. Bénéficiant de son relatif isolement géographique, la région demeura un îlot chrétien, oubliée par les grandes invasions, au point que l'on y comptait encore au XVIIe s. quatre diocèses et que s'est transmise jusqu'à aujourd'hui la langue utilisée par le Christ, l'araméen (au vrai, seules quelques personnes âgées le comprennent encore de nos jours). On peut ainsi entendre le Notre-Père en araméen (enregistré sur cassette) au monastère de Maaloula.

Si vous ne devez faire qu'une halte dans cette région, au cours d'un voyage vers Homs et le N du pays par exemple, ce sera à Maaloula (à 2 km à l'O de la route nationale), charmant village en partie troglodyte où l'on peut voir le monastère des saints Serge et Bacchus, fondé au Ve s. Le père vous y réservera un accueil enthousiaste et ne manquera pas de vous faire goûter le produit de sa vigne.

Un itinéraire plus complet vous conduira depuis Damas à Saidnaya, puis par la route des hauteurs, à Maaloula et Yabroud. Vous retrouverez peu après la route nationale Damas-Homs (85 km de Damas) avant d'atteindre Qara (16 km plus au N), dernière localité intéressante du Qalamoun.

Quitter Damas par la route de Saidnaya (par plan I).

Avant de quitter l'agglomération damascène, vous traverserez le dernier faubourg, Berzé (à 5 km environ du centre-ville). Là, dans un enchevêtrement de maisons précaires, les fameuses *mukhalafat* (voir p. 75) qui couvrent également les flancs du Qassioun, sous les entrelacs des fils électriques qui pendent comme des lianes, une petite maison de torchis à dr. de la route abrite une cavité vénérée par les musulmans, les chrétiens et les juifs. La tradition locale en fait le lieu de naissance d'Abraham. **Berzé** était encore, il y a 30 ans, un charmant petit village en bordure d'un ruisseau. C'est aujourd'hui un cloaque. Quant au berceau d'Abraham, il se trouve au 1er étage de la bâtisse, au fond d'un couloir où l'on entre courbé. Le samedi, les femmes de toutes confessions sont nombreuses à venir y déposer un cierge.

Après Berzé, la route remonte le cours de la petite rivière. Le paysage devient alors plus riant : une image du Berzé de naguère, les nombreuses boîtes de nuit en plus qui font les délices des Arabes du Golfe en goguette.

## Saidnaya*

➤ *26 km.* Ce petit village, à majorité chrétienne, est dominé par la masse du couvent-forteresse, Notre-Dame de Saidnaya. Dans ce bastion de la chrétienté, on ne comptait pas moins d'une quarantaine d'églises au premier millénaire. À l'époque des croisades, « Notre-Dame de Sardenaye » était, pour les Francs, l'un des plus importants pèlerinages de Terre sainte. On venait y vénérer le lieu où était apparue la Vierge, et sur lequel Justinien fit édifier le monastère. Ce sont aujourd'hui les Libanais, venus en voisins, qui s'y pressent le dimanche par cars entiers.

Avant de vous engager sur la rampe qui conduit au monastère, vous verrez sur la g. un tombeau romain transformé en chapelle de culte grec catholique *(le gardien demeure dans la maison en face)*.

**Notre-Dame de Saidnaya.** On accède au monastère (occupé par une communauté de sœurs de culte grec orthodoxe) par un escalier moderne. Une des marches, au début de l'embranchement à dr. est protégée par une grille : elle exsude une huile miraculeuse que les fidèles effleurent avec respect. Arrivé au monastère, tournez à dr. pour atteindre une petite chapelle *(demandez à vous faire ouvrir)* qui marque l'emplacement de l'apparition de la Vierge. L'église du monastère occupe le centre du complexe.

De la terrasse, belle vue sur la riche campagne environnante. Pour découvrir un plus ample panorama, vous pourrez grimper en voiture jusqu'au **monastère des Chérubins**, à 2 011 m d'alt. *(8 km N-O : regagnez la route principale, puis prenez la première route à g. à la sortie du village)*. Le sommet de cette montagne fut dès le IIIe s. un refuge pour des ascètes chrétiens qui vivaient dans les dizaines de grottes qui trouent les environs. Ce fut sans doute au VIe s. que fut édifiée une première église sur l'emplacement d'un temple païen. Détruite au cours des siècles, elle fut reconstruite en 1982 en même temps que les bâtiments monastiques voisins.

On découvre de là une vue splendide : Damas, le plateau du Golan, le mont Hermon (Djebel es-Sheikh), la vallée de la Beqaa au Liban dont la frontière passe à quelques kilomètres.

# Maaloula**

➤ *À 53 km.* Avec ses petites maisons en partie troglodytes et chaulées de teintes pastel, c'est le plus visité des villages du Qalamoun. Mais Maaloula doit surtout sa célébrité au fait que certains de ses habitants parlent encore un dialecte araméen, proche de la langue que parlait le Christ. Des linguistes du monde entier sont venus ici pour étudier ce curieux phénomène d'isolat linguistique. Deux monastères méritent une visite : celui de Sainte-Thècle, à flanc de collines dans le village, et celui de Saint-Serge, sur le rebord de la falaise, tout près de l'hôtel Safir qui domine (malheureusement !) le village.

**Le monastère Sainte-Thècle (ou Mar Takla, grec orthodoxe).** Dédié à la disciple de saint Paul, l'emplacement servit d'ermitage dès les premiers temps du christianisme. En haut de l'escalier qui pénètre dans l'enceinte, tournez à dr. Vous arriverez à une petite place bordée à dr. par l'église de la communauté, à g. par une petite boutique où les sœurs proposent leur artisanat, de la broderie principalement. À l'extrémité de cette place, un petit escalier conduit à la grotte de la sainte. La source qui la désaltéra y jaillit toujours. Elle repose dans la petite chapelle qui ouvre sur la grotte. De là, belle vue sur le village.

En sortant du monastère, tournez immédiatement à dr. pour vous engager 50 m plus loin dans le défilé (al-Fajj) de Sainte-Thècle. Il s'agit d'un étroit passage entre deux falaises qui fut ouvert par miracle pour permettre à la sainte d'échapper à ses persécuteurs. Les parois sont gravées d'ex voto et creusées de tombes chrétiennes. En le suivant jusqu'au bout (800 m environ), vous arriverez au sommet de la colline qui domine le village, non loin de l'hôtel Safir et du monastère Saint-Serge. Si vous êtes accompagné d'un chauffeur, demandez-

## Sainte Thècle

Thècle était la fille du gouverneur romain d'Iconium (en Turquie actuelle). À l'âge de 18 ans, elle entendit par sa fenêtre ouverte la prédication de saint Paul et décida d'abandonner le paganisme de sa famille pour embrasser le christianisme. Elle suivit l'apôtre à Athènes, échappa au martyre à Antioche, puis, de là, gagna le Qalamoun, en suivant la voie romaine qui conduisait à Jérusalem. Après avoir accompli bien des miracles, elle choisit une grotte pour ermitage. Mais la vindicte des Romains la poursuivit jusque là. Alors que les soldats la pourchassaient, la montagne se fendit en deux pour lui permettre d'échapper à ses persécuteurs. On montre encore aujourd'hui le défilé de Sainte-Thècle. Elle passa le reste de sa vie dans sa grotte, recevant les chrétiens de la région venus lui demander sa bénédiction, et y fut inhumée. Depuis sa mort, sa tombe fait l'objet d'un pèlerinage.

lui au préalable de vous rejoindre au couvent Saint-Serge. Si vous conduisez vous-même, regagnez votre véhicule, redescendez jusqu'à la place du village et tournez à dr. pour vous engager dans un passage étroit qui conduit également au sommet de la colline. Le monastère Saint-Serge se trouve à dr.

**Le monastère Saint-Serge (ou Mar Sarkis, grec catholique).** Cet ensemble est le plus ancien édifice chrétien de la région : il aurait été construit au IVe s. en l'honneur de Serge et Bacchus, les deux martyrs de Résafé (voir p. 200), sur l'emplacement d'un temple païen dédié à Apollon. On pénètre dans l'enceinte par une porte très basse dont les vantaux originaux se trouvent dans la petite boutique-musée qui ouvre sur la cour intérieure. La petite église se trouve à l'opposé de l'entrée. La toiture du vénérable édifice est soutenue par une charpente dont le bois, assurent les scientifiques, aurait 2 000 ans. L'iconostase porte de belles icônes dont certaines datent du XVIIe s. Mais le plus remarquable se trouve dans l'abside centrale. Il s'agit d'une très ancienne table d'autel qui emprunte sa forme aux tables de libations des temples païens : un demi-cercle bordé d'un saillant qui retenait le sang des animaux sacrifiés avant qu'il ne s'écoule par un orifice. Bien entendu, s'agissant d'un autel chrétien, un tel orifice est absent. On estime que cet autel remonte à la fondation de l'église, ce qui en ferait le plus ancien autel chrétien toujours en fonction. Un autel semblable est exposé au musée de Damas. Dans la boutique-musée qui ouvre sur la cour, vous pourrez entendre le Notre-Père en araméen, sur cassettes dont vous pourrez faire l'acquisition. Ne manquez pas de goûter le vin du monastère que vous offrira le père supérieur, un francophone distingué, qui nous accueillit avec pour tout bréviaire le *Nom de la Rose* en Livre de Poche. Espérons que la vie dans son monastère est plus paisible que dans celui du célèbre roman d'Umberto Eco.

## Yabroud

➤ *À 69 km.* La « capitale » du Qalamoun fut, au tournant de notre ère, une importante cité et abrita un vaste temple dédié à Jupiter Yabroudis. Sur son emplacement, s'élève une **magnifique cathédrale**\* (de culte grec catholique) qui emprunte une grande partie de ses murs à l'ancien sanctuaire païen. Elle fut fondée, dit-on, par Hélène, la mère de l'empereur Constantin. Un relief représente la mère et le fils au linteau de l'entrée principale. À l'intérieur, belle iconostase et superbe collection d'icônes dans le diakonikon (abside à dr. de l'abside centrale).

**Km 85 :** la route de montagne rejoint la route principale Damas-Homs.

## ♥ Qara**

*Au km 101, à g. de la route lorsqu'on se dirige vers Homs.* Arrêt impératif pour les amoureux de **vieilles églises**. Cette petite localité est, depuis l'époque byzantine, le siège d'un évêché dont nous possédons, du Ve s. à nos jours, la liste presque complète des titulaires de la charge. Cette prospère petite cité chrétienne connut un grand malheur : en 1266, elle fut prise par le sultan Baybars qui en déporta la majorité des habitants et transforma sa cathédrale byzantine en mosquée – ce qui permit à l'édifice de subsister jusqu'à nos jours. Trois sites à visiter : l'église Saints-Serge-et-Bacchus, la cathédrale devenue Grande Mosquée, et le monastère Saint-Jacques. Vous suivrez la rue principale jusqu'à la place du village. L'église se trouve dans la première rue à dr. avant la place *(demandez le gardien à l'un des habitants du quartier).*

L'**église Saints-Serge-et-Bacchus**\*\*, de culte grec orthodoxe, conserve de remarquables **fresques**\*\*\* peintes aux alentours de l'an 1 000 : représentation de la Vierge (remarquez le texte en syriaque), de saint Serge et de saint Jean-Baptiste. Les fresques, sur le mur latéral g., sont recouvertes d'un rideau pour les protéger. D'autres ont été déposées et sont aujourd'hui visibles au Musée national de Damas.

Vous demanderez ensuite le chemin de la **mosquée (masjid) Qara el-Kebir**\*\* qui se trouve à 300 m de là. L'ancienne église a conservé presque intacte sa belle façade byzantine : elle fut érigée selon le goût de la Syrie du Nord à l'époque byzantine, style que l'on retrouve, mais à l'état de ruines, dans les villages du Massif calcaire (voir p. 174).

Pour atteindre le monastère, regagnez votre véhicule, traversez la place principale et continuez tout droit (à la première fourche, prenez à dr.). À 1 km env. après la sortie du village, vous verrez sur votre droite une grande bâtisse carrée : c'est le **monastère Saint-Jacques.** Il fut construit au-dessus d'un fortin romain (auquel appartenaient les gros blocs sur lesquels il repose) et serait l'un des plus anciens de la région (vers le Ve s.). Il était en 1995 en cours de restauration. Il ne reste plus qu'à espérer qu'il soit ouvert à la visite dans un proche avenir : on pourrait ainsi en admirer les fresques du XIIIe s.

*De Qara, vous êtes à 65 km de Homs, 101 de Damas.*

# LA ROUTE DE BEYROUTH*

Une des excursions favorites des Damascènes en été consiste à se rendre dans la vallée de Zabadani, pour y chercher un peu de fraîcheur. Depuis Damas, suivez l'autoroute en direction de Beyrouth, puis à 25 km, tournez à dr. en direction de Zabadani. Cette vallée où le Barada prend sa source (joli lac de Zarzar où l'on vient pique-niquer) est plantée de vergers dont les pommes et les cerises sont fameuses. Le bourg de Zabadani se trouve dans la vallée ; au-dessus se trouve Bloudan, la station climatique « chic » : quelques hôtels, beaucoup de restaurants, de villas et d'appartements de vacances. Jusqu'au printemps, l'endroit est couvert de neige.

Au-delà de Zabadani, la route se poursuit vers la frontière libanaise, à une dizaine de km. De ce côté, elle est fermée au trafic (en 1995) ; dommage, car cette belle route de montagne conduirait directement à Baalbek qui est à moins de 20 km.

## Hôtels et restaurants à Bloudan

▲▲▲ **Grand Hotel** ☎ (011) 23.75.51. *105 ch.* Le rendez-vous des élites damascènes. Établissement de grand luxe, magnifiquement situé en surplomb de la vallée, face aux montagnes de l'Anti-Liban. Réservation indispensable.

▲▲ **Akel** ☎ (011) 22.86.04. *65 ch.* La classe en dessous, mais belle vue quand même.

♦♦ **Nadi Abou Zahad** ☎ (011) 22.74.04. Tout en haut de la localité, l'un des meilleurs restaurants de Bloudan. Spécialités orientales dans de jolis jardins.

♦♦ **L'Olivier** ☎ (011) 22.80.67. Joli cadre à l'européenne, nappes et petites tables, pour des spécialités françaises et orientales.

Vous rentrerez à Damas par le même chemin. Juste avant l'embranchement de l'autoroute, une petite route à g. conduit à travers les collines au **tombeau d'Abel** (Nabi Abel, 6,5 km). Le détour vaut la peine : ce sanctuaire musulman se trouve sur une hauteur d'où l'on découvre un **magnifique panorama**** sur la région. Sur place, le gardien se fera un plaisir de vous raconter l'histoire de Caïn et d'Abel, dans un anglais aussi rocailleux que les collines, tout en vous gavant de bonbons. Le chemin qui conduit au sanctuaire traverse une zone militaire : il est interdit de prendre des photos et vous devrez laisser votre passeport au poste de contrôle en bas de la route.

# LA VALLÉE DE L'ORONTE

*Au long des rives de l'Oronte s'égrène
un chapelet de localités dont l'histoire se perd
dans la nuit des temps : Homs la provinciale,
l'antique Émèse, patrie d'Héliogabale,
Hama bercée par le gémissement de ses norias,
Apamée la belle et ses 400 colonnes relevées
par les archéologues.*

N ahr al-Assi, le Fleuve Rebelle : c'est ainsi que les Arabes nomment l'Oronte. Car si les grands fleuves de l'Orient, le Tigre et l'Euphrate, dirigent leur cours majestueux d'ouest en est, l'Oronte est, lui, beaucoup plus imprévisible. Descendu de la Bekaa libanaise, il semble tout d'abord hésiter en de multiples méandres entre Homs et Hama avant de se lancer vers le nord. Il musarde ensuite dans la plaine du Ghab, puis se dirige résolument vers l'ouest pour rejoindre la Méditerranée près de l'antique Antioche, en Turquie aujourd'hui.

## HOMS *

Reconnaissons-le, l'antique Émèse, berceau d'une dynastie d'empereurs romains, a bien peu à offrir en matière d'archéologie. C'est que, depuis plus de vingt siècles, le site n'a cessé d'être occupé, chaque nouvelle construction prenant la place d'un édifice plus ancien : au temple succéda une basilique, elle-même recouverte par une mosquée. La vieille ville médiévale conserve néanmoins bien du charme avec ses souks du XIIIe s. et son quartier chrétien, dont certaines églises furent fondées à l'aube du christianisme. Ces ruelles sont aussi un conservatoire des traditions populaires, avec les costumes de

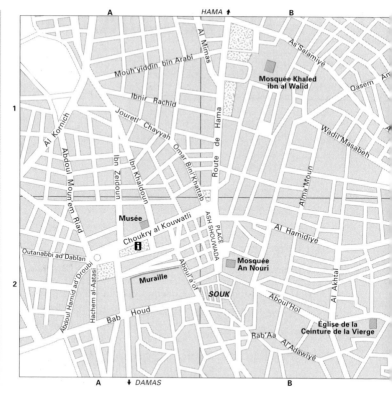

**Homs**

villageois venus faire leurs emplettes à la ville, ou les petits métiers comme le vendeur de café arabe en grande tenue qui fait cliqueter ses tasses minuscules d'un étal à l'autre. Dans les grands cafés populaires de l'avenue Kouwatli, les hommes suçotent gravement l'embout de leur narguilé tandis que cireurs de chaussures et vendeurs de billets de loterie virevoltent autour d'eux.

## Des Bédouins alliés à Rome

Émèse apparaît sous les feux de l'histoire en 64 av. notre ère. Les derniers lambeaux du royaume séleucide, réduit en fait à la ville d'Antioche et à ses faubourgs, sont la proie de raids incessants des tribus bédouines. L'une d'entre elles a pour capitale Émèse. Lorsque les légions romaines apparaissent en Orient, conduites par Pompée, les Bédouins d'Émèse prennent fait et cause pour le conquérant, au point de mettre à mort Antiochos XIII, le roi séleucide qu'ils détenaient prisonnier. C'en est fini de la dynastie macédonienne, héritière d'Alexandre et qui avait fait de l'Orient un bastion de l'hellénisme. La fidélité d'Émèse à Rome ne se dément pas durant toute la période romaine. En 66, les redoutables cavaliers bédouins marchent derrière Titus contre Jérusalem et suivent plus tard les troupes romaines sur tous les champs de bataille. À l'ombre de Rome prospère, sur le trône d'Émèse, une dynastie de rois-prêtres.

## La dynastie sévérienne

En 182, le maître de l'Orient s'appelle Septime Sévère : Rome vient de l'envoyer à Antioche pour prendre le commandement de la prestigieuse IVe légion qui campe dans les environs de la ville. Durant son séjour, Septime Sévère fut introduit à la cour royale d'Émèse, où il tomba sous le charme de la fille du roi, Julia Domna, aussi belle que cultivée, à ce que l'on dit. Lorsque plus tard elle vint vivre à Rome, elle entretint un « salon littéraire » où se pressaient les beaux esprits de la capitale. Le jeune militaire fut d'autant plus subjugué qu'un oracle lui avait prédit qu'il épouserait une princesse de sang royal. Mais Septime était marié et c'est en compagnie de son épouse qu'il rejoignit son nouveau commandement, la Gaule. Il n'avait cependant pas oublié la belle princesse orientale, et à la mort de sa femme, il envoya aussitôt un messager à la cour d'Émèse pour la demander en mariage. Moins d'un an après son arrivée en Gaule, Julia Domna donna à Septime Sévère son premier fils, Caracalla, qui naquit à Lyon – où résidait une importante communauté de marchands syriens – en 188. Septime Sévère monta sur le trône impérial en 193, fondant une dynastie d'empereurs d'origine syrienne. Son petit-neveu, le fameux Héliogabale, l'« anarchiste couronné » qui enflamma l'imagination d'Antonin Artaud, le prêtre du Soleil à Emèse, fit venir à Rome son cher bétyle et en imposa le culte aux Romains scandalisés (voir p. 115).

## Une prospère cité de province

La chute de la dynastie sévérienne n'entama pas la prospérité de la ville. Au carrefour d'importantes routes commerciales, celle-ci continua à prospérer pendant la période byzantine, sous les califes omeyyades de Damas, puis à l'ombre de toutes les dynasties musulmanes qui se succédèrent sur la terre de Syrie. Devenue aujourd'hui un grand centre industriel et commercial, la ville abrite, depuis l'époque du Mandat français, l'Académie militaire de Syrie.

### La dynastie sévérienne

Julius Bassianus

Julia Maesa - C. Julius Avitus Alexianus       Julia Domna - Septime Sévère (193-211)

Julia Mammamea       Julia Soaemias       Caracalla (211-217)    Geta (211-212)
+ Gessius Marcians    + Sex. Varius Avitus Marcellus

Sévère Alexandre              Héliogabale
(222-235)                     (218-222)

## La ville moderne

➤ *Homs se trouve sur la grande route nationale qui relie Damas à Alep. Services de bus et de taxis collectifs depuis et pour Damas, Hama, Alep, Tartous, etc. À 162 km de Damas, 47 de Hama et 193 d'Alep. Comptez 3h pour une visite rapide.* Le **centre** de la partie moderne de la ville tourne autour de l'**avenue Choukry al-Kouwatli** A2, où se trouvent l'office du tourisme, le musée de la ville et les grands cafés populaires de Homs. Vous pourrez sans trop de difficultés y garer votre voiture.

**Le musée*** A2. *Ouv t.l.j. sf mar. de 8h à14h ; entrée payante.* Principalement consacré à l'**archéologie** régionale, il présente une petite collection de tablettes et de sceaux-cylindres, et quelques faïences omeyyades. Une salle est consacrée à l'archéologie de Palmyre. Au S de l'avenue Kouwatli se dresse encore une partie de la muraille de la vieille ville : elle repose sur d'énormes blocs d'origine antique.

**La mosquée Khaled ibn al-Walid*** B1. Au N du centre-ville, cette belle mosquée s'élève au milieu d'une immense place. Elle fut construite dans le style ottoman au début du XXe s., au-dessus du tombeau de Khaled ibn al-Walid. Ce général conduisit les musulmans à la victoire lors de la bataille du Yarmouk en 636, victoire qui ouvrit les portes de la Syrie et de tout l'Orient aux combattants arabes.

## La vieille ville

Avec ses souks et son lacis de ruelles étroites, la vieille ville se prête davantage à une promenade à pied (comptez env. 2h) qu'à de difficiles pérégrinations en voiture. À l'E de la vieille ville s'étend le quartier chrétien avec ses anciennes églises parmi lesquelles deux méritent une visite : l'église de la Ceinture de la Vierge et l'église Mar Elian. Depuis l'avenue Choukry al-Kouwatli, engagez-vous vers le S sur la place Ash Shouwada qui conduit au bazar.

**La mosquée An-Nouri*** B2. Précédant l'entrée des souks, la Grande Mosquée de Homs, reconstruite à de nombreuses reprises au cours des siècles, s'élève croit-on sur l'emplacement du Temple du Soleil de l'Antiquité, là même où l'on vénérait la Pierre Noire d'Émèse.

**Les souks**** B2. Dans l'ensemble, et malgré des aménagements postérieurs (bains, khans) sous les Mamelouks et les Ottomans, ils conservent l'aspect médiéval de l'époque de leur construction, c'est-à-dire celle des Ayyoubides (XIIIe s.). On y trouve principalement des bijoux et des vêtements, mais surtout une foule colorée de chalands venus des campagnes environnantes faire leurs emplettes en ville. Quittez les souks par l'E en suivant la rue Aboul'Hol.

**L'église de la Ceinture de la Vierge**** B2. En 1953, on découvrit fortuitement dans la bibliothèque du Patriarcat syriaque orthodoxe un texte daté de 1852. Il indiquait que lors des travaux de rénovation de l'église de Homs, on trouva, dissimulé dans la table d'autel, un récipient contenant un morceau d'étoffe que l'on replaça sans y toucher à l'intérieur de l'autel. L'église syriaque de Homs étant connue depuis des siècles comme l'église de la Ceinture de la Vierge, le patriarche Ignace ordonna en 1953 d'ouvrir la table d'autel : on y trouva, enroulée dans un cylindre de métal rouillé, une étoffe longue de 74 cm et large de 5. Les experts du service des Antiquités syriennes furent formels : le tissu de lin et de soie remontait à l'époque romaine. Pour

# LE CULTE DU BÉTYLE

*Palmyre était la Fiancée du désert ;*
*Émèse fut la cité du Soleil. On y vénérait l'astre solaire,*
*dieu suprême d'un probable panthéon foisonnant,*
*dans un temple colossal dont les monnaies de l'époque*
*nous restituent l'image : un autel à ciel ouvert*
*au centre duquel se dressait une pierre sacrée.*
*À en croire l'historien Hérodien, contemporain d'Héliogabale,*
*la construction était gigantesque et resplendissait d'une grande*
*quantité d'or, d'argent et de pierres précieuses.*

Ce n'est que
par les monnaies
grecques
et romaines
que nous pouvons
conjecturer
de l'aspect du
temple d'Émèse :
un édifice
de style
hellénistique
construit
autour du bétyle.

Le culte des pierres, les bétyles, à qui l'on attribuait une origine divine, fut commun à bien des peuples d'Orient. On peut lui rapprocher celui de la Pierre Noire de la Ka'ba, à la Mecque, antérieur à l'Islam puisqu'on dit qu'elle aurait été donnée à Abraham par l'archange Gabriel, ou celui d'Aphrodite vénérée en son temple de Chypre sous la forme d'une pierre noire. Souvent le culte des bétyles fut associé à celui du soleil : le mot « bétyle » signifiant « Maison de Dieu », ne peut-on pas en effet constater que, bien après le coucher de l'astre du jour, la pierre en conservait encore longtemps la chaleur, comme si elle était habitée par le dieu ?

À Émèse, le bétyle, haute pierre au sommet arrondi qui devait plus ou moins ressembler à nos menhirs celtes, occupait le centre de la cour à ciel ouvert. Il reposait sur un socle de pierre, à la base duquel étaient creusées de nombreuses niches abritant sans doute les divinités secondaires. Deux énormes éventails l'encadraient, parés de pierres précieuses. Le roi-prêtre en personne accomplissait la liturgie en l'honneur du dieu. Assisté de son clergé en grande tenue, il dansait autour de la pierre, au rythme des chanteurs et des musiciens, vêtu d'une robe de pourpre dont les interminables manches lui battaient les talons, d'un pantalon écarlate cousu de fils d'or, la tête couronnée d'or et de pierres précieuses.

## Un roi-prêtre au visage de Bacchus

Héliogabale n'avait que 14 ans lorsque les rudes légionnaires romains le découvrirent dansant autour du bétyle. Séduits par sa grâce, les soldats virent dans le petit prêtre une incarnation du jeune Bacchus. Ce n'en fut que plus facile pour Julia Maesa, la grand-mère d'Héliogabale, de le faire proclamer empereur par la troupe. Il ne restait plus qu'à marcher sur Rome.

Le bétyle
ne restait pas
enfermé dans
son temple :
Héliogabale
aimait à le
conduire
en procession
à travers la ville,
juché sur son char
devant lequel
lui-même dansait
à reculons, pour
ne pas quitter
des yeux la pierre.

Mais le nouvel empereur restait profondément attaché à son bétyle et ne consentit à entreprendre le long voyage qu'accompagné de sa chère pierre noire. Il fallut près d'une année à ce cortège baroque pour traverser la plus grande partie de l'Empire et rejoindre la capitale. À chaque étape, le jeune empereur, revêtu de son costume de prêtre, haranguait les foules, dansait et chantait devant son idole au rythme lancinant des tambourins orientaux. Il ne restait plus qu'à imposer aux Romains le culte de la pierre noire (voir pp. 118 et 119).

tous les chrétiens d'Orient, l'évidence s'imposa : on venait de retrouver la ceinture de la Vierge. Selon la tradition syriaque, elle fut emportée en Inde par saint Thomas, le patron de l'église syriaque, puis ramenée de là avec la dépouille de Thomas en 394. Depuis ce temps, elle aurait été dissimulée dans l'église de Homs. La vénérable relique est aujourd'hui exposée dans une petite chapelle qui s'ouvre à dr. de la nef principale.

**L'église Mar Elian**⁎ C2. Elle est consacrée au fils d'un officier romain qui fut tué par son père pour avoir refusé d'abjurer le christianisme. Dans la crypte où repose le saint, fut découvert en 1970 un ensemble de fresques du XIIe s. Elles ont été recouvertes dans un souci de protection (les scènes illustrant l'histoire de saint Elian sont modernes). On peut, en revanche, y voir d'autres panneaux peints que certains spécialistes font remonter au VIe s.

**À voir encore.** Au S de la ville (mieux vaut s'y rendre en voiture) s'élève le tell de Homs (éminence artificielle signalant la présence d'un site archéologique). On y retrouve des traces d'habitat remontant au milieu du IIIe millénaire. Cette éminence fut utilisée par la suite à des fins militaires par les Ayyoubides et les Mamelouks qui la fortifièrent. Rien de bien passionnant à voir.

**Office du tourisme** A2. Avenue Choukry al-Kouwatli. *Ouv. en été de 8h à 14h et de 16h à 22h ; en hiver de 8h à 14h et de 16h à 20h ; f. le ven.* ☎ (031) 22.39.89. On vous y donnera un plan de la ville ; n'espérez pas grand-chose de plus.

### Hôtels

▲▲▲ **Grand Hôtel,** hors plan par A2 route de Damas ☎ (031) 23.20.99. *65 ch.* VISA AE. Très agréable, moderne, à la lisière S de la ville ; jolie réception, ch. très bien agencées. Une bonne étape. ▲▲▲ **Safir Hôtel,** rue Ragheb aj-Jamali hors plan ☎ (031) 41.24.00, fax 43.34.20 ; VISA, AE. *100 ch.* Grand confort, très prisé des hommes d'affaires. Piscine et court de tennis. Joli jardin. ▲▲ **Mimas,** rue Shari hors plan ☎ (031) 22.02.24. *35 ch.* Très sympathique petit hôtel, bien entretenu. Toutes les ch. sont pourvues de petits balcons ; certaines sont des suites à plusieurs pièces et cuisine, idéales pour des petits groupes de 4 à 6 personnes. Excellent accueil et petit prix. ▲ **Ragadan,** av. Choukry al-Kouwatli A2 ☎ (031) 22.51.11. *30 ch.* Très simple et très bon marché.

### Restaurants

Quelques petits restaurants dans le centre, autour de l'Office du tourisme. Rien de bien fameux. Pour déjeuner rapidement, essayez le Toledo, à 50 m derrière l'office du tourisme. Pour bien manger, dans un cadre agréable, il faut quitter le centre-ville et gagner le faubourg de Mimas, au N-O de la ville. Là, au bord de la rivière, vous trouverez plusieurs restaurants très prisés des notables homsiotes.

♦♦ **Dik el-Jinn** ♥, Mimas ☎ hors plan par A1 (031) 22.49.86. Agréables jardins, belle salle donnant sur l'Oronte. Spécialités locales et quelques plats de cuisine occidentale. Buffet les ven. à midi (réserver). On peut aussi goûter au vin local : Al-Mimas, une sympathique petite piquette qui se décline en doux (à éviter) ou en sec.♦♦ **Al-Ahram** (**Les Pyramides**), Mimas ☎ (031) 23.46.65. Voisin du Dik el-Jinn ; il lui ressemble en tous points, tant pour les décors et les spécialités que pour la clientèle.

# HAMA**

➤ *Bus et taxis collectifs depuis et pour les principales villes du pays. Visite : 3h suffisent pour découvrir l'essentiel de la ville. Vous pourrez toutefois choisir d'en faire une étape au cours de votre périple en Syrie : les possibilités hôtelières sont bonnes et la proximité du site d'Apamée rend l'excursion possible en une demi-journée.*

Hama doit sa renommée touristique à ses 17 **norias**\*\*\*. Grâce aux soins attentifs que leur prodigue la municipalité, elles tournent toujours. Si elles n'acheminent plus l'eau dans les jardins de la ville, elles font la joie des enfants qui s'en servent de plongeoir. Le charme de ses ruelles qui bordent l'Oronte et de bonnes possibilités hôtelières s'ajoutent pour faire de Hama une agréable étape sur les routes de Syrie.

## Amath et Epiphania
Mentionné dans la Bible sous le nom de Amath, le site abrita, vers le Xe s. av. notre ère, la capitale de l'un des royaumes araméens de la Syrie du N. Soumise un temps au roi David, elle affirma par la suite son indépendance jusqu'aux invasions assyriennes et perses, à la suite desquelles elle fut saccagée à plusieurs reprises. De cette histoire lointaine, il ne reste que peu de choses : un tell au N-O de la ville, aménagé aujourd'hui en parc et où les archéologues ont mis au jour quelques soubassements de bâtiments officiels : palais, casernes et magasins ainsi que divers objets dont certains sont exposés au musée de la ville (voir p. 120). Sous le nom d'Epiphania donné par les Séleucides, la ville demeura un centre commercial d'importance secondaire jusqu'à l'époque byzantine.

## Un jardin sur l'Oronte
Durant les premiers siècles de l'islam, Hama vécut dans l'ombre de Damas, la capitale omeyyade, puis dans celle des principautés rivales qui se déchiraient la Syrie du nord. Avec l'avènement des Ayyoubides au XIIIe s., les successeurs de Saladin, Hama retrouva sa vocation de centre agricole de première importance. C'est de cette époque que datent les premières norias. Ces immenses roues, dont les plus grandes atteignent 20 m de diamètre, montaient l'eau depuis la rivière jusque dans des canalisations d'où elle partait ensuite dans les divers quartiers de la ville et dans les champs et jardins des environs.

## Une cité traditionaliste
Quatrième ville syrienne par sa population, Hama passe pour l'une des plus traditionalistes en matière de mœurs. Le réputation ne semble pas usurpée lorsque l'on considère la forte proportion de femmes voilées que l'on rencontre dans les rues. C'est sans doute ce traditionalisme qui servit de terreau aux activités des frères musulmans qui, en 1982, déclenchèrent un soulèvement armé contre les autorités de Damas. La reprise en main de la ville se solda par des milliers de victimes (voir p. 54) et la destruction d'une partie du centre. Depuis, les restaurations sont allées bon train, tant dans le palais Azem, dont la coupole fut sévèrement endommagée, que dans la mosquée des Omeyyades, qui fut pratiquement rasée et que l'on reconstruit à l'identique en 1995.

# HÉLIOGABALE, « L'ANARCHISTE COURONNÉ »

*Pendant quatre ans, un jeune prêtre d'Émèse,
descendant de Bédouins, régna sur Rome et son Empire.
Ce furent quatre années de la plus folle débauche,
dans une Rome étourdie de jeux, de luxure et de complots,
sous l'œil goguenard des chrétiens, qui voyaient dans ces
extravagances l'annonce de la défaite prochaine du paganisme.*

## Rome dirigée par des princesses syriennes

De l'avènement de Septime Sévère au trône
impérial, en 193, à l'an 235, à l'exception du bref
règne de Macrin en 217, des femmes syriennes
présidèrent aux destinées de l'Empire romain.
Après l'assassinat de Caracalla
par l'usurpateur Macrin en 217,
Julia Maesa, fille d'un grand prêtre
d'Émèse, prend la tête du clan émésien,
après la mort de sa sœur Julia Domna,
l'épouse de Septime Sévère. Depuis
son exil d'Émèse, son seul espoir
de reconquérir le pouvoir impérial
et de retrouver les fastes de Rome
auxquels elle a pris goût réside dans son
petit-fils, Bassianus, roi-prêtre d'Émèse,
celui que les Romains allaient bientôt
proclamer empereur sous le nom
d'Héliogabale. De fait, après avoir jeté
la tunique impériale sur les épaules
de l'adolescent, les légionnaires marchent
victorieusement contre Macrin,
sous les harangues de la grand-mère
qui suit la troupe avec son petit-fils. Défait
près d'Antioche, Macrin est exécuté alors
qu'il s'enfuit vers l'Europe. Sitôt arrivé à
Rome, Héliogabale érige un sanctuaire
pour son bétyle et contraint les Romains
à lui rendre un culte. On voit ainsi les sénateurs
romains, affublés de chatoyantes tuniques
orientales, n'être pas les derniers à participer
aux orgies liturgiques.

Buste d'Héliogabale,
celui qu'Antonin Artaud
appelait « l'anarchiste
couronné ». Ce marbre
de 64 cm est conservé
au musée du Capitole,
à Rome.

## Le règne de toutes les folies

Rome est alors comme prise de folie. Nuit et jour,
ce ne sont que grandes bacchanales où l'empereur,
grimé en courtisane, accompagné d'une cohorte
d'hétaïres, se livre aux plus excentriques débauches
en compagnie de ses mignons. Il entretient du reste
un intérêt très vif pour les prostituées : il réunit
un jour toutes les filles de joie de Rome,
avec leurs protecteurs, et préside, travesti
en femme, un véritable congrès au cours duquel
il s'enquiert du détail de leur activité
en les appelant « camarades ». Il va jusqu'à leur
faire distribuer les réserves de blé de Rome

*Les Roses d'Héliogabale*, œuvre de Laurence Alma-Tadema (1836-1914), collection privée. Si les scènes de débauche où s'éteignirent les derniers feux de l'Empire romain ont vivement frappé les imaginations à leur époque, ces temps de décadence ont aussi fourni une abondante source d'inspiration aux peintres européens de la fin du XIXe siècle.

– des réserves pour 7 ans. D'autres jours, il organise des processions à travers la ville pour son bétyle (voir p. 115) ; lui-même conduit les rênes d'un char couvert d'or et de pierres précieuses, marchant à reculons pour ne pas quitter des yeux l'idole. À la fin de la journée, il jette du haut des tours, à la foule hurlante massée en contrebas, des vases d'or et d'argent, des pluies de pièces de monnaie, voire des animaux vivants. Pendant ce temps, les plus hautes charges de l'Empire sont confiées à des danseurs, des comédiens ou des cochers de cirque.

## La fin du prêtre empereur

Un temps amusé par ces extravagances et cette prodigalité, le peuple de Rome finit par se lasser. Dans leur caserne, les prétoriens grondent. Le 13 mars 222, le jeune empereur est attiré dans leur camp aux portes de Rome et conduit dans le temple de la caserne. La rencontre est dramatique : d'un côté Mammée, sa tante, presse les soldats de tirer leur épée contre l'empereur et d'acclamer son propre fils Alexandre, de l'autre Soaemias, sa mère, hurle aux prétoriens de n'en rien faire. Fou de terreur, l'empereur n'a que le temps de se réfugier dans les latrines où il est exécuté. Son corps décapité est ensuite traîné, avec celui de sa mère, jusqu'à Rome, à 3 km de là. On jette le corps de Soaemias à l'égout le plus proche tandis que celui de son fils est tiré sur la piste du cirque avant que les restes informes et sanguinolants ne soient jetés dans le Tibre. Sévère Alexandre peut alors régner, et prolonger pour quelques années encore le règne du clan des Émésiens.

*Advenus Augustus*, l'« arrivée d'Auguste » (c'est le nom que se donnaient tous les empereurs romains), rappelle les cortèges extravagants qu'Héliogabale conduisait à travers Rome. Monnaie en or, revers, IIIe s., Bibliothèque nationale (Paris).

## Sur les bords de l'Oronte

C'est à pied que vous partirez à la découverte du vieux Hama, sur la rive S de l'Oronte. Vous l'atteindrez en franchissant le pont qui se trouve au pied de l'hôtel Cham A1. De là, une agréable promenade longe l'Oronte en suivant de pittoresques ruelles en partie couvertes. En chemin, se trouve le palais Azem qui abrite le musée de la ville B2.

**La mosquée An-Nouri**\* doit son nom à l'atabeg d'Alep Nour ed-Din qui en ordonna la construction en 1172. Le minaret de basalte et de grès date de cette époque, de même qu'à l'intérieur, le minbar, la chaire, don de Nour ed-Din. Quelques pierres de réemploi portent des inscriptions grecques. Empruntez ensuite un passage voûté, au coin de la mosquée, du côté de la rivière. 200 m plus loin s'ouvre à g. le palais Azem.

**Le palais Azem**, *ouv. de 9h à 18h en été et de 9h à 16h en hiver ; f. le mar., entrée payante.* Ce splendide palais fut construit en 1740 par Assad Pacha, le puissant gouverneur qui fit édifier le palais Azem de Damas (voir p. 82). La demeure, agrandie en 1780 et en 1830, appartint à ses descendants jusqu'en 1920, date à laquelle elle abrita une école avant d'être transformée en musée en 1956. Le palais fut gravement endommagé en 1982, le dôme notamment, dont la reconstruction était pratiquement achevée en 1995. Vous commencerez votre visite par le **sélamlik**, à g. du guichet d'entrée. Cette partie, ajoutée en 1780, servait aux réceptions officielles du maître des lieux. Sur le **rez-de-chaussée** ouvrent quelques pièces utilisées comme remises tandis que les salles de réception se trouvent en haut d'un escalier plutôt raide. Ces salles donnant sur l'Oronte et précédées d'une loggia, conservent une grande partie de leur décoration originelle, une sorte de rococo à l'orientale, avec de magnifiques plafonds en bois peint. Elles étaient en cours de restauration en 1995. Vous entrerez ensuite dans le **hammam** qui ouvre sur le rez-de-chaussée et débouche de l'autre côté sur le **haramlik**. Avec cette belle cour plantée de magnolias, de citronniers et de cyprès commence la partie privée du palais. Au centre, dans un bassin, glougloute l'eau de l'Oronte, amenée par les norias. Remarquez le superbe iwan et le travail de décoration de marbres polychromes. Dans la cour sont disposés des vestiges archéologiques, principalement des époques hellénistique et romaine. Avant de monter à l'étage, entrez dans une longue pièce à g. : c'est un ancien magasin où sont exposés quelques-uns des objets découverts lors des fouilles entreprises sur la citadelle. Le chef-d'œuvre de cette salle est une somptueuse **mosaïque** du IVe s. provenant de Mariamin, un petit village à l'O de la ville.

♥ **La mosaïque des Musiciennes**\*\*\*. Son étude a passionné historiens et musicologues. On peut, en effet, y voir un groupe de musiciennes jouant de leur instrument : crotales, sorte de crécelles, flûtes, castagnettes. Deux instruments surtout ont retenu l'attention des savants : un orgue à 19 tuyaux actionné par l'air que propulse un soufflet manié par deux chérubins et huit bols de métal que heurte la jeune femme du premier plan à l'aide de baguettes de bois : une technique importée, pense-t-on, de l'Inde lointaine. Quant à la facture elle-même, avec ses minuscules tessels qui soulignent à merveille les détails et ses profonds visages aux grands yeux pensifs, elle annonce le grand art byzan-

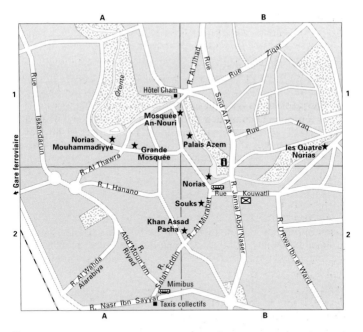

**Hama**

tin. Une œuvre maîtresse de l'antiquité tardive, à ne pas manquer. Au **premier étage** *(accès par un petit escalier de pierre)* se trouve une terrasse bordée, d'un côté, par des pièces où sont exposées des scènes ethnographiques, de l'autre par une magnifique façade qui précède les salles de réception privées. La pièce centrale, surmontée d'une coupole qui domine le palais de ses 16 m de haut, est encadrée de trois salles dotées de balcon de bois qui donnent sur l'Oronte. L'ensemble a été considérablement restauré après 1982. Continuez ensuite votre chemin en sortant du musée par la g. En suivant la ruelle principale, vous atteindrez bientôt un agréable **jardin public** au bord de l'Oronte, aménagé au pied des norias. Plusieurs restaurants offrent leur terrasse face aux immenses roues.

## À voir encore
**Les quatre norias**\*\*\* B1. Vous les atteindrez en suivant la promenade aménagée en bordure de l'Oronte. En face se trouve l'un des meilleurs restaurants de la ville, *Les 4 norias(Four Norias)*. **Le khan Rustum Pacha** B2, construit au XVIe s., était en 1995 en cours de restauration par le service du ministère du Tourisme. **Le khan Assad Pacha** B2 date du XVIIIe s. Il est doté d'une magnifique façade et abrite aujourd'hui une école technique. **La Grande Mosquée** A1. La mosquée des Omeyyades de Hama fut entièrement détruite lors des événements de 1982. Le service des Antiquités s'emploie à la reconstruire à l'identique (les travaux se poursuivaient en 1995). **Les norias Mouhammadiyyé** A1, où l'on peut voir la plus grande noria de la ville. Une inscription sur l'aqueduc rappelle sa construction au XIVe s.

**Office du tourisme.** Rue Saïd al-A'as B1 ☎ (0331) 51.10.33. *Ouv. en hiver de 8h à 14h et en été de 8h à 19h ; le ven., le matin slt de 9h à 12h.* Comme souvent, pas grand chose à en tirer sinon un plan gratuit de la ville.

## Hôtels

▲▲▲▲ **Apamée Cham Palace,** Jisr ar-Raïs A1 ☎ (0331) 22.74.29. *200 ch.* VISA, AE, DC, MC. Le seul 5 étoiles de Hama, perché sur une éminence, domine les norias et la rive de la vieille ville. Terrasse dominant l'Oronte. ▲▲ **Noria,** rue Kouwatli B2 ☎ (0331) 51.17.15. *20 ch.* Au cœur de l'animation urbaine ; vraiment excellent pour un tout petit prix : ch. très bien tenues (air cond.) et personnel très aimable. ▲ **Riad,** rue Kouwatli B2 ☎ (0331) 22.48.43. *18 ch.* Simple mais convenable ; ch. pourvues de réfrigérateur et d'air cond. ▲ **Basman,** Kornish B2 ☎ (0331) 22.48.38. Trop cher pour ce qu'on y trouve : très mal entretenu, ch. à peine propres. À n'utiliser que si vraiment tout est complet.

## Restaurants

♦♦ **Four Norias** ♥, Kornish ☎ (0331) 22.10.13. Très agréable terrasse au bord de l'Oronte et au pied des 4 norias. Idéale pour un dîner en été. Salle couverte en hiver. Très bonnes spécialités locales, de viande notamment. ♦ **Al-Rawda,** face aux norias Al-Mamouriyyé, au centre-ville. Pour un bon déjeuner en terrasse. ♦ **Sultan,** mosquée An-Nouri. Joli cadre dans une ancienne maison de la vieille ville. Au 1er étage.

## Pâtisserie

**Salorah** ♥, rue Kouwatli (au pied de l'hôtel Noria). L'une des pâtisseries les plus réputées de Syrie. Entre autres merveilles, vous pourrez goûter la spécialité de Hama, le *halawat al-giben* : une sorte de « saucisson » sucré, dont l'enveloppe est faite de fromage et l'intérieur de crème. On le trouve nature ou aromatisé de pistaches et nappé de miel. Un délice.

# LES ENVIRONS DE HAMA

Hama est un bon point de départ pour des excursions dans la région, notamment vers des sites qui n'offrent aucune possibilité hôtelière. L'excursion à ne pas manquer : **Apamée**\*\*\*, l'un des plus beaux sites antiques de Syrie (voir p. 129). En chemin, à **Qala'at Sheizor**\*, une forteresse musulmane du Moyen Âge domine l'Oronte. Une autre excursion d'une demi-journée vous conduira à **Qasr ibn Wardan**\*, une place forte byzantine à la lisière du désert, à env. 60 km de la ville. Vous pourrez aussi explorer le S du Massif calcaire, région plantée de dizaines de villes mortes byzantines (voir p. 175).

**Qala'at Sheizor**\*. *À 28 km au N-O.* Le **château de Sheizor** est planté sur un site superbe : un éperon rocheux dominant une étroite gorge au fond de laquelle rugissait jadis l'Oronte. Il s'est assagi depuis, avec la construction d'installations hydro-électriques à la sortie du défilé, qui ont rendu inutiles les norias au pied de la forteresse. Sheizor fut construit par les musulmans pour servir de point d'appui contre les croisés. Malgré de nombreuses tentatives, jamais les Francs ne purent s'en emparer. Il fallut deux séismes pour ébranler ses murailles (en

---

**Les norias, « ces roues ruisselantes qui tournent au fil du fleuve », enchantèrent Maurice Barrès ; leur gémissement fait partie du paysage de Hama depuis le XIIe s.**

1157 et en 1170) que restaura Nour ed-Din au XIIe s., puis le sultan Baybars au XIIIe s. Avec le départ des croisés, le fort perdit toute importance militaire. Un village s'y installa jusqu'à la Seconde Guerre mondiale. Les villageois ont, depuis, construit de nouvelles maisons au pied de la colline. Consacrez 1h à la visite du **fort**. On y entre par une superbe porte fortifiée. L'intérieur de la forteresse est assez ruiné ; le seul bâtiment encore debout est la petite mosquée du village du siècle dernier (stèles anciennes incorporées dans les murs). À l'extrémité de la forteresse, le **donjon** est impressionnant, de même que les vues sur le défilé que l'on découvre chemin faisant.

**Qasr Ibn Wardan\*.** *À 62 km au N-E.* Vestiges byzantins. Il s'agit d'une des places fortes que l'empereur Justinien fit édifier au VIe s. sur les marches de son Empire, à la lisière de l'immense steppe syrienne. Bien conservés sont les restes du palais du gouverneur et de ses dépendances, ainsi que les ruines d'une église. Les bâtiments utilisent briques et pierres de toutes sortes : basalte local, gypse importé, grès, marbre, etc., tandis que certains éléments d'architecture furent pris sur le site de l'antique Apamée. *Vous pourrez rentrer à **Hama** en faisant un détour par Salamiyé, à 30 km au S-E de Hama, localité peuplée d'une importante communauté ismaélienne (voir p. 63).*

## ♥ LE KRAK DES CHEVALIERS\*\*\*

➤ *Depuis Homs, prendre la dir. de Tartous, puis tourner à dr. à 40 km env. : un panneau en français indique la direction du château. Comptez au moins 2h de visite. Ouv. t.l.j. de 9h à 16h en hiver (18h en été). Entrée payante.* Le château vedette de Syrie tient toutes ses promesses. Ce n'est pas, et de loin, le plus vaste des forts croisés de Terre Sainte. Il apparaît au contraire comme une masse compacte, repliée sur elle-même, tassée comme un fauve prêt à fondre sur Homs ou sur Hama d'où, à en croire un voyageur arabe, on pouvait apercevoir les feux du château. Cet avant-poste de la chrétienté, merveilleusement conservé, domine la célèbre troué de Homs, qui fait communiquer le littoral avec l'intérieur.

Le Krak doit son nom arabe, **Hosn el-Akrad**, à une garnison de soldats kurdes que l'émir de Homs installa sur cette position hautement stratégique en 1031. En 1099, avant même d'avoir atteint Jérusalem, les Croisés s'en emparèrent, conduits par Raymond de Saint-Gilles, comte de Toulouse. Elle fut, en 1142, remise aux chevaliers de l'Hôpital, à qui l'on doit l'essentiel de la construction.

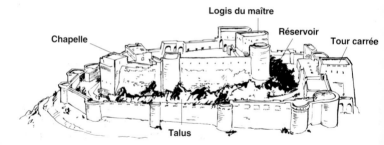

Logis du maître

Réservoir

Tour carrée

Chapelle

Talus

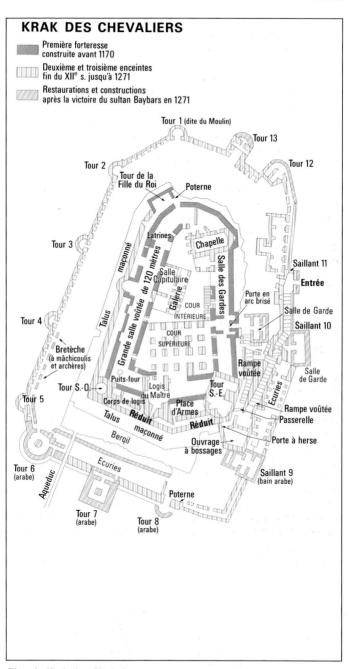

# KRAK DES CHEVALIERS

Première forteresse construite avant 1170

Deuxième et troisième enceintes fin du XIIe s. jusqu'à 1271

Restaurations et constructions après la victoire du sultan Baybars en 1271

Tour 1 (dite du Moulin)

Tour 13

Tour 2

Tour 12

Tour de la Fille du Roi

Poterne

Latrines

Chapelle

Tour 3

Salle des Gardes

Salle Capitulaire

Saillant 11

Galerie

Entrée

Porte en arc brisé

COUR INTÉRIEURE

Tour 4

COUR SUPÉRIEURE

Salle de Garde

Saillant 10

Bretèche (à mâchicoulis et archères)

Rampe voûtée

Puits-four

Salle de Garde

Tour S.-O.

Logis du Maître

Tour S.-E.

Écuries

Tour 5

Corps de logis

Place d'Armes

Rampe voûtée

Réduit

Réduit

Passerelle

Talus maçonné

Ouvrage à bossages

Porte à herse

Berqil

Tour 6 (arabe)

Écuries

Aqueduc

Saillant 9 (bain arabe)

Poterne

Tour 7 (arabe)

Tour 8 (arabe)

Maçonné

Grande salle voûtée de 120 mètres

Talus

**Plan du Krak des Chevaliers**

Contrairement à la plupart des châteaux francs, le Krak des Chevaliers ne possède pas de basse-cour, ce vaste périmètre entouré d'une muraille où logeaient soldats et animaux. Les chevaliers, quant à eux, occupaient la partie haute de la citadelle et le donjon, protégés par une seconde muraille intérieure. Rien de tel ici : une **double enceinte** protégeait un périmètre compact où s'entassaient sur plusieurs niveaux bêtes et chevaliers, hommes de troupe et serviteurs. Quelque 2 000 hommes, dit-on, y tenaient garnison. Des chevaliers, bien sûr, et des fantassins venus d'Occident, mais aussi des troupes indigènes levées localement. Ainsi les terribles turcoples, ces cavaliers musulmans au service des chrétiens qui étaient d'autant plus vaillants au combat qu'ils n'attendaient aucune grâce de leurs coreligionnaires s'ils venaient à tomber entre leurs mains. Au pied du château, dans la plaine qu'ils nommèrent Boquée, les chevaliers installèrent des colons chrétiens pour exploiter les riches terres agricoles.

Le Krak n'abritait pas la demeure d'un seigneur, mais bien une communauté militaire, dirigée par des moines soldats, conscients du rôle capital que tenait la forteresse dans la défense avancée de la Syrie franque. D'où les immenses **réfectoires** réservés aux hommes de troupe – on trouve au Krak la plus vaste des salles de ce type de toutes les forteresses franques –, mais aussi une **salle des chevaliers**, délicat ouvrage construit au XIIIe s. dans un superbe style gothique, ou une **chapelle** émouvante de simplicité dont les quelques fresques retrouvées sont exposées aujourd'hui au musée de Tartous (voir p. 137). Les maîtres du Krak logeaient dans trois puissantes **tours** qui assuraient la défense de l'ouvrage vers le S-O, le côté le plus vulnérable. Elles servirent de dernier réduit lors de la prise du château par Baybars en 1271.

Bien des conquérants musulmans brisèrent en vain leur épée contre les formidables murailles de la citadelle des Hospitaliers. Au premier rang d'entre eux, Nour ed-Din puis Saladin qui, à plusieurs reprises, tentèrent sans succès de s'emparer de la citadelle. Ce n'est que dans les dernières décennies de la présence franque en Orient, lorsque les États latins n'étaient plus réduits qu'à quelques lambeaux épars, que les musulmans réussirent à prendre le Krak. Cet honneur revint au sultan **Baybars** qui, à la tête de ses Mamelouks, vint planter le siège devant les murs du Krak le 24 mars 1271. Le dernier espoir de renfort pour les Francs était mort 6 mois plus tôt à Tunis avec saint Louis. Les sapeurs de Baybars entreprirent de creuser des mines sous les murs contre lesquels furent jetées des échelles de bois, prêtes à l'assaut final. Bien vite, les musulmans se ruèrent dans la place. À l'intérieur, ils rencontrèrent une soixantaine de chevaliers à la tête d'une petite troupe de fantassins. Par trop inégal, le combat tourna très rapidement en faveur des assaillants. Bon nombre des chevaliers furent tués dès le premier assaut et les survivants n'eurent que le temps de se réfugier dans le logis du maître, une des tours qui dominent le côté S-O. Ils obtinrent grâce et furent autorisés par Baybars à quitter la place sains et saufs. C'est que le sultan n'entendait pas détruire une si formidable place forte : il craignait une contre-attaque des Hospitaliers qui tenaient toujours le Marqab (voir p. 142). C'est du reste aux Mamelouks que l'on doit les dernières fortifications de la citadelle, ainsi que l'inscription en arabe au-dessus de l'entrée, qui rappelle la victoire de Baybars. Mais lorsque les Francs furent définitivement chassés de Terre Sainte, avec la chute de Saint-Jean-d'Acre en 1291, la citadelle devint inutile et tomba rapidement dans l'oubli.

## La renaissance d'un château

Lorsqu'après la Première Guerre mondiale les architectes français, dépêchés sur place par la puissance mandataire, abordèrent le site, ils trouvèrent, à l'intérieur même de la citadelle dont les murs étaient pour l'essentiel debout, une communauté alaouite d'environ 600 âmes. Depuis des générations, ces derniers occupaient le site, utilisant les immenses salles comme écuries, greniers et habitations, vivant somme toute comme les chevaliers quelques siècles avant eux. Pour des raisons historiques et politiques (le château fut déclaré « monument français »), la restauration du Krak fut l'une des premières tâches archéologiques entreprises par les Français au Levant. Il fallut d'abord déloger les habitants, dont les descendants occupent aujourd'hui le petit village en contrebas du Krak, puis déblayer les tonnes de gravats qui encombraient les salles, parfois jusqu'au plafond. À ces travaux de restauration est associé le nom de Paul Deschamps, l'architecte français qui conduisit les travaux et publia en 1934 un volumineux ouvrage en 2 volumes qui fait toujours autorité. Les travaux se poursuivirent après 1946 pour offrir au visiteur le plus bel exemple de l'architecture militaire franque de Terre Sainte.

## Sur les pas des Croisés

Ce n'est pas le lieu ici d'entreprendre une description détaillée du Krak. Nous nous contenterons de vous suggérer un itinéraire qui vous permettra de traverser l'essentiel du site.

Dès l'entrée, s'impose l'évidence d'un ingénieux **système défensif**. Passé le portail monumental (sous lequel se trouve le guichet où l'on prend les billets), il faut tourner à g. à angle droit pour s'engager sur une longue rampe qui conduit aux parties supérieures de l'édifice. Sur la g., ouvrent des **salles de garde** et des **écuries** dont certaines étaient pourvues de puits. Au sol, le dallage originel est constitué de larges pierres irrégulières de façon à permettre aux chevaux « d'accrocher » sur la roche glissante.

En haut de cette première rampe s'ouvre un espace plus large : vous laisserez à dr. une seconde rampe en épingle à cheveux qui conduit, après un dernier coude à g., à la **cour intérieure** du château (ou cour basse). Continuez tout droit, de manière à aboutir dans le vaste espace à ciel ouvert qui sépare les deux enceintes, intérieure et extérieure. Vous remarquerez, dans la dernière porte qui conduit à l'extérieur, l'emplacement de la **herse**, puis au-delà, à dr., un vaste réservoir, le **berqil**, qui servait à conserver l'eau pour les bêtes. De fait, les écuries se trouvaient tout à proximité : il s'agit d'une longue salle voûtée qui court au pied de la muraille extérieure. Vous entrerez d'un côté pour sortir de l'autre : tout de suite à g. s'élève une **tour** ronde (tour 6), œuvre des Mamelouks avec son énorme pilier central.

Suivez ensuite le chemin entre les deux enceintes ; vous remarquerez, appuyé au mur intérieur, un énorme talus de pierre, destiné à soutenir la muraille. À l'intérieur fut aménagé un long couloir sur lequel ouvrent des meurtrières (une petite porte y donne toujours accès pour les plus aventureux ; lampe indispensable et présence du gardien fortement conseillée).

Continuez votre chemin (des escaliers de place en place permettent d'accéder au chemin de ronde du mur extérieur) de manière à contourner la forteresse pour aboutir à un petit escalier au pied du mur (la « Porte en arc brisé », sur le plan) ; après un coude à dr. (vous rejoignez à ce point la seconde rampe intérieure dont vous avez vu l'entrée au début de votre visite), vous atteindrez la **cour intérieure** de la citadelle.

Engagez-vous ensuite à g. dans une succession de salles couvertes (elles se trouvent, en fait, situées sous la cour supérieure et le « logis du maître »). Elles servaient en grande partie de **remise** ; ainsi les deux salles du fond conservent-elles des restes de jarres ; dans la dernière salle se trouve également un puits ; là s'ouvre un passage voûté qui conduit au chemin de ronde extérieur, sous la tour S-O.

Revenez sur vos pas, puis obliquez vers la gauche. De grandes salles soutenues par des piliers servaient de **réfectoire** aux hommes de troupe : notez les pieds de table en pierre. Vous emprunterez, à g. de ces salles, un petit passage qui descend vers les **cuisines** du château (« Puits-four » sur le plan) dotées d'un gigantesque four et d'un puits profond de 27 m. À dr. de ces cuisines s'ouvre une immense salle de 120 m de long, qui court en fait sur toute la longueur du mur O : elle servait de logis principal aux hommes de troupe. Au fond de la salle à g. subsiste une douzaine de latrines.

Par un escalier à dr., on accède à l'une des plus belles réalisations du château : la **salle capitulaire**. Elle fut construite au XIIIe s., c'est-à-dire dans les dernières années du Krak, alors que la menace musulmane se faisait de plus en plus pressante. Les architectes, venus sans doute d'Occident, taillèrent le beau calcaire dans ce style gothique champenois qui venait d'éclore dans le N de la France. Dans cette salle d'une rare élégance et qui évoque une galerie de cloître, les Chevaliers honoraient leurs hôtes de marque. C'est là aussi qu'ils se réunissaient pour discuter de l'organisation de leur communauté ou de questions militaires. Les baies ménagées dans la galerie permettaient aux hommes d'assister, de l'extérieur, aux débats. Sous l'une des baies, on a pu relever une inscription en latin : *Sit tibi Copia / Sit Sapientia / Formaque detur / Inquinat Omnia Sola / Superbia Si Comitetur* (Que richesse, sagesse et beauté te soient données. Mais garde-toi de l'orgueil qui souille tout le reste). Une seconde inscription en vieux français est plus difficile à interpréter.

En face de la salle des Chevaliers, la modeste **chapelle** du château est construite dans un beau style roman. La présence d'un minbar et d'un mihrab indique qu'elle fut par la suite transformée en mosquée. Lors des travaux de restauration, on découvrit de belles **fresques** qui sont aujourd'hui déposées au musée de Tartous (une Présentation au Temple, notamment).

Il ne vous reste plus qu'à découvrir la **cour supérieure** du château : on y accède par un escalier de pierre qui prend à g. de la cour lorsqu'on sort de la chapelle. Au-delà de la cour supérieure, un escalier permet d'accéder aux trois tours massives qui défendaient la partie la plus faible du château. C'est dans la dernière d'entre elles – appelée le logis du Maître – que les derniers défenseurs du Krak trouvèrent refuge en 1271. Un escalier en colimaçon à l'intérieur conduit à une élégante pièce au second étage : c'était, dit-on, la demeure du maître des lieux. Vous pourrez poursuivre votre ascension jusqu'à la terrasse d'où l'on découvre un magnifique point de vue sur la région. Pour les Chevaliers, la partie la plus élevée du château était d'une grande utilité : c'est là que l'on allumait les feux qui permettaient de communiquer avec la citadelle de Safita, que l'on aperçoit dans le lointain, et au-delà avec les places fortes du littoral, le château du Marqab notamment, autre possession des Hospitaliers.

Votre visite s'achève là, à moins que vous ne souhaitiez prendre quelques instants de repos dans le petit café aménagé dans la tour de la Fille du Roi (accès par la terrasse supérieure, voir plan) ; on peut également y déjeuner.

## Le monastère Saint-Georges

*À 6 km au N ; faites-vous indiquer la direction par le gardien du château.* Ce monastère grec orthodoxe fut fondé, croit-on, au VIe s. sous le règne de l'empereur Justinien. Il fut augmenté d'une chapelle au XIIe s., à l'époque où les Croisés occupaient le Krak, puis d'une seconde chapelle au XIXe s. On entre dans le monastère par la partie supérieure, c'est-à-dire celle où se trouve la « **nouvelle église** » construite en 1857. Par un escalier, on descend vers les niveaux plus anciens : l'« **ancienne église** » est dotée d'une superbe iconostase en ébène sur laquelle sont disposées des icônes du XVIIIe s. Plus bas encore, on peut voir les vestiges du premier monastère byzantin, principalement l'ancien portail. Le monastère attire une foule de pèlerins venus de toute la Syrie et du Liban lors de la fête de saint Georges le 6 mai.

### Hôtels

▲▲▲ **Al-Wadi**, à 500 m du monastère de Saint-Georges. ☎ (031) 73.04.56, fax 73.03.99. *33 ch.* Superbe hôtel tout neuf (il a ouvert ses portes en 1992) au pied du Krak des Chevaliers, sur lequel on découvre de superbes vues depuis les ch. (toutes pourvues d'un balcon) et les jardins. Très propre et très sympathique. Ambiance familiale avec terrain de jeux pour les enfants: on y vient surtout l'été pour y trouver un peu de fraîcheur. Piscine.

▲▲ **Amar Tourist Resort**, route de Tartous, à 5 km du Krak ☎ (031)73.05.12. *17 appartements. Ouv du 15 avril au 15 oct.* Sur une hauteur dominant un joli paysage de vignes et d'oliviers, cet établissement s'adresse surtout aux familles syriennes et libanaises. On y trouve, en fait, des appartements dotés d'une cuisine et de deux ch., le tout pour une somme très modique. Restaurant et piscine. Un bien agréable endroit pour une journée de repos.

### Restaurants

Rien de bien notable dans la région. Vous pourrez déjeuner de grillades dans le petit café installé à l'intérieur du Krak, dans la tour de la Fille du Roi, ou dans un petit restaurant très simple, la Table Ronde (!) à 300 m au-delà de l'entrée du château. Dans le village au pied du Krak, des épiceries permettent de s'approvisionner en eau minérale et en biscuits.

# APAMÉE SUR L'ORONTE ★★★

Dominant la plaine du Ghab, l'extrémité N de la grande dépression syro-africaine qui se termine dans la vallée du Rift au Kenya, le site d'Apamée est avec Palmyre l'un des plus beaux sites antiques de la Syrie. Deux temps forts dans la visite d'Apamée : le **site de l'antique ville basse** dont le clou est la grande colonnade, et l'ancien khan ottoman qui abrite le **musée local** : on peut y voir notamment de superbes mosaïques exhumées sur le site. S'il vous reste encore du temps, vous pourrez grimper à la citadelle, le village actuel de Qala'at al-Mudiq, construit au milieu des ruines de la forteresse médiévale.

## Apamée, une création séleucide

Apamée est aujourd'hui réduite à ce qu'elle était à ses origines : un village perché sur une butte dominant la dépression du Ghab. Là, les archéologues ont relevé des traces d'habitat remontant au Ve millénaire. Si Alexandre laissa sur place une garnison macédonienne après son passage, Apamée naquit véritablement en 301, lorsque Séleucos, après avoir remporté la victoire sur ses rivaux, décida de construire au pied de l'acropole l'une des quatre cités séleucides de Syrie avec Laodicée (Lattaquié), Antioche et Séleucie, à l'embouchure de l'Oronte (ces deux dernières sont aujourd'hui en Turquie). De cette ville hellénistique importante – selon le recensement de l'an 6-7 de notre ère, on n'y comptait pas moins de 500 000 habitants – il ne reste que peu de choses. Elle fut ravagée par un séisme en l'an 115 et reconstruite durant tout le IIe s. La ville est alors entourée d'une muraille de 7 km de long, dont les archéologues assurent qu'elle mesurait 10 m de haut, ponctuée d'une cinquantaine de bastions. Du N au S courait le cardo, l'artère principale de la ville, long de 1 800 m et bordé d'une majestueuse colonnade. Quatre cents de ces colonnes ont aujourd'hui été relevées et constituent l'un des attraits majeurs du site. Après une brève occupation sassanide en 256, la cité participe à la paix et à la prospérité qui règnent dans toute la Syrie byzantine et qui culmine au Ve s. C'est alors l'un des foyers du christianisme oriental, et la ville se couvre d'églises. L'une d'entre elles abrite la relique de la Sainte Croix. Victime de séismes au VIe s. Apamée tombe à nouveau en 573 aux mains des Perses sassanides. Quelque 292 000 prisonniers sont alors emmenés en Perse. La ville n'est pourtant pas abandonnée. Elle subit pour la dernière fois le joug perse entre 613 et 628. Reprise un temps par les Byzantins, c'est en libérateurs qu'elle accueille les armées musulmanes en 636. C'est qu'Apamée est devenue l'un des foyers de la résistance monophysite à l'empire de Constantinople et à son église officielle. Alors que l'acropole se voit par la suite disputée entre musulmans et byzantins, et que les croisés mêmes, avec Tancrède, viennent l'assiéger en 1106, le plateau de la ville basse est peu à peu abandonné. Le XVIIe s. voit la construction sur le flanc de la colline d'une élégante mosquée ainsi que d'un vaste caravansérail où sont conservées aujourd'hui quelques-unes des plus belles mosaïques mises au jour sur le site. Apamée, ou plutôt Qala'at al-Mudiq – la citadelle du défilé comme l'appellent les Arabes – restait une étape importante sur les routes caravanières de l'Orient.

## Le chœur des philosophes

Si Antioche était la capitale de l'empire séleucide, Apamée en fut la ville de garnison. Elle abritait plus particulièrement le centre des haras de l'Empire : dans la plaine du Ghab paissaient 40 000 chevaux et 500 éléphants. On y vit sans doute le célèbre Hannibal qui, chassé de Carthage par les Romains, vint mettre en 196 av. notre ère ses talents guerriers au service des Séleucides. Apamée fut aussi un centre agricole prospère : sur les rives de l'Oronte s'étendaient des jardins ; les plateaux au N de la ville, les premiers contreforts du Massif calcaire (voir p. 174) étaient couverts de vignes et d'olivettes tandis que le géographe Strabon, au premier siècle de notre ère, s'émerveillait des campagnes abondantes et fertiles, des vastes pâturages où paissent bœufs et chevaux. Sous le portique de la grande colonnade s'alignaient des boutiques aux belles façades peintes ou recouvertes d'un placage de faux marbre. On y trouvait tous les produits de la région, du vin notamment : sur le mur de leur boutique, les marchands affichaient leurs tarifs, l'un pour les vins vieux, un autre pour les vins jeunes, comme l'attestent plusieurs inscriptions retrouvées sur le site. Apamée fut aussi un des plus brillants foyers du paganisme en Syrie. Sur une colline à l'O de la colonnade, un immense temple dédié à Zeus Bêlos s'imposait aux regards. Des foules de pèlerins venaient y consulter son oracle, celui même qui prédit à Septime Sévère, qui n'était alors que général, un destin impérial. Au IVe s. fleurit à Apamée une école philosophique qui rayonna sur tout l'Orient. Elle défiait ouvertement Antioche dont les populations étaient plus largement gagnées à la nouvelle religion chrétienne ; de ce chœur des philosophes, dernier carré des défenseurs de l'hellénisme, se détacha la figure de Jamblique (250-330), maître de l'école néo-platonicienne d'Apamée.

## La ville basse

*Ouv. du lever au coucher du soleil ; entrée payante. Il n'y pas de guichet d'entrée, mais les gardiens, qui restent généralement à l'ombre des colonnes, ne manqueront pas de venir vous vendre le billet d'entrée, à un moment ou à un autre de votre visite. Vous commencerez votre visite à l'intersection du cardo (la grande colonnade) et du décumanus, recouvert aujourd'hui par la route asphaltée. Une petite cafétéria propose café, thé et boissons fraîches. De l'intersection, dirigez-vous vers le N en suivant la colonnade. Si vous avez un chauffeur, demandez-lui de vous attendre à l'autre bout. Cela vous évitera de revenir par le même chemin et vous permettra de découvrir les anciennes murailles de la ville, du côté N-E, là où elles sont le mieux conservées.*

### La colonnade***

Vous vous trouvez à présent sur la voie principale, l'artère officielle de l'antique Apamée. Là ont défilé les cortèges des grands conquérants et des visiteurs de marque : Pompée qui venait soumettre la ville au nom du Sénat ; Cléopâtre qui, avec son bel Antoine, tentait de soustraire l'Orient à l'emprise de Rome ; Septime Sévère venu consulter le célèbre oracle de Zeus ; Caracalla, un enfant du pays en somme (voir p. 113), qui revenait d'un voyage en Égypte ; Julien l'Apostat, le dernier empereur païen qui tenta bien maladroitement de ranimer les feux de la culture classique moribonde. À l'ombre des colonnes, les boutiquiers commentaient avec les passants les fastes du jour. Dans son état actuel, la colonnade, longue du N au S de 1 850 m, remonte pour l'essentiel au IIe s. de notre ère, époque à laquelle elle fut reconstruite après le séisme de 115. Large de 37,50 m, le **cardo** était bordé de part et d'autre d'un **portique**, dallé puis, plus tard, recouvert de mosaïques, sur lequel ouvraient les boutiques. De place en

place, des colonnes plus hautes annonçaient un édifice d'importance : les thermes, un temple, l'entrée de l'agora. Sur certains fûts de
colonnes, des consoles supportaient les statues d'hommes célèbres ou
de bienfaiteurs qui avaient participé à l'embellissement de la ville.
C'est ainsi que, grâce aux inscriptions qui ornaient les consoles ou les
bases des statues, les archéologues purent apprendre que c'est aux
largesses d'un certain L. Julius Agrippa que l'on doit les thermes de la
ville aux salles ornées de statues de bronze représentant Thésée et le
Minotaure ou Apollon et Marsyas…

L'intersection de la route moderne (le **décumanus**) et du cardo se
trouve à peu près aux deux tiers de la longueur de l'avenue. Vers le S,
le cardo conduit à la porte d'Émèse (ruinée). De ce côté, on peut voir
les vestiges d'une église du Ve s. où l'on retrouva des **reliquaires** de
saints : l'un d'entre eux est aujourd'hui déposé au musée d'Apamée
(voir plus bas) ; un autre se trouve dans les jardins du musée de
Damas. Inutile de continuer plus avant vers le S : ce ne sont que
ruines éparses.

La partie la plus intéressante du cardo s'étend entre l'intersection et
la porte N : c'est là que se dressent la plupart des **400 colonnes** relevées par les archéologues. En suivant la voie qui a largement conservé
son dallage antique, vous laisserez à 100 m sur votre g. les soubassements d'une petite mosquée, signe que le site était encore occupé à
l'époque musulmane. En poursuivant vers le N, vous laisserez à g.
l'entrée de l'**agora**, vaste place publique large de 45 m et longue de
300 qui s'étirait parallèlement au cardo. C'est plus loin vers la g. que
les archéologues ont situé l'emplacement du **temple de Zeus Bêlos**,
célèbre dans tout l'Orient. Il fut détruit en 386 sur l'ordre de Marcel,
l'évêque de la ville. La ville était devenue également un centre chrétien d'importance et la colonnade résonnait des débats qui opposaient de plus en plus violemment les partisans de la foi nouvelle aux
tenants de l'antique sagesse.

Plus loin à dr., de hautes colonnes annoncent l'entrée des **thermes** de
la ville. Plus loin encore, une colonne votive plantée au centre de la
chaussée marquait un **carrefour** important. Sur la base triangulaire
étaient aménagés des bancs de pierre où se reposaient les promeneurs, peut-être à l'ombre d'un vélum tendu au-dessus du carrefour.
Au bout du cardo, la porte N, la porte d'Antioche, est la mieux
conservée des trois portes de la ville antique.

À l'extérieur de la ville, à g. de la porte, partait la route pavée qui
conduisait à Antioche et dont un tronçon est conservé, parallèle à la
route moderne.

À partir de la porte N, vous pourrez découvrir la partie orientale des
remparts, en suivant en voiture la route (à dr. de la porte) qui les
longe à distance. C'est la partie la mieux conservée de la muraille antique. Vous croiserez bientôt la route asphaltée que vous avez em-
pruntée au début de votre visite ; tournez à dr. pour franchir à
nouveau la muraille, à l'endroit où s'élevait jadis la porte E, aujourd'hui complètement ruinée. Peu après, vous verrez s'élever des
ruines de part et d'autre de la route : c'est le quartier S-E de la ville,
où les archéologues ont mis au jour un groupe d'habitations ainsi
que les vestiges d'une cathédrale.

### La maison aux consoles**

À dr. de la route, c'est la mieux conservée des demeures privées de la ville. On y entre par un porche restauré qui, après une chicane, ouvre sur une cour dallée bordée de colonnes. Du côté opposé à l'entrée, se trouvait la grande salle de réception, agrémentée d'une fontaine et pavée de marbre polychrome. Autour s'organisaient les pièces de service et d'habitation, dont la disposition générale est aujourd'hui peu lisible : vers le VIe s. fut, en effet, aménagé un quartier de boutiques et d'ateliers au-dessus de l'édifice originel.

### La cathédrale de l'E et la maison au triclinos*

À g. de la route. Depuis le décumanus, on accédait par un escalier monumental à la **cathédrale** d'Apamée, entourée du palais épiscopal et de ses dépendances ; le tout couvrait une superficie d'environ 12 000 m². Les différentes campagnes de fouilles ont permis de découvrir d'importants soubassements de ces constructions ; ceux de la cathédrale, notamment, suivaient un plan « quadrilobé » prolongé vers l'E d'une chapelle. La construction de la cathédrale remonte sans doute au VIe s. et prenait appui sur une église plus ancienne où l'on venait en pèlerinage vénérer une relique de la Vraie Croix.

Mais les trésors les plus importants que livra ce site remontent à la période païenne, au IVe s. plus exactement : sous l'édifice chrétien, les archéologues ont, en effet, mis au jour un complexe de salles dont certaines étaient décorées de splendides **mosaïques** ; quelques-unes d'entre elles sont visibles au musée d'Apamée (voir plus bas). La plus célèbre représente Socrate au milieu des sages de l'Antiquité. Il fut alors tentant de « mettre en relation [ces salles] avec l'école de philosophie néo-platonicienne d'Apamée dont on comprendrait aisément que ce vaste édifice chrétien ait cherché à oblitérer le souvenir », peut ainsi écrire Jean-Ch. Balty, directeur des fouilles belges à Apamée.

À l'O de l'ensemble de la cathédrale s'élevait sans doute la plus vaste et la plus somptueuse des demeures privées de la ville. Elle ne comptait pas moins de 80 pièces ordonnées autour de deux cours intérieures. Ses trois salles de réception, jadis plaquées de marbres polychromes, ont révélé de somptueuses mosaïques (on peut en voir certaines au musée local). Sans doute s'agissait-il là de la demeure du gouverneur de la ville. À l'époque arabe, une soixantaine de boutiques et d'ateliers furent aménagés au-dessus du site : cette partie du plateau d'Apamée semble ainsi avoir été occupée jusqu'au XIIe s.

C'est par là que s'achève votre visite du site. Reprenez votre voiture pour gagner le **khan ottoman** (le musée local) qui se trouve au pied de l'acropole du côté de la plaine du Ghab. Après avoir quitté le périmètre de la ville antique, une route asphaltée à g. conduit au sommet de l'acropole. Si vous en avez le temps vous pourrez grimper jusque là, pour déambuler dans les ruelles du village actuel et découvrir çà et là de belles vues sur la région. En contrebas, se trouvent les vestiges du théâtre romain ; il n'en reste pas grand-chose, les habitants du village tout proche l'ayant utilisé depuis des générations comme carrière. C'était pourtant le plus grand de la Syrie romaine avec ses 139 m de diamètre (contre 90 m pour celui de Bosra et 103 m pour celui d'Orange).

## Le musée***

*Ouv t.l.j. sf mar. de 8h à 16h ; entrée payante, photos interdites.*

Ce vaste édifice carré de 80 m de côté fut construit au XVIIe s. (de même que la mosquée qui le domine à flanc de colline) pour servir d'étapes aux caravanes. Ses immenses salles abritent aujourd'hui quelques-unes des découvertes effectuées sur le site, des mosaïques notamment. Regrettons au passage l'absence de notices explicatives en anglais (ou mieux encore en français).

À ne pas manquer : dans l'aile à g. de l'entrée, la mosaïque de Socrate et celle des Néréides ; l'aile dr. présente des mosaïques chrétiennes et un curieux reliquaire. Dans la cour sont disposées de nombreuses stèles funéraires, de soldats pour beaucoup d'entre elles : rappelons qu'Apamée fut un important centre militaire sous les Grecs et les Romains.

**La mosaïque de Socrate***. Le philosophe y apparaît au milieu de six des sept sages de l'Antiquité, dans une attitude de prêche qui rappelle étonnamment celle du Christ dans des représentations chrétiennes de la même époque. Pour Janine Balty, spécialiste des mosaïques syriennes, il faut y voir une dernière tentative du paganisme pour contrer l'influence du christianisme triomphant en se servant de ses propres thèmes. De fait, cette mosaïque, trouvée sous la cathédrale de l'E (voir plus haut), pourrait dater des années 362-363, c'est-à-dire du règne de Julien l'Apostat qui tenta de restaurer le paganisme comme religion d'Empire. La **mosaïque des Néréides**** (de la même époque et trouvée au même endroit) illustre le concours de beauté qui opposa Thétis et les Néréides à Cassiopée, en présence de Poséidon et d'Aphrodite. Dans cette même aile, vous pourrez voir une jolie grille de fenêtres provenant de la maison aux consoles (voir plus haut).

Dans l'aile dr. sont exposées des mosaïques provenant principalement du groupe oriental, cathédrale et palais du gouverneur. Vous remarquerez un reliquaire de marbre : c'est l'un des trois découverts dans les ruines d'une église d'Apamée (un autre se trouve dans les jardins du musée de Damas, le troisième dans les Musées royaux de Bruxelles). Les pèlerins versaient de l'huile dans l'orifice du sommet, celle-ci coulait ensuite sur les reliques des saints et ressortait sanctifiée dans la petite coupe du bas où les pèlerins la récupéraient.

# LE LITTORAL

*Une étroite bande côtière de 175 km de long :
c'est là toute la façade maritime de la Syrie.
Et pourtant, d'Ougarit à la moderne Lattaquié,
plus de 4 000 ans d'histoire vous attendent,
ainsi que quelques belles plages.*

La région côtière traitée ici comprend le littoral proprement dit et la chaîne montagneuse, le Djebel Ansariyé, qui le sépare de l'intérieur du pays. Tout au long de la côte s'égrène un chapelet de sites archéologiques de première importance ; voici tout d'abord les Cananéens d'Ougarit qui, au second millénaire av. notre ère, ont donné à l'humanité le premier alphabet. Voici ensuite les Phéniciens, qui ont laissé leurs curieuses sépultures et un vaste temple, du côté d'Amrit, au S de Tartous. Grecs et Romains, de Lattaquié, l'antique Laodicée, à Jablah, y imprimèrent également leur marque. Pour les croisés, le littoral fut le cœur battant de la Syrie franque. Le grand port de Tartous voyait aborder des vaisseaux chargés de pèlerins venus de toute la chrétienté. On y voit encore leur magnifique cathédrale et de belles ruines de l'opulente cité médiévale. Mais c'est sur les contreforts du Djebel Ansariyé qu'ils laissèrent leurs plus belles forteresses : le Marqab et le château du Sahyoun, appelé aujourd'hui château de Saladin. Le littoral, c'est aussi de belles plages, vers Lattaquié ou tout au N à Ras el-Bassit, et plus prosaïquement une importante région industrielle avec Baniyas, où aboutit l'oléoduc qui amène le pétrole de Deir ez-Zor et le port de Lattaquié, l'ouverture maritime de la Syrie contemporaine sur le monde. Grâce à leurs possibilités hôtelières, Lattaquié et Tartous sur la côte, et Safita au cœur d'un splendide paysage de montagnes, seront vos étapes dans la région.

# ♥ TARTOUS**

La petite station balnéaire de Tartous mérite un arrêt. Non pas tant pour ses plages, encore que celles qui s'étirent au S de la ville soient fort belles, mais pour les ruines médiévales dans lesquelles se sont installées des générations d'habitants. Tartous fut, en effet, la Tortosa des croisés, l'un des plus grands ports de la Syrie franque. Comptez environ 1h30 de promenade à pied pour la visite de la ville. On peut choisir de faire étape à Tartous grâce à la présence de deux hôtels convenables, le temps de vous permettre d'effectuer trois intéressantes excursions : l'**île Arwad** en face de la ville, le **site phénicien d'Amrit** et le **donjon de Safita** dans les montagnes de l'intérieur.

## L'église de Saint-Pierre, pèlerinage franc

Comptoir maritime des Phéniciens, puis des Grecs et des Romains, Tartous devint aux premiers siècles du christianisme un lieu de pèlerinage connu de tout l'Orient. On venait y prier dans l'église que, dit-on, saint Pierre avait lui-même fondée en l'honneur de la Vierge Marie.

En 1099, Raymond de Saint-Gilles, comte de Toulouse et compagnon de Godefroy de Bouillon, s'empara de la place et commanda d'y établir les premières fortifications. Possession du comté de Tripoli (au Liban aujourd'hui), Tortosa fut un temps occupée – entre 1144 et 1152 – par l'atabeg d'Alep, le célèbre Nour ed-Din (voir p. 158). Après l'avoir reconquise, les barons francs décidèrent d'en confier la défense aux Templiers. C'est à ces moines-chevaliers que l'on doit l'essentiel des édifices parvenus jusqu'à nous : vers le N, une citadelle entourée d'un fossé, dotée d'une vaste salle des chevaliers, d'un donjon et d'une chapelle. Au S, protégée par une puissante enceinte, la ville proprement dite s'étale avec ses palais de marchands et son admirable cathédrale aux allures de forteresse. C'est devant cette formidable place forte que Saladin échoua en 1188. Ce n'est qu'en 1291 que Tortosa tomba aux mains des musulmans, la même année que Saint-Jean-d'Acre. C'en était fini de la présence franque en Orient. En 1367 pourtant, voulant renouer avec l'esprit des croisades, le roi Pierre Ier de Chypre débarqua à Tartous. Mais incapable de s'y maintenir face aux assauts musulmans, il fut contraint de reprendre la mer, non sans avoir livré la cité aux flammes. Dès lors, Tartous perdit toute importance et les habitants démantelèrent les murailles devenues inutiles pour consolider les habitations qu'ils avaient établies dans les ruines des Templiers.

## Le donjon

En suivant le bord de mer (Al-Kornish al-Bahr), vous ne pourrez manquer cet imposant bâtiment : grâce aux travaux de restauration conduits depuis 1994, il semble flambant neuf. Au rez-de-chaussée (la municipalité devrait l'ouvrir à la visite), on peut voir une longue salle voûtée parallèle au rivage : d'anciens entrepôts. À la base du quadrilatère que dessine le donjon, court sur les quatre côtés un couloir souterrain de belles dimensions. On peut l'apercevoir depuis une ouverture béante du côté du rivage et même y pénétrer à condition d'être bien chaussé : le sol est recouvert d'éboulis. Empruntez ensuite la rue immédiatement à g. du donjon lorsque vous lui faites face depuis la mer (le coin g. est occupé par un restaurant, *The Cave*, aménagé dans d'anciens magasins médiévaux ; vous pourrez entrer y jeter un coup d'œil).

## La chapelle des Templiers

Au bout de la rue, ouvre un large espace : la **place centrale de la citadelle**. À votre g., s'étire la large façade de la salle des chevaliers : elle est occupée aujourd'hui par des habitations. Pour l'instant, traversez la place de manière à gagner le coin g. : au bout d'un renfoncement se cache une belle **porte** restaurée qui donne sur l'ancienne chapelle des Templiers. C'est aujourd'hui une cour commune à plusieurs habitations. La toiture originelle est en partie conservée.

## La salle des Chevaliers

Sortez de la chapelle et repérez dans un coin à dr. quelques marches. Elles conduisent à la **salle d'apparat** des moines-soldats. Construite au XIIe s., d'une longueur de 44 m, elle est aujourd'hui remplie d'habitations. Vous pourrez la traverser en suivant la petite ruelle qui se fraie un chemin à travers les maisons, en découvrant au passage de beaux vestiges d'architecture médiévale.

Parvenu à l'autre extrémité, descendez les marches et tournez à dr. : vous franchirez alors l'enceinte de la citadelle. Là se trouvait le fossé, taillé dans le roc, que l'on remplissait d'eau de mer en cas de siège. Tournez à dr. puis à g. : vous découvrirez sur votre dr. une **mosquée** dédiée à Abou Bakr, le premier successeur de Mahomet à la tête de la communauté musulmane. Elle occupe une salle de garde du plus beau gothique, appartenant à une défense avancée de la citadelle médiévale. Revenez à la place centrale, traversez-la en direction d'une mosquée blanche moderne. Engagez-vous dans la ruelle qui la longe du côté g. Vous sortirez bientôt de la citadelle, vers le S cette fois, pour entrer dans la **ville ancienne** de Tortosa. En poursuivant dans la même direction, découvrant ici une belle voûte, là les murs d'un palais médiéval, vous apercevrez 300 m plus loin la magnifique façade de la cathédrale qui s'élève sur votre g.

## La cathédrale***

*Ouv t.l.j. sf mar. de 9h à 18h ; de 9h à 16h du 1er oct. au 31 mars ; entrée payante.*

Notre-Dame de Tortosa présente des allures de forteresse. Les Templiers la voulurent ainsi : un bastion imposant dans la défense de la ville basse. De fait, la terrasse supérieure s'orne d'un crénelage. L'édifice fut construit entre les XIIe et XIIIe s. : les derniers travaux précédèrent de quelques années la prise de la ville par les musulmans en 1291. Elle occupe l'emplacement de l'église dont la tradition attribue la fondation à saint Pierre (voir plus haut). L'**intérieur** est rythmé par deux rangées de hautes colonnes qui délimitent une nef centrale et deux collatéraux. Face à l'entrée, une magnifique **abside** en cul-de-four est flanquée de deux absidioles, concession peut-être au culte oriental. Remarquez le pilier central de la rangée de g. : il prend appui sur une construction cubique à travers laquelle est ménagée un passage. C'est, croit-on, l'une des entrées de l'église de saint Pierre, détruite par un séisme en 387.

Après la prise de la ville par les musulmans, la cathédrale servit d'entrepôt, de mosquée, puis de casernement pour les soldats turcs en 1914 avant d'être confiée au service des Antiquités par le général Gouraud en 1922. Elle abrite aujourd'hui le **musée de la ville :** on peut y voir des objets provenant de divers sites archéologiques de la région (Ougarit notamment) ; immédiatement à g. de l'entrée, des sarcophages phéniciens découverts à Amrit ; un très beau sarcophage romain dans l'abside ; une superbe **peinture murale**\*\* (mur g. de l'abside) qui ornait la chapelle du Krak des Chevaliers et figurant une Présentation au Temple.

En descendant la rue dans le prolongement de la façade, vous aboutirez très vite au bord de mer, tout près du port et du marché aux poissons.

## LES BONNES ADRESSES

### Hôtels

▲▲ **Grand Hotel,** Al-Kornish al-Bahr, P.O. box 182 ☎ (0431) 22.54.75. *90 ch.* Ce bâtiment assez laid planté face à la mer a été complètement rénové en 1995. Ch. impeccables, avec air cond. Une étape convenable à petit prix.

▲▲ **Shahin,** au S de la ville, un peu en retrait de la corniche ☎ (0431) 22.17.03. *55 ch.* Ambiance un peu sinistre, dans un pur style soviétique ; dans la réception, les fauteuils de skaï sont sagement alignés, comme pour une revue de détail. Ch. banales équipées cependant de climatisation. Un bon restaurant au dernier étage.

### Restaurants

♦♦ **The Cave,** Al-Kornish al-Bahr ☎ (0431) 22.04.08. Le restaurant « branché » de Tartous : musique américaine et décor genre taverne de marin, le tout dans un splendide entrepôt médiéval. De fait, le propriétaire (un peu francophone) fut longtemps cuisinier dans la marine marchande grecque. Excellents poissons et fruits de mer.

♦ **Family Club,** Al-Kornish al-Bahr ☎ (0431) 22.69.03. Un petit restaurant de poisson tout simple. Vous pourrez acheter vous-même votre poisson au marché en face, et demander au patron de vous le faire griller.

# LES ENVIRONS DE TARTOUS

## Arwad*

➤ *L'île d'Arwad se trouve à 3 km au large de Tartous. On y accède par de petits bateaux (départ au S du donjon, derrière le marché aux poissons, toutes les 15 mn env.) ; le trajet dure env. 20 mn ; on paye une seule fois, au retour ; tarif aller-retour de l'ordre de 20 livres ; comptez au moins 2h avec le transport.*

L'île d'Arwad (Rouad) fut l'un des meilleurs mouillages des Francs en Syrie. Ils réussirent à s'y accrocher jusqu'en 1302, plus de 10 ans après la chute de Tartous, à quelques encablures d'une Terre Sainte qu'ils durent bientôt renoncer à reconquérir. Le site fut en fait occupé dès le milieu du IIe millénaire et abrita surtout un florissant comptoir phénicien dont on peut voir quelques vestiges sur la jetée.

Le long du petit port de cette île sans voiture d'à peine 800 m de long sont installées des terrasses où l'on peut déguster du poisson grillé, dans une atmosphère qui n'est pas sans rappeler la Grèce des années 1960.

Au centre de l'île, que vous gagnerez par de petites ruelles tortueuses, s'élève une **citadelle** qui, dans son état actuel, est essentiellement musulmane. Elle occupe l'emplacement de la forteresse des croisés, dont on peut voir çà et là quelques vestiges. Sous le Mandat français (1920-1946, voir p. 46), elle servit de prison ; y furent détenus les dirigeants nationalistes syriens, parmi lesquels Farès el-Khoury, Hashem al-Atassi ou Choukry al-Kouwatli, qui fut le premier président de la Syrie indépendante. C'est aujourd'hui un **musée** *(ouv. t.l.j. sf mar. de 9h à 18h, de 9h à 16h du 1er oct. au 31 mars ; entrée payante)*. Peu de choses véritablement passionnantes à y voir, sinon la **cour centrale** autour de laquelle s'ordonnent les casernements, et quelques objets découverts lors de fouilles sous-marines. C'est surtout l'occasion de grimper sur la terrasse pour embrasser d'un coup d'œil l'ensemble de l'île.

## Amrit*

➤ *À 7 km au S de Tartous, par l'ancienne route de Tripoli du Liban.*

Si le site fut occupé dès le IIIe millénaire, l'essentiel des vestiges que l'on voit de nos jours sont contemporains de l'époque perse (VIe s.-IVe s. av. notre ère). Il s'agit d'un ensemble culturel néophénicien qui était encore en activité lors du passage d'Alexandre le Grand, en 330 av. notre ère.

Vous partirez à travers champs à la découverte de ce site qui s'étend sur un périmètre de 3 km de long pour 2 de large. La partie la plus impressionnante est le complexe du **temple principal** (en arabe al-Maabed) construit autour d'un lac artificiel alimenté par une source. Au centre, une plate-forme supporte un petit autel. Le lac était entouré d'un portique sur trois côtés.

700 m plus au S, deux tours monumentales (en arabe Maghazel) signalent la présence d'une ancienne nécropole.

## Safita** et le Chastel Blanc

➤ *À 30 km à l'E de Tartous, par une belle route de montagne.*

Juchée sur une éminence qui domine un paysage de vergers et d'olivettes, Safita est, sans conteste, la plus charmante localité du Djebel Ansariyé. On peut y faire une étape des plus agréables grâce à l'excellent hôtel de la chaîne Cham.

Safita est dominée par la masse carrée d'un **donjon franc** que l'on peut apercevoir depuis Tartous ou le Krak des Chevaliers, à 25 km environ à vol d'oiseau. Ainsi les chevaliers pouvaient-ils communiquer entre la côte et les postes les plus avancés vers l'E grâce à d'immenses feux qu'ils allumaient sur les terrasses. Dès 1112, la place appartenait au comté de Tripoli : les Francs l'appelèrent **Chastel Blanc**. Détruite en partie par Nour ed-Din en 1171, la forteresse fut réoccupée par les Templiers à la fin du XIIe s. Un terrible séisme en 1202 nécessita d'importants travaux de reconstruction. C'est de cette époque que date l'état actuel du donjon. Il occupait, en fait, le centre d'une vaste forteresse, défendue par une double muraille, qui servit plus tard de carrière aux habitants de la ville pour construire leurs maisons. C'est du reste ce qui donne cette jolie harmonie architecturale à la ville, aujourd'hui peuplée en majorité de chrétiens. Chastel Blanc succomba en 1271 aux assauts de Baybars qui s'en allait mettre le siège devant le Krak des Chevaliers.

**Le donjon\*\***. *Ouv t.l.j. de 8h à 13h et de 15h à 18h ; entrée payante.* Le rez-de-chaussée est aujourd'hui occupé par une église de culte grec orthodoxe dédiée à saint Michel. C'était autrefois la chapelle des Templiers avec son abside en cul-de-four flanquée de deux absidioles. Sous la chapelle, une immense citerne est creusée dans le roc. Un passage ouvrait également sur des souterrains qui conduisaient à l'extérieur du château. Un escalier ménagé dans le mur permet d'accéder au premier étage, occupé par une salle de garde de très élégantes proportions. On peut enfin grimper sur la terrasse pour tenter d'apercevoir, par temps clair, Tartous et la côte ou le Krak des Chevaliers.

## LES BONNES ADRESSES

### Hôtel

▲▲▲▲ **Safita Cham Palace** ☎ (032) 25.980. *80 ch.* Visa, AE, DC, MC. Superbe établissement de grand luxe avec sa piscine, ses belles parties communes et sa splendide terrasse dominant le paysage. Les riches Syriens et Libanais y viennent en famille pendant l'été pour chercher un peu de fraîcheur. Il est alors prudent de réserver.

### Restaurant

♦♦ **El-Kanatir** ☎ 52.40.97. Excellente cuisine campagnarde. On y sert notamment de succulentes salades.

## De Tartous à Lattaquié

➤ *90 km par la belle autoroute côtière.*

**Au km 38 : Baniyas.** Malgré ses 3 000 ans d'histoire – le site abrita un comptoir phénicien puis une cité croisée du nom de la Valénie –, Baniyas ne conserve aucun vestige de son passé. C'est aujourd'hui un important centre industriel (raffinerie de pétrole, centrale thermique) sans intérêt touristique, si ce n'est peut-être sa promenade du bord de mer joliment aménagée. C'est ici que vous quitterez l'autoroute pour aller visiter le **château de Marqab** (voir plus bas) ; de Baniyas part également une belle route de montagne (n° 35) qui conduit à Masyaf (voir plus bas) et au-delà de la plaine du Ghab, jusqu'à Hama.

**Au km 57 : Jablah.** Ce gros bourg agricole – très joli marché de fruits au centre-ville – abrita un comptoir phénicien puis devint une florissante ville grecque, puis romaine et byzantine. En 1109, elle fut conquise par les croisés qui la nommèrent Gibel. Elle resta entre leurs mains jusqu'en 1285, hormis un bref intermède après 1188, année où elle fut prise par Saladin. Au centre-ville se dressent d'importants vestiges d'un **théâtre romain** que les Francs transformèrent en citadelle *(visite t.l.j. sf mar. de 9h à 18h en été, de 9h à 16h en hiver).* À l'origine, le théâtre pouvait accueillir près de 8 000 spectateurs.

## Les châteaux des Assassins\*\*

➤ *Circuit de 175 km aller-retour.*

Cette belle promenade en voiture vous permettra de traverser une des plus belles parties du Djebel Ansariyé. Le prétexte ? Partir sur les traces des châteaux des Ismaéliens, cette secte musulmane passée à la postérité sous le nom de secte des Assassins (voir p. 141) : Qadmous,

## La secte des Assassins

Cette secte musulmane appartient à une branche du chiisme qui reconnaît les successeurs de Ali jusqu'au septième imam, Ismaïl. Au début du XIIe s., son chef trouva refuge avec ses fidèles dans le Djebel Ansariyé. Ils occupèrent une dizaine de places fortes, inexpugnables pour les Francs comme pour les musulmans orthodoxes qui considéraient ces hérétiques avec horreur. Il est vrai que leur réputation était peu enviable. Leur chef, le Vieux de la Montagne (voir p. 142) exerçait sur ses hommes une autorité absolue, allant jusqu'au sacrifice suprême. Sa principale activité : le meurtre politique. Selon ses commanditaires, il exécutait à la demande barons francs ou chefs musulmans. Les chroniques franques assurent qu'avant d'accomplir leur forfait, les membres de la secte s'enivraient de haschisch. D'où leur surnom d'Hashishin, traduit en français par assassins. La secte fut anéantie en Syrie par les Mamelouks au XIIIe s., puis par les Mongols qui prirent leur nid d'aigle d'Alamout, dans les montagnes de l'Iran actuel.

La secte survécut pourtant en Perse et réapparut au grand jour au XIXe s. lors d'un procès devant le cour de Bombay qui opposa deux factions rivales de la communauté. Le chef de ces Ismaéliens porte aujourd'hui le titre d'Aga Khan. Depuis longtemps, il n'est plus un assassin. Tout au plus un bourreau des cœurs.

El-Kahf et Masyaf. À dire vrai, seul ce dernier présente des vestiges vraiment importants. N'importe : l'intérêt de cette balade tient aussi à la découverte de cette superbe région, peuplée en partie d'Ismaéliens, descendants peut-être de la terrible secte médiévale.

### Qadmous

➤ *Quitter Tartous par la route de Lattaquié, puis à Baniyas prendre à dr. la nationale 35 qui conduit à Masyaf puis Hama. À 25 km de Baniyas, vous trouverez la localité de Qadmous.*

Au-dessus de la présente localité s'élevait le premier château des Ismaéliens, acquis dès 1132. Il n'en reste rien, sinon les soubassements, la forteresse ayant été complètement démolie en 1838.

### El-Kahf*

➤ *De Qadmous, prendre vers le S-O la direction d'El Kahf (une dizaine de km).*

Ce château de la Caverne (Qala'at el-Kahf) fut la dernière place forte tenue par les Ismaéliens : elle ne fut prise qu'en 1273 par le sultan Baybars. El-Kahf servit un temps de quartier général au Vieux de la Montagne, le chef de la secte. Ce dernier y reçut Henri de Champagne au cours d'une entrevue restée célèbre (voir p. 142). Là non plus, les vestiges ne sont guère éloquents : après avoir servi de fort aux troupes ottomanes, le château fut démoli au siècle dernier. Seule l'entrée reste impressionnante : un passage souterrain creusé dans la roche, d'où le nom de château de la Caverne. En revanche, le paysage est splendide : le château s'élevait au milieu de la nature, sur un éperon rocheux cerné de précipices vertigineux. Un terrible repaire, bien à l'image de la réputation de la secte.

## Masyaf**

➤ *Revenez à Qadmous et continuez vers Masyaf (25 km à l'E) par la route n° 35. Ouv. de 9h à 18h et de 9h à 16h en hiver ; entrée payante.*
Le château domine un gros bourg agricole peuplé en partie d'Ismaéliens. C'est le mieux préservé des châteaux de la secte, qui l'occupa en 1140 après en avoir délogé les Francs présents depuis 1103. Masyaf fut la pièce maîtresse du réseau d'une dizaine de châteaux que les Ismaéliens tenaient dans la montagne. À ce titre, elle subit en 1176 l'assaut de Saladin qui, incapable de prendre la place, dut se résoudre à lever le siège. Masyaf ne fut prise que vers 1270 par le sultan Baybars.

Il vous faudra une bonne heure pour parcourir le site : essentiellement le **chemin de ronde** et le **donjon central**. Vous noterez, au passage, le réemploi de matériaux appartenant à des constructions précédentes. Grecs séleucides, Romains et Byzantins avaient, en effet, déjà occupé le site auparavant. Il ne sera pas inutile de vous faire accompagner du gardien (le nombre très restreint de visiteurs lui laisse beaucoup de loisirs) : il n'est pas toujours très commode de se repérer au milieu des éboulis.

*De Masyaf, 87 km vous séparent de Tartous par la route n° 34, qui passe au S de la montagne des Ismaéliens. Trois bonnes étapes à proximité de Masyaf : Hama (44 km, voir p. 117), le Krak des Chevaliers (78 km, voir p. 124) ; Safita (58 km, voir p. 139).*

## Le Marqab***

➤ *À 34 km au N de Tartous, à 6 km au S de Baniyas. Pas de sortie directe depuis l'autoroute côtière : sortez à Baniyas, puis prenez vers le S la petite route qui longe l'autoroute à l'E. Visite t.l.j. sf mar. de 9h à 18h (16h en hiver) ; entrée payante ; comptez 1h.* Le « Margat » des Francs (ou Marqab) vaut le détour. C'est l'une des plus vastes citadelles franques de Syrie, le « triomphe du gigantisme » selon H.-P. Eydoux, auteur d'un remarquable ouvrage sur les forteresses des Croisés (voir p. 213). Du château, vous découvrirez un splendide panorama sur la côte, à 2 km à vol d'oiseau. C'était, du reste, la raison d'être du

### Une visite au Vieux de la Montagne

En 1195, Henri de Champagne, neveu du roi de France et roi de Jérusalem par son mariage avec Isabelle, l'héritière légitime du trône, fut invité par le Vieux de la Montagne en son château d'El Kahf. Pour montrer au roi combien l'obéissance de ses hommes lui était totale, le cheikh ordonna à deux d'entre eux de grimper au sommet des remparts et, sur son ordre, de se jeter dans le vide. Se tournant vers le chevalier épouvanté, il lui proposa, si tel était son bon plaisir, de faire prendre le même chemin à tous les hommes de sa garnison. Raccompagnant ensuite son invité hors de ses terres, le Vieux de la Montagne lui proposa d'exécuter qui lui semblerait bon. Il n'avait qu'à lui désigner la victime. Ces amabilités cachaient une terrible menace : Conrad de Montferrat, le prédécesseur d'Henri dans le lit d'Isabelle et sur le trône de Jérusalem, était mort, poignardé par les Assassins, quelques jours après son couronnement.

Margat : surveiller du haut de ses 362 m l'étroite bande côtière, une des principales voies de communication des Francs. À l'intérieur, une magnifique chapelle romane, admirablement conservée, rappelle que le château fut un temps possession des Hospitaliers.

### D'obscurs châtelains

Sur cette place forte naturelle, les croisés installèrent une garnison, sans doute dès 1117. Les premiers seigneurs du Margat furent les Masoiers, une lignée d'obscurs barons francs. Ils n'étaient guère illustres, mais ils voyaient grand : c'est eux qui entreprirent la construction de cette formidable citadelle, en utilisant le sinistre basalte de la région. En temps de paix, la citadelle abritait une garnison d'un millier d'hommes et l'on y conservait des provisions pour 5 ans. Les Masoiers y laissèrent leur maigre fortune, puisque en 1186, faute des moyens nécessaires pour entretenir une telle place forte, ils furent contraints de céder leur possession aux Hospitaliers. Dès lors, le fort servit de point de départ pour d'aventureuses expéditions vers l'intérieur du pays, tout en surveillant la route côtière qui passait en contrebas. C'est ainsi qu'en 1187, après la bataille de Hattin, Saladin remonta vers le N en suivant la côte, passant au pied du château, tandis qu'au large mouillait la flotte sicilienne. Exposée de part et d'autre aux flèches des Francs, l'armée musulmane força néanmoins le passage en se protégeant de boucliers de cuir.

Ce n'est qu'en 1285 que le Marqab capitula devant les assauts musulmans. Ceux de Qalaoun en l'occurrence, le successeur du sultan Baybars. Après 5 semaines de siège, les 25 chevaliers survivants obtinrent de quitter le château, à cheval et en possession de leurs biens. L'honneur était sauf mais les chroniques ne disent rien des simples combattants, capturés puis probablement réduits en esclavage.

### La visite

Établi sur un vaste plateau, couvert de cultures au Moyen Âge comme du reste les pentes de la colline, le Marqab était composé de deux parties bien distinctes. La **basse-cour** occupe environ les 2/3 de la superficie. C'est là que logeaient hommes de troupe et serviteurs ; cette partie, envahie par les ronces, est aujourd'hui inaccessible. Le **château**, demeure du maître et des chevaliers, occupait le reste de la citadelle. C'est ce que vous découvrirez en franchissant le portail d'entrée. Donnant sur la cour du château, la **salle des Chevaliers** n'a pas connu l'heureux sort de celle du Krak : elle est complètement ruinée et seuls quelques éléments architecturaux épars permettent de reconnaître un élégant style gothique et de la dater du XIIIe s. Ouvrant vers le rivage par une large baie, une vaste pièce porte le nom de **chambre du Roi** (Divan el-Malik) : c'est là, dit-on, que fut emprisonné, chargé de chaînes d'or et d'argent le maître byzantin de Chypre, Isaac Comnène. Il fut détrôné par Richard Cœur de Lion en 1191 et emmené captif au Marqab où il mourut 4 ans plus tard.

L'édifice le mieux conservé du château est cette splendide ♥ **chapelle romane** qui s'élève au S de la cour. Elle ouvre sur deux côtés (N et O) par deux superbes portails encadrés de colonnettes. L'intérieur, superbe de sobriété, est composé d'une nef unique qui se termine sur une abside en cul-de-four. En fait, la chapelle devait au Moyen Âge être revêtue de peintures murales ; on en a, en effet, retrouvé des fragments, dans une petite salle ouvrant sur l'abside.

Plus au S, le formidable **donjon circulaire** constituait la pièce maîtresse de la défense du flanc le plus exposé du Marqab. C'est là que Qalaoun porta le gros de son attaque. On peut encore voir les salles de garde disposées sur deux étages.

# LATTAQUIÉ *

Lattaquié est le grand port de la Syrie contemporaine. Il y a bien longtemps, il fut, sous le nom de Laodicée, celui des Séleucides à partir du IVe s. av. notre ère. Ne cherchez pas les vestiges de celle qui fut, avec Antioche et Apamée, une des grandes cités des Grecs en Syrie : ils sont recouverts par le béton de la ville moderne, à l'exception de quelques colonnes qui s'élèvent encore çà et là. Premier port de Syrie, Lattaquié est également un important centre de villégiature pour une clientèle essentiellement locale : celle-ci vient profiter des belles plages qui s'étendent au N de la ville.

## De Laodicée à Lattaquié

Après la bataille d'Issos qui consacra en 333 la victoire d'Alexandre sur les armées perses, le jeune conquérant s'empara de ce qui fut un modeste comptoir phénicien. Après le partage de son Empire entre ses généraux, la localité échut comme le reste de la Syrie à Séleucos. Il choisit d'en faire l'une des principales villes de son royaume, et la baptisa du nom de sa mère, Laodicée. S'éleva alors une grande et belle cité, avec ses colonnades et ses monuments publics. Laodicée devint le principal débouché de la riche région agricole des alentours. On y produisait surtout du vin, qui partait à pleins vaisseaux approvisionner Alexandrie d'Égypte. Toujours prospère sous les Romains, puis sous les Byzantins, Laodicée fut occupée par les musulmans en 638. En 1097, les croisés l'enlevèrent après avoir conquis Antioche et avant d'atteindre Jérusalem. Reprise par Saladin en 1188, la ville déclina rapidement et perdit toute importance : au début du XXe s., ce n'était plus qu'un très modeste port de pêche où vivotaient quelque 7 000 âmes.

## L'essor du XXᵉ siècle

L'époque du Mandat français (1920-1946) fit la fortune de Lattaquié : ce qui n'était qu'une modeste bourgade devint la capitale de l'État alaouite créé par les autorités françaises entre 1922 et 1936. La montagne alaouite se trouve, en effet, immédiatement à l'est de la ville qui en est le débouché naturel. C'est là, notamment, que se formèrent les élites alaouites, élites intellectuelles, commerciales et militaires, appelées à jouer un rôle de premier plan après l'indépendance. Forte de 865 000 habitants (estimations de 1991), la ville s'enorgueillit de son université et de ses installations sportives qui accueillirent les Jeux méditerranéens en 1985. Mais Lattaquié est surtout le premier port de Syrie par où transitent l'essentiel de la production agricole de la Djéziré, ainsi que la production des industries établies dans les environs de la ville. Depuis une vingtaine d'années, les installations portuaires se sont considérablement développées,

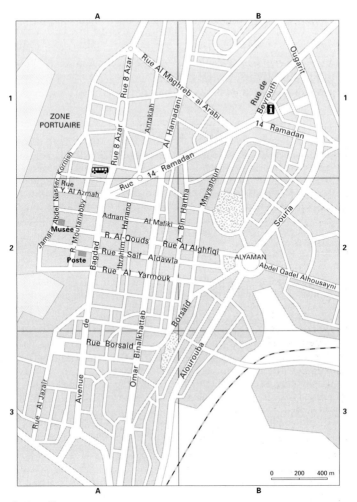

**Lattaquié**

notamment en gagnant du terrain sur la mer. Ainsi, l'actuelle rue de la Corniche, avec ses restaurants dont le fameux Spiro, qui naguère longeait la mer, se trouve-t-elle aujourd'hui à 500 m du rivage. Au S de la ville, une nouvelle promenade a été construite, Al-Kornish al-Janoubi, bordée d'immeubles luxueux et de bons restaurants : c'est le nouveau quartier à la mode.

## Le musée *

➤ *A2 Rue Al-Qouds, en face du nouveau port ; ouv. t.l.j. sf mar. de 9h à 17h en été, de 8h à 14h en hiver ; entrée payante.*

C'est dans cet ancien khan du XVIe s., qui servit de résidence au gouverneur français de l'État alaouite durant la période du Mandat, que vous partirez à la recherche de l'antique Laodicée : il abrite depuis 1986 un joli petit musée. Vous y verrez, disséminés à travers les jardins, nombre de statues ainsi que des éléments architecturaux de la ville grecque. Une section est consacrée au site d'Ougarit (Ras ash-Shamra, voir plus bas) : on peut notamment y voir une belle statue du dieu El, découverte en 1988.

# LES BONNES ADRESSES

**Office du tourisme :** 8, av. du 14-Ramadan B1 ; *ouv. t.l.j. sf ven. de 8h à 17h ;* ☎ (041) 41 69 26.

## Hôtels

▲▲▲▲ **Côte d'Azur**, 10 km au N, P.O. box 1079 ☎ (041) 22.86.92. *600 ch.* Visa, ae, dc, mc. Le grand hôtel de vacances chic à Lattaquié. Ses bâtiments en longueur s'étirent le long de la plus belle plage de la région. De temps à autre, on voit de jeunes mariés, main dans la main, en promenade romantique sur le sable. Installations sportives et excellents restaurants.

▲▲▲▲ **Le Méridien**, 7 km au N, P.O. box 473 ☎ (041) 42.87.36, fax 42.87.32. *274 ch.* Visa, ae, dc, mc. Superbe établissement, avec accès direct à la plage. Grandes ch., bon restaurant, galerie marchande.

▲▲▲ **Palace**, Kornish A2, P.O. box 774 ☎ (041) 23.85.55. *50 ch.* Jolie réception, personnel prévenant, bon confort. Un bureau de voyage vous permet d'organiser vos excursions ou de louer une voiture avec chauffeur.

▲▲▲ **Riviera**, rue de Beyrouth B1, P.O. box 605 ☎ (041) 42.18.03, fax 41.82.87. *60 ch.* Un hôtel plutôt sympathique, le repaire des artistes de cinéma et de télévision en tournage sur la côte. C'est dire que le bar y est souvent fort animé. Belles ch. bien tenues ; pas très cher.

▲▲ **Al-Gandoul (Al-Gondole)**, Kornish A2 ☎ (041) 23.76.80. *56 ch.* Si la réception n'est pas folichonne, l'accueil et les ch. sont très convenables. Les sanitaires sont toutefois un peu justes. Excellent restaurant doté d'une très agréable terrasse.

▲▲ **Al-Nour**, rue de Beyrouth B1 ☎ (041) 42.39.80. *35 ch.* Simple, pas trop cher ; en face de la gare des autobus, donc assez bruyant si vous donnez sur la rue.

▲ **Ambassador (Al-Sufara)**, Kornish A2 ☎ (041) 23.77.25. *45 ch.* Réception, chambres, sanitaires : dans l'ensemble, tout est passablement défraîchi ; un (petit) bon point : les balcons des ch. et une gentille terrasse à l'ombre d'une tonnelle. Pour tout petit budget.

## Restaurants

♦♦♦ **El-Dar**, rue Al-Moutanabi A2 ☎ (041) 23.83.14. Excellent restaurant dans un quartier très animé le soir. Ambiance plutôt intime et très confortable ; on dîne en musique jusqu'à 2 ou 3h du matin. Spécialités orientales et européennes.

♦♦♦ **Al-Siwa**, Al-Kornish al-Janoubi hors plan ☎ (041) 22.04.88. Le grand restaurant de la nouvelle corniche au S de la ville : colonnes à l'antique, dorures, marbre, l'ensemble ne pèche pas par sa simplicité. On y mange surtout du poisson, dans une agréable salle disposée sur plusieurs niveaux. Tous les soirs s'y produisent des chanteurs (le plus souvent de « variétés internationales »).

♦♦ **Spiro**, Kornish ☎ (041) 23.82.38. A1 : une institution à Lattaquié. C'est dans ce vieux restaurant populaire que vous mangerez la meilleure cuisine locale ; poissons, mezze dans une ambiance sympathique et décontractée. À ne pas manquer.

♦♦ **Al-Asafari**, Kornish ☎ (041) 23.77.48. A1. Comme en témoignent de vieilles cartes postales que l'on montre sur place, ce restaurant était jadis baigné par les vagues de la Méditerranée. Depuis les nouveaux aménagements du port, la mer a reculé de plusieurs centaines de mètres. N'importe, la cuisine est toujours aussi bonne.

# LES ENVIRONS DE LATTAQUIÉ

Depuis Lattaquié, il y a deux excursions à ne pas manquer : **Ougarit**\*\*\* et le **château de Saône**\*\*\*. Une troisième, d'une demi-journée, vous permettra de découvrir l'une des plus belles parties du **littoral syrien**, à Ras el-Bassit, au pied de la frontière turque.

## Ras el-Bassit*

➤ *Environ 125 km aller-retour depuis Lattaquié. Dirigez-vous tout d'abord vers le N en suivant la direction de **Kassab**.*

Ce village se trouve au pied de la montagne qui marque la frontière avec la Turquie. Il est principalement peuplé d'Arméniens qui y ont construit leurs lieux de culte, comme cette jolie église de culte arménien catholique, construite à flanc de colline au-dessus du village. **Kassab** est devenue une petite station de villégiature avec quelques restaurants.

De **Kassab**, prendre à g. la route qui longe la frontière avant de redescendre vers la côte jusqu'à **Ras el-Bassit** (11 km). Au S du cap du même nom, le cap Posidium de l'Antiquité, s'étend une des plus belles plages du littoral. Ce petit village de pêcheurs attire aujourd'hui une clientèle locale de vacanciers qui y séjournent dans de petits bungalows ou dans des villages de vacances gérés par les entreprises d'État ou les syndicats. C'est un coin charmant où vous pourrez vous restaurer dans l'un des petits cafés installés au bord de l'eau. Le principe est d'aller acheter soi-même sa viande ou son poisson et de demander au cafetier de vous les préparer.

## Le château de Saône*** (château de Saladin)

➤ *41 km à l'E de Lattaquié ; prendre la route d'Alep, puis à 32 km tourner à dr. en direction de Hafeh (4 km) ; suivre à g. les panneaux qui indiquent la direction du château (5 km) ; services de minibus depuis Lattaquié. Visite t.l.j. sf mar. de 9h à 18h en été, de 9h à 16h en hiver ; entrée payante ; petite cafétéria sur le site.*

Par une décision officielle prise par le gouvernement syrien en 1957, le château de Saône (Sahyoun en arabe) s'appelle château de Saladin. Il ne doit pourtant rien au grand homme de guerre musulman, sinon que celui-ci fut son conquérant. Cette magnifique citadelle est tout entière l'œuvre des Francs. C'est même la plus vaste qu'ils aient jamais construite en Terre Sainte. Elle dresse encore ses fières murailles dans un splendide paysage de maquis, de myrtes et de chênes kermès. Une visite à ne pas manquer.

### Le château d'une famille

On ne sait pas exactement à quelle date les croisés s'emparèrent de cette place forte qu'occupèrent avant eux les Byzantins. Toujours est-il que, dès 1108, les chroniques franques font état d'un maître du Sahyoun, un certain Robert, fils de Foulque. Il eut un fils, Guillaume, et c'est à eux deux que l'on attribue la construction de cette gigantesque forteresse, entre 1108 et 1132, c'est-à-dire dans les toutes premières années de la présence franque en Terre Sainte. Jusqu'à sa prise par Saladin en 1188, le château de Saône resta entre les mains de la même famille, au contraire des autres grandes places fortes qui, l'une après l'autre, passèrent sous la tutelle des deux grands ordres de

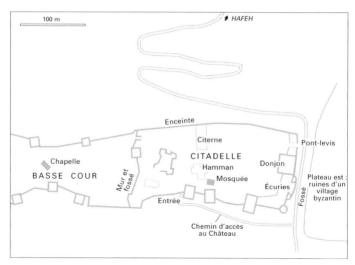

**Plan du château de Saladin**

moines-chevaliers : Templiers et Hospitaliers. On ignore quels étaient les moyens financiers, sans doute énormes, dont disposaient les seigneurs du Sahyoun pour construire une telle forteresse. Les chroniques indiquent simplement que le château était entouré d'orangeraies et, qu'après la prise du château par Saladin, l'héritière du fief se trouvait si démunie qu'elle dut épouser un obscur marchand génois pour assurer son avenir.

### À la découverte du château de Saône

En venant de Hafeh, on découvre le château au détour d'un virage en franchissant une crête – là même où Saladin établit son camp. Le Sahyoun n'était pas, comme tant d'autres citadelles perchées au sommet d'éminences, destiné à surveiller les environs. Tapi dans le creux d'un vallon, il se dissimulait plutôt, au milieu de ses collines, grouillant d'hommes en armes prêts à se jeter sur les arrières de l'ennemi. Le château est construit sur une croupe rocheuse longue de 700 m, encadrée de ravins. Pour séparer la base de cet éperon du reste de la colline, il fallut aux croisés creuser un fossé profond de 25 m et long de 156 m. Au centre, ils réservèrent une pile monolithe de 28 m de haut : elle servait à soutenir le pont-levis qui donnait accès au château du côté du donjon. De la crête, on saisit la démesure de l'ouvrage. D'un côté, puissamment protégés par le fossé et par une haute muraille, s'élèvent le donjon et le logis des maîtres. De l'autre, une immense basse-cour servait de logis aux hommes de troupe. Ce dernier côté était le point faible du château. Pour y remédier, les maîtres du Sahyoun commencèrent à creuser entre basse-cour et château un second fossé. Mais lorsque Saladin se présenta sous les murailles, il n'était pas achevé. Il ne fallut que trois jours aux musulmans pour enlever la place : ils pénétrèrent tout d'abord dans la basse-cour mal défendue par de faibles murs, puis de là, dans le château proprement dit. Réfugiés dans le donjon, assiégés, les derniers défenseurs obtinrent la vie sauve et l'autorisation de regagner les terres franques.

Avant d'entrer dans le château, ne manquez pas d'aller jeter un coup d'œil au fossé creusé par les Francs au milieu duquel s'élève l'aiguille de pierre qui soutenait le pont-levis. Vous accéderez au portail d'entrée en gravissant à pied un petit chemin qui embaume le fenouil et la verveine. Là, après avoir passé la porte fortifiée où vous prendrez vos billets, vous tournerez à dr. pour gagner le donjon. En chemin, vous laisserez à g. la mosquée édifiée par les musulmans après la prise du château, et à dr. des entrepôts et corps de garde ménagés dans la muraille. Les divers bâtiments qui encadrent le donjon ont été remarquablement aménagés pour la visite : chemins et couloirs dégagés, éclairage électrique. Vous verrez ainsi une longue salle qui servait d'écuries, des postes d'observation qui donnaient sur le fossé. De là, l'autre côté semble véritablement à portée de main ; à portée de voix en tout cas puisque c'est là que, pour opérer une diversion pendant que son fils préparait son attaque de l'autre côté de la citadelle, se présenta Saladin, menaçant de la voix les occupants du Sahyoun. Ne manquez pas de monter sur la terrasse du donjon, pour découvrir d'un coup d'œil la partie haute du château et les collines environnantes. Dans la cour, vous verrez çà et là d'énormes boulets de pierre – ceux peut-être dont les musulmans arrosèrent la citadelle. Revenez par le même chemin, repassez devant l'entrée et continuez tout droit jusqu'au belvédère qui domine la basse-cour. En chemin à dr., vous découvrirez les restes très ruinés d'une chapelle franque et de la forteresse byzantine, que l'on distingue par ses pierres de petite taille au contraire des édifices francs qui utilisaient des blocs de gros appareil. Sur le rebord de la terrasse se trouve la petite cafétéria du château. La basse-cour est aujourd'hui envahie par les herbes et d'un accès assez difficile. Si vous êtes assez hardi pour vous y aventurer, il est indispensable de vous faire accompagner par l'un des gardiens de l'entrée. Il le fera de bonne grâce (et contre une rétribution méritée) pour peu que vous ne tentiez pas l'expédition au milieu de journée en plein été.

## Ras ash-Shamra*** (Ougarit)

➤ *14 km au N ; services d'autobus : départ av. du 14-Ramadan. Visite t.l.j. de 7h30 au coucher du soleil ; entrée payante.* Fin 1928, au lieu-dit Ras ash-Shamra (en arabe la butte du fenouil), un paysan qui labourait son champ vit apparaître sous le soc de sa charrue une tombe en pierres de taille, remplie de céramique. L'année suivante, l'archéologue Claude Shaeffer (1898-1982) fut dépêché sur place. Très vite l'intuition de celui qui allait consacrer sa vie au site se vérifia : on venait de découvrir Ougarit, le grand port cananéen connu jusque là uniquement à travers les archives d'Amarna, la capitale égyptienne d'Akhénaton au XIVe s. av. notre ère. Découverte plus passionnante encore : celle du plus ancien alphabet connu à ce jour, gravé sur une minuscule tablette (elle se trouve actuellement au musée de Damas). Depuis 1929, des équipes d'archéologues français continuent à exhumer, année après année, d'extraordinaires découvertes.

## Ougarit dans l'histoire

L'apogée d'Ougarit se situe entre le XVe et la fin du XIIIe s. av. notre ère. Ce ne fut certes pas la première occupation du site : les sondages effectués par les archéologues ont révélé des vestiges sur plus de 18 m d'épaisseur. Les plus anciens remonteraient au VIIe millénaire. Mais l'extrême intérêt que suscite – et que suscitera encore – l'époque du IIe millénaire interdit jusqu'à présent de creuser plus profond, de peur d'en endommager les restes. Dès les premiers coups de pioche, en 1929, remontèrent à la surface des dizaines de tablettes couvertes de signes cunéiformes. Leur étude révéla qu'elles appartenaient aux archives d'Ougarit. Bientôt apparurent les soubassements du palais royal, puis ceux d'un temple de Baal, puis des quartiers d'habitations. Ainsi, chaque nouvelle année de fouilles restituaient toujours davantage la splendeur de l'opulente cité. À sa tête, un roi, maître des échanges, de l'artisanat, dispensateur des terres et présidant aux relations avec les États voisins. Autour de lui, la foule de ses gens, officiers, artisans, serviteurs, près d'un quart de la population totale. Le reste, 30 000 âmes pense-t-on, étant constitué d'agriculteurs qui vivaient dans les environs. Car Ougarit se trouvait au débouché d'une plaine fertile : on y cultivait, comme aujourd'hui, la vigne, le blé et l'olivier. Le royaume était ainsi grand exportateur de vin et d'huile d'olive : sa puissance n'était pas militaire, elle était commerciale. De fait, ses rois réussirent toujours à se tenir à égale et courtoise distance des deux grandes puissances pour lesquelles la Syrie était le champ de bataille naturel : au S, les pharaons d'Égypte, au N, sur les contreforts du Taurus, le Mitanni puis les Hittites. Le royaume d'Ougarit disparut brutalement, vers l'an 1200, sans doute à la suite des invasions des Peuples de la Mer, conquérants d'obscure origine qui dévastèrent toute la Méditerranée orientale. Il ne se releva jamais.

## Un carrefour commercial

Chaque soir, en haut des murailles de la ville, étaient allumés d'immenses feux de bitume : ils annonçaient aux navires syriens, égyptiens ou crétois qu'ils approchaient l'un des plus riches ports de l'Orient méditerranéen. Venant de l'intérieur des terres, de l'Euphrate et de la lointaine Asie, de longues caravanes d'ânes lourdement chargés des richesses de l'Orient se présentaient sous les murs de la ville. On a ainsi retrouvé du lapis-lazuli d'Afghanistan, de l'ivoire de l'Inde et même de l'ambre provenant de la Baltique. Ils étaient travaillés sur place, dans les ateliers royaux, passés maîtres notamment dans le travail de l'ivoire. De nombreux objets d'une extrême finesse ont ainsi été exhumés. Ils sont aujourd'hui déposés aux musées du Louvre et de Damas, comme cette magnifique tête d'homme coiffé d'une tiare (elle se trouve actuellement au musée de Damas). On travaillait l'ivoire d'Asie, d'Afrique, mais aussi les dents des hippopotames qu'à l'époque on trouvait nombreux dans la région. On forgeait aussi le cuivre de Chypre. Des bateaux, on déchargeait des objets luxueux, vaisselle d'albâtre d'Égypte ou précieux cratères mycéniens.

**Baal au foudre, protecteur des marins, était le dieu le plus populaire auprès de la population d'Ougarit. Son temple s'élevait sur une éminence dominant toute la ville.**

## Le pays de Baal et d'Astarté

Au sommet d'un riche panthéon – près de 300 divinités –, trônait El, le dieu suprême, le créateur des créatures, l'Elohim de la Bible et l'Allah des Arabes. Mais pour les habitants d'Ougarit, le dieu le plus familier était Baal, celui qui chevauche les nuées, le détenteur de l'éclair et de la pluie. C'est à lui qu'était consacré le grand temple de la ville : sa haute tour, plantée sur l'acropole, était visible depuis la mer. En tant que maître des éléments, c'était le dieu vénéré par les marins. À preuve, les nombreuses ancres de pierre déposées en ex-voto dans son sanctuaire. À Baal étaient associées Anat son épouse et Astarté, divinité encore secondaire qui prit toute son importance au millénaire suivant, avec les Phéniciens. Baal aussi eut une longue descendance, bien après la disparition d'Ougarit, parmi les Phéniciens, les Palmyréniens, ou dans les campagnes syriennes où des autels lui furent consacrés jusqu'au IVe s. de notre ère.

Prêtres et scribes attachèrent beaucoup de prix à transcrire sur des tablettes d'argile les différents mythes liés à leurs divinités. Déchiffrées, elles ont délivré un témoignage capital sur la religion ougaritique, ancêtre de celle des Cananéens, dont il est maintes fois question dans l'Ancien Testament. Car on écrivait beaucoup à Ougarit, et pas seulement pour des motifs religieux. Les exigences du commerce international imposaient d'entretenir des relations diplomatiques suivies avec les royaumes voisins. Les archives du palais ont ainsi livré des milliers de tablettes, écrites en pas moins de huit langues : ougaritique – le dialecte local –, et babylonien – deux langues sémites –, mais aussi hittite ou chypriote. Toutes, à l'exception de l'égyptien hiéroglyphique, étaient transcrites en caractères cunéiformes, dans un système où chaque signe représentait une syllabe. D'où un énorme effort de mémorisation pour les scribes. C'est alors que vers le XIVe s., l'un d'entre eux eut une intuition géniale : représenter chaque son par un signe. L'alphabet était né, un alphabet de trente signes disposés sur des abécédaires, comme celui que l'on peut voir au musée de Damas, en un ordre précis pour en faciliter l'apprentissage. Cet ordre s'est transmis inchangé aux alphabets hébreu et phénicien, puis à partir de ce dernier, aux alphabets grec et latin. Ainsi les petits écoliers d'aujourd'hui apprennent l'alphabet dans l'ordre établi par un scribe obscur d'Ougarit, voici près de 35 siècles.

## À travers Ras ash-Shamra

En gravissant le petit raidillon qui conduit à la cabane du gardien (c'est là que l'on délivre les billets), vous laisserez sur votre dr., une belle porte monumentale en pierres de taille : c'était l'entrée occidentale de la ville, desservant principalement le Palais royal. L'entrée principale d'Ougarit, qui n'a pas été trouvée à ce jour, devait se situer sur le mur N, en direction du port.

Après l'entrée, dirigez-vous à dr. vers le **Palais royal**. Il couvrait près d'un hectare, soit 1/20e de la superficie de la ville. Les soubassements mis au jour permettent d'en restituer la disposition d'ensemble. On y entrait par un porche monumental, face à l'O, soutenu par deux colonnes ; passée une première cour dallée, un coude à dr. permettait d'accéder à une seconde cour, dallée elle aussi. Dans le prolongement, un second porche à colonnes ouvrait sur une salle d'apparat :

la salle du trône pour les archéologues. Tout autour, de petites pièces contiguës servaient à entreposer les archives royales. Derrière la salle du trône, à dr., ouvrait la première d'une série de cours. Celle-ci était agrémentée d'un bassin ; une partie des canalisations est encore visible. Autour des cours se développait un réseau de dizaines de petites pièces. De nombreux départs d'escaliers attestent la présence d'au moins un étage : c'est là, dans des pièces plus aérées et plus lumineuses, que vivait sans doute la famille royale.

Gagnez maintenant l'**acropole**, qui s'élève à l'E du site. En chemin, vous traverserez des quartiers d'habitations, des îlots de maisons délimités par des rues tortueuses et étroites (jamais plus de 2 m de large) dont le tracé est encore visible. Les maisons d'Ougarit s'organisaient autour d'une cour centrale sur laquelle ouvraient, au rez-de-chaussée, de petites pièces sans ouverture qui servaient de remise ou d'ateliers. On vivait à l'étage et sur la terrasse, comme on le fait encore de nos jours dans les maisons arabes. Les fouilles ont révélé dans nombre de maisons la présence en sous-sol d'un caveau où l'on inhumait les membres de la famille. Quelques-uns de ces caveaux sont encore bien visibles.

Les vestiges épars du **temple de Baal** permettent difficilement de restituer l'ensemble : dans une première cour enclose d'un mur s'élevait un premier autel de pierre. Au-delà ouvrait le sanctuaire proprement dit. Un départ d'escalier permet de supposer qu'il était doté d'un étage, sans doute d'une haute tour, visible depuis la mer, au sommet de laquelle on allumait de grands feux sacrificiels.

Vous reviendrez vers l'entrée en longeant la crête N du site, qui suit les murs de l'ancienne ville. De là, on aperçoit la mer au N, là où se trouvait le port d'Ougarit.

# ALEP ***
# ET SES ENVIRONS

*Alep et ses souks ; la basilique de Saint-Siméon
et les villages du Massif calcaire ; le site d'Ebla,
les contreforts de la montagne kurde...
autant de prétextes à un séjour prolongé
dans le N de la Syrie. On peut passer sans s'ennuyer
une semaine dans cette passionnante région.*

---

Damas l'orientale se veut une capitale arabe. Alep depuis un siècle s'est essayé avec succès à la modernité à l'occidentale, grâce sans doute à la dynamique communauté chrétienne, des Arméniens surtout, traditionnellement tournée vers l'Europe. C'est pourtant à Alep que vous pourrez voir les plus beaux souks du monde musulman : un labyrinthe d'allées couvertes, où l'on passe d'un étal à l'autre, de couleur en couleur, de parfum en parfum. Sur les ruelles s'ouvrent des khans monumentaux, des caravansérails dont les plus anciens remontent au XVe s. C'est là que les marchands entreposaient leurs biens, sitôt arrivés en ville. C'est là aussi que les Occidentaux ouvrirent leurs premiers comptoirs et leurs premiers consulats.La vocation commerciale d'Alep ne date pas d'hier : dès le début du XIIIe s., les Vénitiens s'y étaient établis ; ils furent suivis, beaucoup plus tard, par les Hollandais, les Anglais et surtout par les Français qui y jouirent

---

**Dominant la vieille ville à l'est, la citadelle d'Alep date, dans son état actuel, du XIIe s. La légende veut qu'Abraham y ait fait halte sur sa route vers la Terre Promise.**

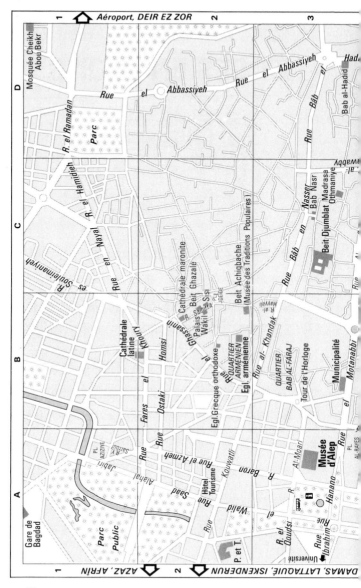

**Alep**

longtemps d'un quasi-monopole commercial. Dans leur sillage, consuls et institutions religieuses françaises exercèrent une grande influence culturelle sur les élites locales, au point qu'aujourd'hui encore, les grandes familles aléppines utilisent volontiers le français, même si les jeunes générations lui préfèrent désormais l'anglais, « business » oblige. Depuis quelques années, ce sont les Russes que l'on voit en nombre dans les ateliers de la ville. Ils ont véritablement

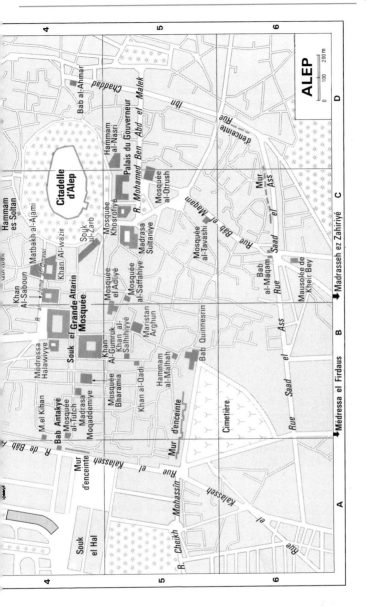

investi le quartier de Bab el-Faraj où ils viennent acheter des vêtements bon marché qu'ils acheminent par des moyens de fortune vers
Moscou ou Saint-Pétersbourg. Pour toute enseigne, les échoppes n'ar-
borent plus que le mot « Fabrica » écrit en caractères cyrilliques,
tandis que dans les petits hôtels du coin, salons et parties communes
sont envahis de ballots de tissus qui s'entassent jusqu'au plafond ; les
khans d'aujourd'hui en somme.

# ◼ ALEP MODE D'EMPLOI

## S'orienter

À l'E se trouve la **vieille ville**, dominée par la masse de la citadelle. À l'O, la **ville nouvelle** où se trouvent la plupart des hôtels, des restaurants et des agences de voyage. Le quartier de la **place Aziziyé** A2 est le plus animé le soir venu, avec ses dizaines de restaurants. La **rue Baron** A3 fait figure d'artère principale de la ville nouvelle, avec ses magasins, ses bureaux et le célèbre hôtel du même nom.

## Circuler

À pied uniquement : c'est la seule façon de découvrir la ville. Les distances ne sont pas très grandes ; du musée A3 à la citadelle CD4, les deux centres d'intérêt les plus éloignés l'un de l'autre, il ne vous faudra guère plus de 30 mn de marche. Si votre hôtel est excentré ou si vous êtes fatigué après une longue journée de promenade, n'hésitez pas à avoir recours à un taxi : les tarifs sont très modiques ; de l'ordre de 50 livres pour un trajet en ville en 1995. Pour les liaisons entre Alep et les localités du pays, vous aurez le choix entre les bus Karnak, A4, les Pullman, plus confortables A3, ou les taxis services qui partent derrière l'hôtel Amir A4; de là partent également les minibus, notamment en direction de Saint-Siméon.

## Programme

Trois objectifs à ne pas manquer : le **musée**, les **souks** et la **citadelle**. Ils peuvent être visités en une journée, sans s'attacher aux détails : commencez par le musée, traversez ensuite les souks à pied pour aboutir à la citadelle. Le mieux est de disposer de **deux jours complets** : vous pourrez alors entreprendre une découverte en profondeur des souks – ils en valent la peine – et parcourir ainsi des quartiers peu connus des touristes. Avec la visite de la citadelle, le tout vous demandera une journée. Le second jour sera consacré au musée, au quartier chrétien et à la partie moderne de la ville. Vous restez encore plus longtemps à Alep ? Les excursions ne manquent pas : **Ebla**\*\*, **Saint-Siméon**\*\*\*, la découverte du **Massif calcaire**\*\*\* (voir p. 176).

## Le destin d'une acropole

C'est au XXe s. avant notre ère que l'ancêtre d'Alep apparaît sur la scène de l'histoire ; elle se nomme Khalap et c'est la capitale d'un puissant royaume. Cette acropole plantée à un carrefour de pistes caravanières attira très vite les convoitises des puissances du temps. De fait, les conquérants s'y succédèrent jusqu'au XVe s., époque à laquelle Alep devint capitale d'une principauté hittite. Lorsque les Araméens fondèrent leurs royaumes dans le N de la Syrie (vers le Xe s., voir p. 42), ils négligèrent Alep au profit d'autres localités alentour. Il fallut l'arrivée des Macédoniens d'Alexandre au IVe s. av. notre ère pour sortir la future Alep de son anonymat. Séleucos Nicator fonde, en effet, sur le site une colonie macédonienne du nom de Beroia. Son plan régulier, aux rues se coupant à angles droits, servira d'ossature à la cité islamique. Mais avant l'arrivée des musulmans, Alep aura vu le développement d'une importante communauté chrétienne et aura été détruite par les Perses en 540. Seule la citadelle résista à la fureur des assaillants ; la ville basse, quant à elle, fut complètement ravagée.

## La cité de Nour ed-Din

En 637, le général musulman Khaled ibn al-Walid se présenta devant les murs d'Alep. Plutôt que d'engager un combat inégal, les habitants préférèrent ouvrir les portes de la ville. Là, comme ailleurs, la mainmise musulmane se fit tout d'abord discrète. À peine les partisans du Prophète osèrent-ils aménager un lieu de culte, à l'entrée de la ville, entre les piliers de la colonnade. Un siècle plus tard, Alep était devenue une grande ville musulmane : à l'emplacement de l'agora antique s'élève désormais la Grande Mosquée. Toutefois, tant sous les Omeyyades que sous les premiers Abbassides, Alep resta une localité provinciale, sans fonction politique ou administrative. Ce n'est qu'au Xe s., avec l'installation de Sayf ud Dawla en 944, qu'Alep devint, pour la première fois depuis l'arrivée de l'islam, la capitale d'un État. Le rayonnement de cette brillante dynastie hamdanide fut de courte durée : en 962, l'empereur byzantin Nicéphore Phocas s'empara d'Alep ; pendant une semaine la ville fut livrée à un pillage et à une destruction méthodiques. Alep ne se releva pas de cette catastrophe. Tour à tour les Bédouins, les Byzantins ou les Égyptiens fatimides, suivis des Turcs seldjoukides, régnèrent sur les lambeaux d'une ville en grande partie ruinée et laissée à l'abandon. Au début du XIIe s., elle subit même deux attaques des croisés auxquels elle dut payer tribut. Alep ne retrouva véritablement son lustre qu'avec l'avènement de Zengi, un émir d'origine turque, puis avec le règne de son fils, le célèbre Nour ed-Din qui releva la ville de ses ruines. Ce brillant chef de guerre et cet administrateur avisé employa toute son énergie à reconstruire enceinte, mosquées, citadelle et souks. C'est à lui que l'on doit l'aspect général des souks d'aujourd'hui, sans doute les plus beaux de tout le monde musulman. On lui doit aussi l'érection de nombreuses écoles coraniques, ces médrassa où s'enseignait l'orthodoxie sunnite qu'il entendait promouvoir pour contrer l'influence du chiisme professé par les Fatimides, les derniers maîtres de la ville. À la mort de Nour ed-Din, son fils était encore un enfant. Les Aléppins résistèrent pourtant en son nom pendant huit ans au maître de Damas, le grand Saladin, qui s'empara de la ville en 1183, parachevant ainsi l'unification de l'ensemble de l'Orient musulman sous son autorité. Alep et la Syrie du Nord devinrent le fief de Malik al-Zahir Ghazi, fils de Saladin, qui fonda une dynastie ; celle-ci dura jusqu'à l'arrivée des Mongols en 1260. Ce fut alors l'apogée de l'Alep médiévale, devenue l'une des grandes places commerciales de l'Orient. Dès 1207, les Vénitiens y ouvrirent un comptoir permanent. C'est que les routes venues de l'Orient lointain s'arrêtaient ici. Le sac des hordes mongoles en 1260 donna un coup d'arrêt provisoire à la prospérité de la ville, passée sous la domination des Mamelouks d'Égypte. Alep retrouva son lustre au XVe s. avec la ruine du royaume d'Arménie et de Cilicie et de ses comptoirs sur la mer Noire où les produits de la Perse s'échangeaient contre les étoffes italiennes. Les souks s'agrandirent, et l'on éleva des khans monumentaux, devenus une des caractéristiques de la ville. Le long des routes qui conduisaient en ville s'établirent de longs faubourgs. Dans l'un d'entre eux se fixèrent les chrétiens : des maronites et des Arméniens principalement qui servaient d'intermédiaires pour les marchands européens revenus en force.

## Le temps des consuls

Passée comme toute la Syrie sous la domination ottomane en 1516, Alep développa encore son activité commerciale au point de devenir le principal centre d'échanges de tout le Levant. Les puissances européennes, qui ouvrirent tour à tour leurs consulats en plein cœur de la vieille ville, ne s'y trompèrent d'ailleurs pas. Les premiers furent en 1548 les Vénitiens qui avaient, on l'a vu, leurs habitudes dans la ville. Les Français les imitèrent en 1562, suivis des Anglais en 1583, puis des Hollandais en 1613. Alep était devenue un centre d'échanges d'importance mondiale. D'Europe venaient les étoffes, le verre, le papier ou les produits chimiques, qui étaient ensuite réexportés vers l'Orient avec la production locale de soieries et de cotonnades. L'activité commerciale d'Alep culmina au XVIIIe s. avant de marquer le pas à partir de 1775, avec le déclin commercial de la France – qui avait réussi à s'assurer le quasi-monopole des échanges à Alep. Entre-temps, Alep s'était dotée de dizaines de khans monumentaux, ces caravansérails ottomans qui comptent aujourd'hui parmi les plus beaux monuments de la ville.

## Le Paris du Levant

À partir de la seconde moitié du XIXe s., Alep se transforme radicalement. Le grand centre d'échange oriental se prend à vouloir ressembler à une métropole européenne. À l'ouest de la ville, de nouveaux quartiers sont construits à l'occidentale, tel celui de Aziziyé, un des centres de la vie nocturne de la ville d'aujourd'hui. Des écoles sont ouvertes, des journaux voient le jour. En 1906, le chemin de fer atteint celle qui se veut le Paris du Levant : il ne conduit alors qu'à Hama et Damas. Il faudra attendre 1912 pour qu'il soit relié à Bagdad et à Istanbul et de là à l'ensemble du réseau européen.

Le démantèlement de l'empire ottoman après 1918 et le passage sous l'autorité mandataire française priva Alep de son arrière pays désormais turc ; de même, la cession en 1939 du Sandjak d'Alexandrette par la France à la Turquie (voir p. 47) coupa la ville de ses accès les plus directs à la mer. À l'indépendance, Alep comptait plus de 300 000 habitants et entendait se poser comme la capitale du Nord du pays, plus moderne et plus tournée vers l'Occident que sa vieille rivale Damas l'orientale. Si les productions traditionnelles, pistaches, savon, sont toujours bien présentes, Alep vit aujourd'hui principalement du coton – une foire avec défilé de chars lui est consacrée en septembre – produit dans la région de la Djéziré, puis tissé et imprimé dans les manufactures de la ville.

# LA VIEILLE VILLE

Pour découvrir véritablement la vieille ville d'Alep, il ne faut pas hésiter à se perdre dans l'entrelacs de ses ruelles et de ses ♥ souks***. Difficile dans ces conditions de vous indiquer un itinéraire précis. Nous vous suggérons néanmoins de commencer votre visite par la Grande Mosquée, puis de traverser la ville vers l'est de manière à rejoindre la citadelle. En chemin, vous prendrez pour objectifs les monuments principaux évoqués ci-dessous. S'il vous arrive de vous perdre (hypothèse fort probable), dites-vous que ce ne sera pas pour longtemps et que vous retrouverez vite votre chemin : sachez que le souk principal traverse la ville d'ouest en est, de la porte d'Antioche au pied de la citadelle. Il s'appelle El-Attarin au S de la Grande

Mosquée, Al-Zarb plus loin vers l'E ; c'est un point de repère commode. Les souks de marchandises précieuses (or, tapis, soieries) se trouvent à l'est de la Grande Mosquée : ce sont également, avec les souks au S de la Grande Mosquée, les plus beaux au plan de l'architecture. *Rappelons que tout est fermé le vendredi.*

## La Grande Mosquée**

*B4 Ouv. du lever au coucher du soleil, entrée libre. Babouches et pèlerines pour les femmes sont disponibles à l'entrée.*

Elle fut fondée en 715 par les Omeyyades, sur l'emplacement de dépendances – jardins ou cimetière – de la cathédrale byzantine (voir plus bas). C'était auparavant l'agora de la ville hellénistique. De cette première construction, il ne reste rien. Dans son état présent, l'ensemble date pour l'essentiel du XIIe s., plus précisément du règne de Nour ed-Din qui fit reconstruire la mosquée en même temps qu'une grande partie de la ville. Seul le remarquable **minaret**** est plus ancien et date du XIe s. : c'est une des réussites les plus remarquables de l'architecture médiévale syrienne. À l'intérieur, beau minbar (chaire) du XVe s. À sa gauche, un reliquaire abriterait la tête de Zacharie, le père de saint Jean-Baptiste.

## La médressa Halawiyyé*

*B4 Ouv. du lever au coucher du soleil ; entrée libre.*

Cette **école coranique** conserve quelques vestiges de la cathédrale byzantine dédiée à sainte Sophie sur l'emplacement de laquelle elle fut construite au XIIe s. Déjà la cathédrale, construite au VIe s., avait été amputée de ses jardins lors de la construction de la Grande Mosquée. Elle resta pourtant ouverte au culte chrétien jusqu'au XIIe s. ; en 1124, les maîtres d'Alep s'emparèrent de six églises, dont celle-ci, pour les convertir en lieu de culte musulman, sans doute à la suite du long siège que Jocelin d'Edesse imposa à la ville cette même année.

La **cour** de l'édifice est bordée sur trois côtés de chambres réservées aux étudiants. Sur le quatrième, face à l'entrée, ouvre la salle de prières. C'est là que sont conservées, engagées dans le mur ouest (c'est-à-dire en face de vous), des colonnes appartenant à la cathédrale byzantine. Remarquez également le splendide mihrab en bois sculpté datant du XIIIe s.

## Le khan Al-Gumruk**

*B4* Planté au cœur de la partie la plus attachante des souks d'Alep, le khan Al-Gumruk fut achevé en 1574. C'est l'un des plus beaux khans de la ville, et certainement l'un des plus vastes : il abritait à l'origine 344 magasins sur une superficie de 6 400 m². C'est là, qu'au XVIIe s., les marchands français, hollandais et anglais tenaient leurs comptoirs. C'est là aussi qu'étaient installés leurs consulats.

## Vers Bab Qinnesrin**

*B5* En suivant vers le S le **souk Bab Qinnesrin**, vous parviendriez à la **porte** du même nom *B5*, la plus belle et la mieux conservée des portes de la ville. Elle date du Xe s. et fut restaurée à plusieurs reprises, au XIIIe s. et au XVIe s. notamment. En la franchissant, vous découvrirez les murailles d'Alep, très impressionnantes de ce côté-ci. En chemin et partant du souk principal, vous découvrirez de beaux

# LE SOUK,
# CŒUR DE LA VILLE ARABE

*Le souk, pour les Occidentaux, c'est un lacis incompréhensible et mystérieux de ruelles et d'impasses. Il répond pourtant à une logique précise, celle des villes arabes.*

### De la Rue Droite au labyrinthe des souks

Les vieilles villes d'Alep et de Damas sont héritières directes des cités hellénistiques et romaines. Pourtant, dans le labyrinthe des souks, on serait bien en peine de reconnaître les rues rectilignes de l'Antiquité. Car le cœur de la ville a changé de fonction : officiel dans l'Antiquité, avec son temple, son agora et son théâtre, il est devenu commerçant avec l'arrivée des musulmans. Pour eux, les villes étaient avant tout des centres d'échanges. Peu à peu, la belle ordonnance classique a été grignotée par un enchevêtrement de boutiques. Sous les portiques des artères principales, on commença par tendre des toiles pour protéger étals et chalands des ardeurs du soleil. Puis on éleva des murs entre les colonnes pour construire des boutiques : elles ne tardèrent pas à empiéter sur la chaussée. On couvrit enfin les rues d'une architecture de pierre, percée d'ouvertures pour laisser entrer le jour. Les rues perpendiculaires à la Rue Droite qui, à Alep comme à Damas, a été préservée et constitue toujours l'épine dorsale du bazar, ont été fermées en cul-de-sac. Ainsi apparurent des quartiers où se regroupèrent commerçants ou artisans d'une même corporation et souvent d'une même origine géographique. La nuit venue, on en fermait l'accès par de lourdes portes de bois, qui protégeaient hommes et marchandises.

### La hiérarchisation de l'espace

Sous le désordre apparent se dissimule un ordre rigoureux : une des principales caractéristiques des villes musulmanes est le strict regroupement géographique des activités commerçantes et artisanales : ici le souk des orfèvres, là le souk des parfumeurs, plus loin celui des tanneurs.

Livres, pastèques et casseroles ; travailler, dormir ou lire : la vie du souk connaît tous les goûts et tous les rythmes...

Loin d'être laissée au hasard, la répartition des différentes activités répond à une logique bien précise : tout près de la Grande Mosquée, la construction la plus importante de la ville, se trouvent les échoppes de produits précieux, l'or, les tissus importés mais aussi les livres. Aujourd'hui encore cette disposition est respectée, à Damas et à Alep, où certaines boutiques de bijoutiers s'appuient contre le mur même de la Grande Mosquée.

**Tissus de brocard
et damasseries,
souk des parfums,
souk des cuivres.**

À mesure que l'on s'éloigne de la Mosquée,
les produits deviennent moins précieux :
parfums, épices, tissus courants. Les activités
les plus « polluantes », tanneries pour l'odeur,
dinanderie pour le bruit ou, à Alep, les savonneries,
sont reléguées à la périphérie du bazar.

### Le lieu de toutes les perditions…

**Les pistaches,
spécialité d'Alep.**

« Je ne peux pas aller là-bas comme ça »,
nous confia un jour, parlant du souk, une jeune
chrétienne d'Alep en lissant d'une main sa longue
chevelure brune. Il est bien vrai que l'on ne voit,
et à Alep notamment, guère de femmes en cheveux
déambuler dans le souk. Longtemps, on n'en vit
pas du tout. Les souks étaient considérés comme
des lieux de perdition, tout particulièrement pour
les femmes : la promiscuité qu'impose l'étroitesse
des ruelles pouvant avoir un effet fâcheux sur
la moralité publique. De temps à autre, il arriva
qu'on leur en interdise même l'accès, comme
l'on interdisait, à tous cette fois, de s'y promener
de nuit. Car le souk est aussi le lieu de toutes les
intrigues. C'est là que se rencontrent les hommes,
dans les bains publics et les cafés : « Là se préparent,
presque en silence, les fréquentes révolutions
qui ensanglantent la capitale », écrivait Lamartine
à propos de Damas. C'est la raison pour laquelle
les souks, pendant longtemps, ne connurent pas
d'éclairage public.

## Le souk mode d'emploi

Ne cherchez pas de belles et grandes boutiques : les échoppes sont en général minuscules. Un rectangle de quelques m², fermé sur la rue par un double volet de bois. Le volet supérieur sert d'auvent, le volet inférieur d'éventaire et souvent de banquette où s'installent marchand et client. Car le maître mot du bazar est « marchandage ». Cela peut durer longtemps, plus ou moins bien installé dans la boutique, en sirotant un café. Il est de bon ton de ne pas aborder directement l'essentiel : il vous faudra en passer par de longues digressions sur le temps qu'il fait, sur l'état de santé de vos familles respectives, sur votre pays d'origine (« la France : ah ! De Gaulle, Michel Platini… »). Vous ne ferez peut-être pas toujours de bonnes affaires, mais vous aurez au moins passé un bon moment.

édifices, comme le **khan Al-Salihiyé** B5 dont la cour embaume le chèvrefeuille, ou le khan Al-Qadi du XVe s. qui conserve une superbe entrée. Plus loin, ne manquez pas d'entrer dans le **Maristan Arghun** B5 ; il s'agit d'une très ancienne demeure transformée en 1354 en asile d'aliénés. On y voit, autour de la cour centrale ou au fond de couloirs obscurs, les anciennes cellules où étaient enchaînés les malades. L'hôpital servait encore au début de notre siècle. On y accueille aujourd'hui des concerts et des spectacles folkloriques. Avant d'atteindre Bab Qinnesrin, vous passerez à dr. la rue Hamman al-Malhah. Tout de suite à dr., ouvre l'une des plus anciennes **savonneries** de la ville : elle fut fondée au XVIe s. et est toujours en activité. N'hésitez pas à pousser la porte : le directeur (qui s'appelle M. Sabouni, c'est-à-dire M. Savon) ou l'un de ses employés se fera un plaisir de vous conduire à travers les installations. Le gros de la production (environ un millier de tonnes par an) s'effectue entre novembre et avril. Revenez ensuite vers le souk principal et suivez-le en direction de l'est. En chemin, vous pourrez faire un petit détour vers la g. pour visiter **deux très beaux khans :** le khan Al-Wazir et le khan Al-Saboun. Le **khan Al-Wazir** C4, construit au XVIIe s. et doté d'un magnifique portail, est considéré comme l'un des plus beaux de la ville. À l'intérieur, une petite boutique à dr. dans la cour propose des souvenirs et quelques antiquités. Le **khan Al-Saboun** C4 est, lui, d'époque mamelouke (tout début du XVIe s.). De l'autre côté de la rue (Al-Jama el-Omawi ; c'est la principale artère automobile qui traverse la vieille ville d'ouest en est), une très ancienne demeure du XIIe s., **Matbakh al-Ajami**, est en cours de restauration.

## Le Codex d'Alep

Pendant 6 siècles, la communauté juive d'Alep s'enorgueillit de posséder le plus vieux manuscrit de la Bible. Il fut copié au Xe s. en Palestine puis transféré au siècle suivant au Caire. Maïmonide, le grand philosophe de Cordoue, le consulta pour établir les règles précises – toujours en vigueur aujourd'hui – qui régissent la copie du Texte saint. Au XIVe s., un de ses descendants emmena le précieux ouvrage à Alep pour le confier à la communauté juive de la ville qui le considéra dès lors comme un véritable talisman. Viendrait-il un jour à disparaître, qu'alors périrait la communauté.

En 1947, à la suite du plan de partage de la Palestine, des émeutes antijuives éclatèrent au cours desquelles la grand synagogue qui abritait le manuscrit fut incendiée. Le Codex échappa pourtant aux flammes. Pendant dix ans il fut conservé secrètement par des Juifs demeurés à Alep. À partir de 1957, ces derniers le firent passer en contrebande par la Turquie, feuille après feuille. En 1958, 295 des 487 pages étaient parvenues à Jérusalem. On crut longtemps le reste définitivement disparu. Il n'en était rien : le lent voyage du Codex se poursuivit discrètement jusqu'en 1995, lorsque les dernières pages arrivèrent en Israël. Une partie d'entre elles sont aujourd'hui exposées au musée d'Israël à Jérusalem.

# LA CITADELLE***

➤ *Visite t.l.j. sf mar. de 9h à 14h et de 15h à 17h30 ; entrée payante ; 2h de visite.* Cette éminence à l'est de la ville fut occupée, pense-t-on, dès le XVIe s. av. notre ère. Les plus anciens vestiges exhumés sur place ne remontent pourtant qu'au Xe s. : il s'agit de lions taillés dans le basalte et appartenant à un temple néo-hittite contemporain de celui d'Ain Dara (voir p. 183). Le premier édifice militaire fut construit sous les Séleucides, entre le IVe s. et le Ier s. av. notre ère, puis réoccupé sans doute par les Romains. Les souverains musulmans s'en désintéressèrent jusqu'au règne de Sayf ud Dawla (voir p. 159) qui y fit construire un palais. Mais c'est à l'époque des croisades que la citadelle retrouva toute son importance militaire : il s'agissait alors de contrer les ambitions franques en Syrie du N. Jamais les Francs ne parvinrent à saisir l'imprenable forteresse. Elle servit, en revanche, de geôle pour quelques-uns des plus illustres d'entre eux : Jocelin II, le comte d'Edesse, y mourut ; Renaud de Châtillon y croupit 16 ans dans un cul de basse fosse ; Baudouin II, le roi de Jérusalem, y fut retenu pendant deux ans. La citadelle fut gravement endommagée par le raid des Mongols en 1260 avant d'être totalement détruite par les hordes de Tamerlan en 1400.

**Une des plus belles citadelles d'Orient.** Elle s'élève à l'est de la ville sur une colline haute de 40 m. Pour la rendre encore plus inaccessible, Malik al-Zahir Ghazi, le fils de Saladin, fit creuser tout autour un énorme fossé large de 30 m ; sur la pente de la colline, inclinée à 48°, un glacis maçonné de larges dalles de pierre rendait toute approche impossible (beaucoup de ces dalles ont été retirées au siècle dernier pour construire des maisons). Le seul accès à la citadelle se faisait par une longue rampe de pierre défendue par un ouvrage avancé. Entre ce dernier et la ville, il n'y avait qu'un pont-levis de bois, remplacé aujourd'hui par un pont de pierre. Si, par extraordinaire, les assaillants parvenaient, sous le tir constant des défenseurs, jusqu'au pied de la muraille, ils se heurtaient à une façade de pierre : le portail d'entrée ouvre en effet à dr., interdisant par manque de recul l'emploi d'un bélier. Pris dans cette souricière, les attaquants succombaient rapidement sous les tirs des défenseurs embusqués derrière les meurtrières qui surplombent le porche. Au-delà, le couloir qui conduit à la cour de la citadelle dessine cinq courbes destinées à briser l'élan d'hypothétiques assaillants qui seraient parvenus jusque là.

**Au sommet de la citadelle.** Les vestiges disséminés au sommet de la colline datent de diverses époques et sont assez ruinés. Au débouché du couloir coudé qui vient de l'entrée, un chemin conduit tout droit à la partie la plus haute de la citadelle, du côté opposé. En chemin, vous trouverez tout d'abord sur votre dr. un portail prolongé d'escaliers qui descendent vers une fosse creusée dans le roc. C'est là, dit-on, que Renaud de Châtillon passa ses seize années de captivité. Plus loin, vous découvrirez sur la g. une petite mosquée. C'est la mosquée d'Abraham construite au XIIe s. à l'emplacement où, selon la tradition, le patriarche se serait arrêté en route vers la Terre Promise. Plus haut, à g., s'élève la Grande Mosquée de la citadelle, construite au début du XIIIe s. En surplomb de la muraille, une terrasse permet d'embrasser une large partie de la ville. À dr., un petit café est aménagé dans d'anciens baraquements militaires de l'époque ottomane (XIXe s.). Vous redescendrez en traversant le théâtre de plein air (moderne) pour gagner les vestiges du palais ayyoubide (XIIIe s.) ; son hammam a été joliment restauré. Plus bas, ouvre sur une cour l'ancienne salle du trône des gouverneurs mamelouks. De là, des marches (à dr. en entrant) permettent de redescendre par un escalier dérobé jusqu'au premier portail d'entrée. Tout au long du chemin, des ouvertures ménagées au-dessus du couloir principal permettaient aux défenseurs de prendre sous leurs tirs d'éventuels assaillants.

# LA VILLE MODERNE*

Depuis le XVIIIe s., Alep a largement débordé de ses murailles médiévales : vers le N tout d'abord avec le quartier chrétien de Jdeidé B2, un intéressant but de promenade, avec ses églises de différentes confessions, ses belles demeures aléppines et son musée des arts et traditions populaires ; vers l'ouest, ensuite, avec le quartier construit au siècle dernier entre la rue Baron A2-3 et le quartier Aziziyé A2. Dans la première sont concentrés agences de voyage et magasins. Le second, avec ses nombreux restaurants, est le soir le principal quartier animé de la ville. À l'extrémité S de la rue Baron se trouve le musée d'Alep, l'un des plus beaux musées du pays avec celui de Damas ; visite hautement recommandée.

## Le musée***

➤ A3 *Ouv t.l.j. sauf mar. de 9h à 16h ; entrée payante. On trouve au guichet d'entrée un guide du musée et de jolies cartes postales.* Précédant le portail d'entrée, de monumentales statues accueillent le visiteur. Elles sont la réplique de celles qui décoraient la façade d'un temple du Ier millénaire av. notre ère sur le site de Tell al-Halaf, dans le N du pays, à la frontière turque. Le rez-de-chaussée du musée est consacré aux différentes cultures de l'Orient ancien qui se succédèrent sur le territoire de la Syrie. Le premier étage présente des objets appartenant à l'Antiquité classique et à la civilisation islamique. À ne pas manquer : les salles de Mari, d'Ebla et de Tell al-Halaf. Vous commencerez votre visite en prenant à dr. après l'entrée.

**Salle 1 : les sites de la Djéziré.** Cette région fertile qui s'étend au N-E du pays entre le Tigre et l'Euphrate fut le berceau de très anciennes cultures. On y a dénombré des centaines de sites qui, pour la plupart, attendent d'être fouillés. Celui de Tell Brak a, pour sa part, été exploré dans les années 1930. On y a mis au jour les vestiges de l'un des plus anciens temples de la région puisqu'il remonte au IVe millénaire. Ignorant à quelle divinité il était consacré, les archéologues l'appelèrent le Temple de l'Œil : les nombreuses statuettes en terre cuite ou en albâtre trouvées sur place possèdent, en effet, des yeux démesurés. Quelques-unes sont exposées dans les vitrines. Dans cette même salle, on peut également voir des objets provenant de divers sites, comme cette déesse de la fertilité du Ve millénaire (vitrine 2) ou ces terres cuites du IIe millénaire qui témoignent d'une certaine mécanisation avec l'apparition du tour de potier.

**Salle 2 : Mari\*\*\*.** Le musée d'Alep possède avec celui de Damas et le Louvre l'une des plus belles collections d'objets provenant du célèbre site de l'est syrien (voir p. 207). La vitrine 1 présente des **statuettes d'orants** : elles étaient placées dans le temple pour y représenter leur donateur dont le nom est parfois gravé sur l'épaule de la figurine. Dans la vitrine 2, un **couple d'amoureux\*\*\*** rappelle qu'une certaine douceur de vivre n'était pas absente de la civilisation de Mari. La vitrine 3 présente une collection de **sceaux-cylindres** ainsi que des scarabées provenant d'Égypte. On peut également voir quelques-unes des 20 000 tablettes découvertes sur le site. Leur déchiffrement a fourni aux archéologues la source historique sans doute la plus importante sur l'Orient du second millénaire. Contre le mur, sont exposés des moules à pain, découverts dans les cuisines du palais. Cette salle présente également trois chefs-d'œuvre de la statuaire de Mari : un **lion de bronze\*\*\*** qui, avec son pendant exposé au Louvre, constitue une paire. Il s'agit d'un placage de tôles de cuivre fixé sur une forme sculptée (disparue avec le temps), probablement en bois. Ce lion a été restauré en 1993 pour être présenté lors de l'exposition *Syrie Mémoire et Civilisation* qui s'est tenue à l'Institut du Monde Arabe de Paris en 1993-1994. Voyez également la **statue d'Ishtup Ilum** en diorite noire qui fut trouvée renversée dans la salle du trône. Enfin, ne manquez pas l'un des symboles de la civilisation de Mari ; la **Déesse au vase jaillissant\*\*\***, divinisation de l'eau, source de toute fertilité. À l'origine, un conduit acheminait l'eau jusque dans la coupe que tient la déesse.

**Salle de Hama.** On y voit les objets découverts sur le site (voir p. 117) : ils appartiennent à toutes les périodes d'occupation du tell du Ve au Ie millénaire.

**Salle d'Ougarit\*\*\*.** Le grand port de la côte syrienne au IIe millénaire (voir p. 149) a livré une paire de bols en or (l'un est original, l'autre une copie d'une pièce se trouvant au Louvre), des figurines de bronze représentant des hommes et des animaux, des poids en bronze et en pierre, des bijoux. Certaines pièces témoignent de l'importance des échanges qu'Ougarit entretenait avec l'ensemble de l'Orient méditerranéen : scarabées d'Égypte, figurines égéennes…

**Salle de Tell al-Halaf\*\*\*.** Les objets exposés ici appartiennent à un temple du Ier millénaire av. notre ère lorsque Tell al-Halaf était capitale d'une principauté araméenne. L'entrée du musée est une reconstitution de celle du temple. Dans la salle, on voit un extraordinaire bestiaire de divinités fantastiques (comme cet aigle à pattes de lion, à queue de scorpion et à tête d'homme), les figures des divinités aux yeux exorbités et comme assoiffées d'offrandes ; ainsi ces deux femmes assises à l'entrée de la salle (peut-être des membres divinisés de l'aristocratie locale) qui tendent vers les fidèles leur bol à offrandes. Une partie des pièces exposées ici sont les copies d'originaux qui se trouvaient dans les musées de Berlin (Max von Oppenheimer, l'archéologue qui explora le site au début de notre siècle, était allemand) et furent ensevelies sous les décombres de la ville à la fin de la Seconde Guerre mondiale. Un témoignage unique et exceptionnel sur cette culture araméenne du premier millénaire.

Les deux salles suivantes sont consacrées à trois sites de la Djéziré : **Arslan Tash**, **Tell Hajib** et **Tell Ahmar** qui furent au VIIIe s. av. notre ère des capitales de province assyrienne. On y a mis au jour les restes de palais avec leurs décorations peintes (Tell Ahmar) représentant des soldats et des officiers assyriens. On a également trouvé des statuettes et les décorations d'ivoire qui ornaient le mobilier (Arslan Tash).

La salle suivante montre des pièces provenant d'**Ain Dara** (voir p. 183), notamment un bloc de pierre sculptée provenant du temple d'Ishtar.

**Salle d'Ebla.** On y voit notamment quelques-unes des tablettes découvertes sur le site (voir p. 172), les restes d'une porte de bois ainsi qu'un bloc brut de lapis-lazuli qui rappelle qu'Ebla était une place commerciale de première importance.

Au **1er étage**, dans les salles consacrées à l'Antiquité classique, vous verrez un relief en basalte de la divinité des Bédouins, Allat montée sur son chameau (IIe s. de notre ère). Également des bustes funéraires palmyréniens et des verres romains et byzantins. Dans la section islamique, une jolie maquette de la vieille ville d'Alep.

## Jdeidé**, le quartier chrétien

➤ B2 Env. 2h. Agréable promenade à pied pour découvrir les églises et les vieilles maisons du quartier chrétien d'Alep. Il se développa à partir du XVIIIe s. lorsque les chrétiens de la région s'enrichirent en servant d'intermédiaires officiels entre les marchands européens et les autorités musulmanes. Depuis la rue Al-Khandak B3, prenez vers le N la rue Al-Hayyali qui aboutit à la place centrale de Jdeidé. À la première intersection, repérez au coin dr. un magasin de meubles : il est installé dans un ancien et splendide café ottoman. Dans le coin opposé, se trouve la maison *(Beit)* Achiqbache B2 qui abrite le **musée des Arts et Traditions populaires** *(ouv. t.l.j. sf mar. de 8h à 14h ; entrée payante ; Entrée par la rue Hayet al-Jasmin, à g.).* En continuant tout droit dans cette même rue, vous aboutirez, à 200 m à dr., à l'église arménienne des Quarante-Martyrs. L'intérieur est splendidement décoré d'icônes ; de part et d'autre de l'autel, sont fixées des *khatchka*, des plaques de pierre ornée de la croix arménienne, dons de riches commerçants de la ville.

Revenez à la première intersection et tournez à g. jusqu'à la place Al-Hattab, le cœur animé de Jdeidé. De là, vous pourrez poursuivre votre exploration en tournant dans la ruelle à g. au fond de la place, en passant devant la devanture d'un brocanteur qui expose un invraisemblable bric-à-brac au balcon de sa boutique.

Prenez ensuite la première rue à dr., la rue Samirra. Immédiatement à dr. se tient le restaurant Sisi, aménagé dans le palais du même nom. Presque en face, se dresse le palais Wakil qui, en 1995, était en restauration pour être transformé en hôtel. Nul doute que si le projet aboutit, ce sera à Alep l'hôtel de charme par excellence, avec ses superbes boiseries et ses délicieux jardins agrémentés de fontaines.

Plus loin dans la rue, à dr., se trouve le palais Ghazalé (aujourd'hui une école chrétienne). La rue aboutit enfin à la cathédrale maronite.

# À VOIR ENCORE À ALEP

## Le quartier de Beit Joumblatt**

Méconnu, à l'intérieur des murs de la vieille ville, il mérite 1h de visite. Demandez la direction de la maison *(Beit)* Joumblatt, un des plus beaux palais d'Alep. La demeure est toujours habitée ; sonnez à la porte, on vous conduira jusqu'à la cour centrale de la maison, ornée d'un splendide iwan décoré de faïences bleues. Ce quartier au N-O de la ville était aussi depuis le Moyen Âge habité par la communauté juive. C'est là que se trouvait notamment la **Grande Synagogue** de la ville, qui abritait le célèbre Codex d'Alep (voir p. 164) et qui fut détruite en 1947. Elle est fermée à la visite, mais on peut découvrir les restes des bâtiments, ses cours et son vieux cimetière depuis la terrasse d'une maison voisine. En sortant de la maison Joumblatt, tournez à dr., puis dans la 1re rue à dr. La synagogue occupe le coin de la 3e rue à g. Pour accéder à la terrasse, prenez cette ruelle et entrez dans l'atelier de couture juste à dr.

En vous dirigeant vers Bab Nasr C3, revenez sur vos pas jusqu'à l'entrée de la maison Joumblatt puis continuez. La 1re ruelle à dr. vous conduira jusqu'à **Bab Nasr**, une des portes de la ville médiévale construite à l'époque ayyoubide (XIIIe s.). Un peu avant, une petite ruelle à g., rue Ibn Khalkan, est bordée d'anciennes maisons juives, aujourd'hui occupées par des villageois venus habiter en ville.

Depuis Bab Nasr, une jolie promenade vous ramènera jusqu'au centre de la vieille ville, dans la rue Al-Jama al-Omawi, non loin du khan Al-Wazir C4, des souks et de la Grande Mosquée. Depuis Bab Nasr, tournez à dr. dans la rue du souk Bab el-Nasr, pittoresque bazar ignoré des touristes. Traversez ensuite la grande rue Al-Sejeune C3 pour prendre tout droit en face. Au coin à dr., ne manquez pas le très beau khan Qourtbak (époque mamelouke, XVe-XVIe s.), qui conserve de fort beaux vantaux de portes. En poursuivant tout droit, vous arriverez après 200 m dans la rue Al-Jama al-Omawi.

## La médrassa Al-Firdaus*

*Hors plan par BC* À 2 km du centre-ville, en voiture. Les amateurs d'architecture musulmane du Moyen Âge visiteront cette imposante école coranique (XIIIe s.) entourée d'un cimetière. Les bâtiments s'organisent autour d'une magnifique cour centrale, simple et élégante. Sur trois côtés s'ouvrent les salles d'étude et la salle de prières ; le quatrième est orné d'un très bel iwan encadré de colonnes dotées de chapiteaux finement ciselés.

# LES BONNES ADRESSES

## Hôtels

▲▲▲▲ **Cham Palace,** place el-Jamaa hors plan par A2, P.O. box 2242 ☎ (021) 24.85.72. *250 ch.* VISA, AE, DC, MC. Le *nec plus ultra* à Alep : 2 piscines, courts de tennis, salle de remise en forme… Excellente table et ch. à l'avenant. Un des meilleurs hôtels de Syrie. Un « truc » : si vous rentrez à l'hôtel en taxi, inutile de donner le nom de l'hôtel et encore moins l'adresse. Demandez seulement « Méridien » avec votre plus bel accent arabe. Le bâtiment construit dans le milieu des années 80 devait abriter un hôtel de la chaîne

Méridien. Il en fut longtemps question, on en parla beaucoup en ville, avant que les hôtels Cham ne s'y installent. Mais pour tous les Aléppins, c'est toujours le Méridien. L'Orient est ainsi fait.

▲▲▲ **Amir Palace,** place Al-Rayes A3, P.O. box 419 ☎ (021) 21.48.00, fax 21.57.00. *124 ch.* Visa, AE. Excellent confort moderne, juste à l'entrée occidentale de la vieille ville. Parfait pour partir à pied à la découverte d'Alep. Mention spéciale pour le restaurant de plein air *(en été seulement)*. Chanteurs et musiciens se produisent durant la soirée.

▲▲▲ **Pullman Shahba,** University Residential Area hors plan par A3, P.O. box 1350 ☎ (021) 66.72.00, fax 66.72.13. *100 ch.* Visa, AE. Grand confort, à l'O de la ville, assez loin du centre. Restaurant de spécialités italiennes. Agence de location de voitures.

▲▲ **Baron,** rue Baron A2, ☎ (021) 21.08.80, fax 21.81.64. *48 ch.* Une institution à Alep. Ouvert en 1909, il a reçu depuis d'innombrables personnalités du monde entier : Lawrence d'Arabie (sa note est exposée sous verre dans un des salons du rez-de-chaussée), Cécile Sorel, Agatha Christie ou Lady Mountbatten. Un charme fou et une atmosphère unique, même si, çà et là, ch. et parties communes mériteraient un petit rafraîchissement. Allez au moins y prendre un verre.

▲▲ **Tourism,** rue Saad Alah al-Jabiri A2 ☎ (021) 21.01.56, fax 21.99.56. *100 ch.* Ce fut longtemps, avec le Baron, le meilleur hôtel de la ville. C'est aujourd'hui un établissement très moyen (les prix, en revanche, ne le sont pas). Bon confort tout de même. À signaler : excellent restaurant de spécialités orientales.

▲▲ **Sémiramis,** rue Kouwatli B2 ☎ (021) 21.99.91. *36 ch.* Conserve le style et la décoration des années 50 : ensemble un peu vieillot… Joli salon au 1er étage. Ch. moyennes sans air cond. Très bon marché mais assez bruyant.

▲▲ **Ramsis,** rue Baron A2, P.O. box 5097 ☎ (021) 21.67.00. *41 ch.* Propre et confortable avec climatisation. Les sanitaires sont à revoir.

▲ **Hanadi** ♥, dans une petite rue perpendiculaire à la rue Bab el-Faraj B3 ☎ (021) 23.81.13. *12 ch.* Il s'agit d'une petite pension dont les ch. (petites mais très propres et très bien aménagées) sont disposées autour d'une cour intérieure au 1er étage de la maison. On s'y sent en famille, grâce à l'amabilité de tous les instants du propriétaire, Mohammed Dib. Sur le toit, une terrasse pour le petit déjeuner. Le tout pour un prix très bas.

▲ **Al-Bustan,** rue Bab el-Faraj B3 ☎ (021) 21.71.04. *48 ch.* Vieillot et pas cher.

▲ **Syria Lebanon,** Bab el-Faraj B3, près de la Clock Tower ☎ (021) 21.37.02. *16 ch.* Assez déglingué : pour tout petit budget. Pas de douche dans les ch.

▲ **Yarmouk,** rue Al-Maari A3 ☎ (021) 21.75.10. *33 ch.* Ch. correctes, mais ambiance générale pas très rigolote. Bien situé en face du musée.

## Restaurants

♦♦♦ **Sisi House** ♥, rue Samirra, Jdeidé B2 ☎ (021) 21.94.11. Restaurant de charme à Alep installé dans plusieurs pièces d'un ancien palais du quartier chrétien. Spécialités locales dans un cadre intime, pour un dîner au calme en amoureux. À signaler, le bar aménagé dans une des caves.

♦♦♦ **Delta,** rue Yacoub Sarrouf A1. Cadre très agréable pour l'un des meilleurs restaurants orientaux de la ville. Excellent service.

♦♦♦ **Wanes,** place Al-Aziziyé A2 ☎ (021) 22.43.53. Le grand chic : très fréquenté par les hommes d'affaires et les riches familles aléppines. Table remarquable : tenue correcte exigée, la cravate est de rigueur.

♦♦ **Al-Shalal,** place Al-Aziziyé A2 ☎ (021) 24.33.44. Un vaste resto sympa où l'on sert à la bonne franquette les spécialités d'Alep : des *kébbes* fourrés aux pignons de pin ou, pour les palais aventureux, le *sindawad*, des tripes farcies. On y voit de nombreuses personnalités.

♦ **Al-Andalib,** rue Baron A2 ☎ (021) 22.40.30. Une terrasse très simple qui domine l'animation de la rue Baron. Sympathique et sans prétention.

## Achats

Les souks d'Alep regorgent de merveilles. Épices, fruits secs (les pistaches d'Alep sont renommées dans tout l'Orient) et autres friandises ; le souk des matières précieuses, or, tapis, etc. se trouve immédiatement à l'E de la Grande Mosquée ; c'est l'un des coins les plus pittoresques de la vieille ville. Également des broderies et des robes bédouines.

**Ali Baba Cave,** rue Bab Antakyé (à l'entrée O de la vieille ville A4). L'endroit mérite son nom : il recèle des trésors, antiquités de toutes époques, bijoux anciens, et surtout une splendide collection de tapis.

**Beit Abou Aaref,** place Jdeidé (au centre du quartier chrétien B2) ; un amoncellement de bricoles accrochées à la façade annonce la couleur : un brocanteur plutôt qu'un antiquaire. À l'intérieur au 1er étage, un aimable fouillis d'objets sans grande valeur mais qui peuvent être amusants : souvenirs de la fin du XIXe s. et de la période du Mandat français ; grands choix de vieilles photos…

**Khan al-Wazir** C4 ; à dr. quand on entre, Haj Hashem Mshalah propose des antiquités orientales, des tapis et de l'artisanat. On y parle français, et le patron vous indiquera les spectacles qui se donnent au Bimaristan.

## Adresses utiles

**Agences de voyage. Halabia,** place Al-Rayes (derrière l'hôtel Amir, A3, au 1er étage) ☎ (021) 55.91.98, fax 21.96.57. Le dynamique directeur, M. Abd el-Hai Kaddour, francophone distingué, saura vous fournir toutes les prestations que vous souhaitez : location de voiture avec chauffeur, guide, organisation d'un itinéraire à la carte à travers le pays. C'est le spécialiste du Massif calcaire (voir p. 174) : possibilités d'excursions d'une ou de plusieurs journées. L'agence gère un petit terrain de camping – il s'agit en fait de 7 confortables bungalows disséminés dans une oliveraie – à 23 km d'Alep en direction de Saint-Siméon. Une excellente base de départ pour une découverte en profondeur de la région, d'autant que vous y serez remarquablement bien accueilli et que l'on y servira une robuste cuisine familiale.

**Banque. Central Bank,** derrière l'office du tourisme.

**Consulats. France,** rue Malek Fayçal ☎ (021) 21.98.23. **Belgique,** Khan Al-Wazir ☎ (021) 33.02.38.

**Compagnies aériennes. Air France c/o Palmyra Tours,** rue Baron, P.O. box 92 ☎ (021) 21.03.06. *Ouv t.l.j. de 9h à 13h30 et de 16h30 à 19h30.*

**Office du tourisme,** en face du musée d'Alep A3 ☎ (021) 22.12.00. *Ouv. t.l.j. sf ven. de 8h30 à 14h.*

**Poste centrale.** Rue Kouwatli A2.

**Prolongation de visa.** Rue Al-Kalah (au N de la citadelle C4).

# LES ENVIRONS D'ALEP

Depuis Alep, deux excursions à ne pas manquer : la splendide basilique de **Saint-Siméon***** et le site d'**Ebla**\**. La visite de ce dernier peut être combinée avec celle du musée de **Maaret al-Nouman**\** qui conserve une superbe collection de mosaïques byzantines.

## Ebla (Tell Mardikh)**

➤ *À 60 km au S d'Alep par la grande route de Hama et Homs. Un panonceau signale la direction du tell, à g. de la route lorsqu'on se dirige vers le S. Le site et le petit musée attenant sont ouv. t.l.j. de 9h à 18h. Entrée payante.*

Pendant longtemps le site de Tell Mardikh au S d'Alep n'intéressa guère les archéologues. Pourtant la topographie était parlante : un vaste bourrelet de terre délimitait un espace au centre duquel s'élevait un tell. C'est en 1964 qu'une équipe d'archéologues italiens, conduite par le professeur Matthiae, se mit à fouiller le site. En 1968, un buste en basalte fut exhumé ; sur son épaule était gravée une inscription : Ibbit Lim, fils du roi d'Ebla. L'antique cité syrienne, connue jusque là par des textes sumériens, réapparaissait au plein jour.

### Le premier royaume d'Ebla : 2300-2000

Depuis les années 1950, les historiens soupçonnaient l'émergence en Syrie du Nord d'une brillante civilisation urbaine entre Égypte et Mésopotamie. La découverte d'Ebla et notamment de ses archives royales vint magistralement confirmer cette hypothèse. L'étude de quelque 17 000 tablettes a permis de restituer dans toute sa grandeur ce puissant royaume qui s'étendait sur toute la Syrie du N de l'actuelle frontière turque à Hama. À sa tête régnait un souverain duquel procédait tout le pouvoir ; le pouvoir religieux, tout d'abord, puisque c'est lui qui accomplissait les rites officiels de l'État ; le pouvoir politique, ensuite, qu'il exerçait assisté d'un collège d'une quarantaine d'« Anciens » ; le pouvoir économique, enfin, puisque c'était le palais qui contrôlait l'ensemble du commerce et de l'industrie. Les archives nous ont également dessiné une image précise de la population de la ville. Le palais abritait une famille royale forte d'une centaine de membres et composée pour l'essentiel des princes et de leurs nombreuses concubines. Autour d'eux, gravitait une foule de serviteurs et d'artisans : cuisiniers, barbiers, musiciens, acteurs, messagers, mais aussi menuisiers ou forgerons. Le nombre de ces derniers, plus de 500, montre que du palais dépendait une véritable activité « industrielle ». Du reste les archéologues ont mis au jour dans les ateliers royaux des blocs bruts de lapis-lazuli destinés à être travaillés sur place. Leur provenance de l'actuel Afghanistan témoigne également de l'importance des échanges commerciaux que confirme la découverte de nombreux objets provenant d'Égypte. Au total près de 4 000 individus dépendaient directement du palais. En ajoutant leur famille, on parvient au chiffre d'environ 20 000 âmes, soit la quasi-totalité de la population de la ville. Cette riche cité fut brutalement détruite par un incendie, et consécutive, sans doute, à la prise de la ville par le roi d'Akkad, Naram Sin (2269-2255).

### La renaissance d'Ebla

Au début du IIe millénaire, la ville renaît de ses cendres et vers 1850 av. J.-C., Ebla domine à nouveau toute la Syrie du Nord. Un rempart l'entoure, large de 20 à 30 m à la base ; il s'élève encore aujourd'hui à une hauteur de 22 m par endroits. L'enceinte est percée de quatre portes dont l'une a été dégagée. Sur l'acropole se dresse le palais royal flanqué d'un temple dédié à Ishtar. Dans la ville basse, les archéo-

logues ont exhumé les vestiges d'autres palais et de quartiers d'habitation. Ebla est prise à nouveau et détruite par les Hittites, cette fois,
vers 1625 av. notre ère. Le site n'en fut pas pour autant abandonné
puisque l'on y a découvert, sur l'acropole, les traces d'un village de
l'âge du fer (1200-535), d'un petit palais perse (VIe s. av. notre ère) et
d'un poste militaire hellénistique (320-50 av. notre ère).

### À travers Tell Mardikh

La physionomie générale du site tel qu'on le découvre aujourd'hui
remonte pour l'essentiel au second millénaire : un vaste terre-plein
entouré d'un mur avec, en son centre, la ville haute. La **muraille**, à
l'origine une levée de terre revêtue à l'extérieur de grosses pierres,
était percée de quatre portes. Celle du S-O (du côté opposé à l'entrée)
a été dégagée : il s'agissait, en fait, d'une double porte soutenue par
des piliers (2 à l'extérieur, 3 à l'intérieur) ; entre les deux, un espace à
ciel ouvert.
En matière d'excavation, la partie intéressante se trouve sur le flanc
occidental du tell, c'est-à-dire le côté par lequel on l'aborde en venant de l'entrée. On peut y voir les vestiges du palais du IIIe millénaire. Au premier plan, s'étend la **cour des audiences :** c'est là, entre
ville haute et ville basse, que le souverain, trônant sur une plate-
forme bordée d'un portique, recevait caravanes, ambassadeurs étrangers et fonctionnaires. C'est également là sans doute qu'il rendait la
justice. Tout près, ouvrant sur la cour des audiences, se trouvait la
**salle des archives** où furent découvertes les milliers de tablettes, la
mémoire de l'État. De la cour, un portail monumental suivi d'un
long escalier permettait d'accéder aux parties supérieures du palais.
Le tout est dans un remarquable état de conservation (pensez que ces
vestiges ont près de 4 500 ans !) grâce notamment à l'enduit de terre
et de chaux dont les archéologues recouvrent chaque année, ou
presque, leurs découvertes afin de les prémunir contre les intempéries. Cette méthode économique est plus ou moins la même que celle
qui était utilisée dans l'antiquité.
Ne manquez pas de grimper jusqu'au sommet du tell où l'on a découvert les soubassements d'un **palais** et d'un **temple** dédié à Ishtar
appartenant à la seconde période d'occupation du site. De là-haut, les
rois d'Ebla contemplaient, traversant les riches campagnes alentour,
les pistes caravanières qui venaient grossir leur trésor des richesses
venues de l'ensemble du monde connu.
Le petit **musée**, à l'entrée du site, présente quelques objets, des photos et des plans sans grand intérêt.

## Maaret al-Nouman**

➤ *À 73 km au S d'Alep, au bord de la nationale qui conduit à Homs.*
Cette paisible bourgade de province doit son nom à Al-Nouman Ibn
Bashir al-Ansari, un compagnon du Prophète Mahomet qui en fut le
premier gouverneur musulman. Occupée un temps par les Byzantins
en 968, la ville fut prise en 1099 par les croisés. Ou plutôt par le petit
peuple de la croisade : las des incessantes disputes qui opposaient les
barons plus préoccupés de se tailler des fiefs dans les territoires conquis
que de marcher sur Jérusalem, il choisit de détruire de fond en comble

ce nouveau motif de querelle. 20 000 musulmans furent massacrés, hommes, femmes et enfants. Par la suite, Maaret al-Nouman dépendit des princes d'Alep, puis des gouverneurs mamelouks de Hama.

Au centre de la ville, se dresse un élégant minaret datant du XIIe s. La **mosquée** qu'il domine fut, elle, construite sur l'emplacement d'un temple païen dont demeurent quelques éléments architecturaux, notamment sur un mur du bureau de l'imam, immédiatement à g. de l'entrée. La mosquée abrite aujourd'hui une école coranique.

## Le musée**

*Ouv. t.l.j. sf mar. de 9h à 13h et l'été seulement de 15h à 17h ; entrée payante ; on y trouve de belles cartes postales des mosaïques exposées.*
Le musée est aménagé dans un khan du XVIe s. dont la superficie de 7 000 m² en fait le plus grand de Syrie. Tout autour de la grande cour centrale (et dans la cour elle-même) est présentée, dans de belles salles qui servaient d'entrepôts, une importante collection d'objets trouvés sur les sites alentour et notamment dans les villages du Massif calcaire. La partie la plus intéressante est une superbe collection de **mosaïques*** de même provenance, d'une fraîcheur de couleur et d'une esthétique remarquables. À voir surtout : un groupe représentant Rémus et Romulus provenant du village de Frika et daté de 511, ainsi qu'un superbe panneau consacré au cycle mythologique d'Hercule.

# Saint-Siméon et le ♥ Massif calcaire***

Le Massif calcaire s'étire au N-O de la Syrie entre Cyrrhus à la frontière turque et le site d'Apamée au S (voir carte pp. 178-179 et encadré). Entre le Ie et le VIIe s., ces collines caillouteuses étaient couvertes de villages. On y cultivait la vigne et l'olivier, on y élevait le mouton, le tout pour nourrir et abreuver la grande métropole d'Antioche à laquelle la région était reliée par de belles routes pavées. L'étude de la région a permis de relever l'existence de 700 villages, avec leurs maisons de pierre, leurs pressoirs, leurs bains, leurs auberges mais aussi leurs églises et leurs monastères. Car l'arrière-pays d'Antioche fut aussi, dans les premiers siècles de notre ère, un bastion du christianisme, avec ses cortèges de moines errants qui parcouraient les campagnes ou ses premiers ermites reclus dans leurs grottes ou au fond de leurs monastères. Le plus célèbre d'entre eux fut **Siméon le Stylite**, qui passa 36 années de sa vie au sommet d'une colonne (voir pp. 180-181). Dès sa mort, on éleva autour d'elle une magnifique basilique et tout un complexe d'auberges et de monastères destinés à accueillir les foules de pèlerins. C'est aujourd'hui le plus beau site du Massif calcaire. À ne pas manquer, de même que les sites de **Sergilla** et **El-Bara**, deux des villages les mieux conservés, et **Qalb Loze**, où l'on peut admirer une magnifique église des premiers temps du christianisme. Ces quatre sites constituent l'ossature d'une magnifique excursion à partir d'Alep à travers la région (voir plus bas). **Attention :** à l'exception des axes principaux, celui qui conduit notamment d'Alep à Saint-Siméon, les routes ne sont pas commodes et très mal signalisées. La présence d'un chauffeur local (ou au moins d'un guide) est vivement conseillée.

## Le Massif calcaire

Le Massif calcaire, le Bélus des Anciens, est une chaîne de collines qui s'étire à l'O d'Alep, du site de Cyrrhus au N à la frontière turque à celui d'Apamée au S (voir carte pp. 178-179). Deux massifs distincts composent en fait cette chaîne : un premier au N entre Cyrrhus et Qalb Loze ; un second au S entre Kafrin et Apamée. Entre les deux, la fertile plaine de Dana.

## Les villes mortes

C'est à la présence française durant le Mandat (1920-1946) que l'on doit les premières études détaillées ainsi que des relevés topographiques précis sur la région. Pour ce faire, on avait mis à contribution les services géographiques de l'armée et l'aviation militaire du Levant dont les observations aériennes ont permis l'établissement de cartes très précises. Les premiers villages furent établis au Ier siècle de notre ère, à l'époque romaine. Villages plus que villes, mêmes si certains d'entre eux comme El-Bara couvraient une superficie respectable, dont les belles maisons étaient dispersées à travers le paysage, au long de chemins de terre bordés de murets. Une question a passionné les historiens : comment expliquer le soudain essor d'une région relativement isolée, à l'écart des grandes routes commerciales, peu propice à l'agriculture en raison de la pierraille qui affleure presque partout, même si la pluviosité est suffisante – 400 à 600 mm d'eau par an ? Le développement du Massif calcaire est sans doute à mettre en relation avec l'expansion démographique que connut l'empire byzantin à partir du IVe s. Les plaines fertiles de l'est et de la côte ne pouvaient plus nourrir la masse croissante des agriculteurs : ceux-ci durent gagner les collines pour assurer leur subsistance. De fait, à partir du IVe s., les maisons se font plus belles, plus vastes et ont dû nécessiter le recours à des artisans spécialisés. L'abondance des monnaies retrouvées sur place, en témoignant de l'importance des échanges, permet d'accréditer cette hypothèse. Des églises se construisent à partir du IVe s. (la première inscription chrétienne remonte à l'an 336) en remplacement des temples païens, une quinzaine au total, qui datent pour l'essentiel du IIe s. Particularité : ici, malgré des disparités de dimension entre les maisons, certains de ces agriculteurs devaient être fort modestes, d'autres assez prospères, point de rapports inégaux comme dans la plaine, entre propriétaires terriens et exploitants, mais des paysans libres et tous égaux devant le travail de la terre et au pied de l'autel de leurs églises. Au IXe s. de notre ère, tous ces villages étaient abandonnés, comme la région, qui resta déserte jusqu'au XXe s. Plus qu'un abandon brutal et massif consécutif à quelque invasion, celle des Perses au début du VIIe s. ou celle des musulmans quelques décennies plus tard, il semble que nous soyons en présence d'un abandon progressif. Plusieurs causes sont avancées : de grandes famines et épidémies au VIe s., la disparition des circuits commerciaux hérités de l'Antiquité…

## Une société villageoise

La maison constituait le centre de la vie sociale de ces communautés agricoles : une belle demeure à deux étages précédée d'un portique sur toute la hauteur de la façade principale. Le toit à double pente était couvert d'une charpente et de tuiles. Le rez-de-chaussée servait de remise ou d'étable. Les habitants, eux, demeuraient à l'étage qu'ils gagnaient par un escalier extérieur de bois.

L'ensemble, doté d'une cour et d'un jardin, était entouré d'un mur de pierres. Pas de véritable place publique dans ces villages, mais des espaces ouverts, plus ou moins délimités, où se trouvait parfois un *andron*, c'est-à-dire un bâtiment qui servait de lieu de réunion publique pour les hommes, en somme l'ancêtre des cafés de l'Orient d'aujourd'hui. Certains de ces villages, comme à Sergilla, étaient pourvus de bains publics. Bien sûr, ces villages possédaient également leur église dont l'architecture à nef unique rappelle celles des demeures privées. Au milieu du village s'élèvent parfois des toits pyramidaux. Il s'agit de tombeaux monumentaux dont le rez-de-chaussée abritait la chambre sépulcrale où étaient disposés plusieurs sarcophages de pierre (comme à El-Bara), taillés le plus souvent dans un seul bloc et couronnés par un lourd couvercle. Ailleurs, comme à Sergilla, ces sarcophages étaient simplement disséminés à travers la localité. On a également retrouvé des tombeaux à plusieurs chambres taillés à même le roc. À la lisière des villages, dominant le paysage, s'élevaient enfin de nombreux monastères. C'étaient de vastes ensembles de bâtiments, groupés autour d'une église et largement ouverts sur l'extérieur en l'absence de toute clôture. C'est que les moines entendaient non pas s'abstraire du monde mais proposer à la lisière et en vue de celui-ci un nouveau modèle de perfection chrétienne. Beaucoup de ces bâtiments sont parvenus jusqu'à nous en excellent état de conservation – seuls les éléments de bois, escalier et toiture ont disparu – : c'est ce qui fait tout l'intérêt d'une excursion dans la région.

## À travers le Massif calcaire

➤ *Ce long itinéraire d'environ 260 km impose de s'en tenir aux sites principaux, d'autant que celui de Saint-Siméon, le dernier et le plus beau, ferme à 18h (16h en hiver) et qu'il faut prévoir au moins 2h de visite. On peut scinder cet itinéraire en deux parties d'une journée chacune : la première reprend le début du circuit jusqu'à El-Dana d'où vous rejoindrez directement Alep. La seconde journée vous conduira à Saint-Siméon ; de là, vous poursuivrez jusqu'à Ain Dara, puis jusqu'à Cyrrhus à la frontière turque. Ces deux derniers sites n'appartiennent pas au Massif calcaire byzantin, mais permettent de découvrir les splendides paysages du N du pays (voir itinéraire détaillé ci-dessous).*

*Dans tous les cas, prévoir un pique-nique : pratiquement aucune possibilité de restauration en cours de route.*

Rappelons-le, dans cette région reculée, sillonnée de petites routes, les directions sont assez mal indiquées. La présence d'un autochtone, chauffeur ou guide, est fortement conseillée (voir p. 29). Depuis Alep, nous vous suggérons cet itinéraire d'une journée : départ tôt le matin par la nationale de Hama jusqu'à **Maaret al-Nouman** (si vous aimez les mosaïques, ne manquez pas le musée local) ; c'est également une excellente entrée en matière pour découvrir la région : la plupart des objets exposés, y compris les mosaïques, en proviennent (voir p. 173). Avant d'atteindre Maaret al-Nouman, vous laisserez à g. le site d'**Ebla** (voir p. 172). Depuis Maaret al-Nouman, vous vous dirigerez vers l'ouest en direction de Baskala (10 km). De là, tournez à dr. vers **El-Bara** (5 km), l'un des plus beaux villages de la région (voir plus bas). Sur le chemin, une quinzaine de panonceaux bleus indiquent autant de villages ou de monastères de moindre importance. Les explorer tous vous demanderaient bien plus d'une journée. Signalons néanmoins le village de **Rabia** à 2 km à dr. À El-Bara, vous demanderez la direction de **Sergilla** (à 7 km à l'E), à ne pas manquer non plus. Venant de Baskala, la route de Sergilla prend en fait à dr., juste avant l'entrée du village d'El Bara. Vous quitterez El-Bara par le nord jusqu'à rejoindre, après 13 km, la grande route nationale Alep-Lattaquié. Vous la prendrez à dr. jusqu'à Ariha (6 km) ; là, tournez à g. en direction d'Idlib (13 km ; musée, voir plus bas). À Idlib, prendre la direction de Maaret Massrine (7 km), puis de Harim (34 km). À Harim, prenez à dr. en direction de Sarmada (26 km) ; à 4 km à dr. prendre la route qui conduit en 3 km à l'**église de Qalb Loze***: détour impératif. Revenez sur vos pas et tournez à dr. vers Sarmada ; au carrefour de Tell al-Karamé (6 km), vous vous trouverez alors au centre de la plaine de Dana qui sépare les deux parties du Massif calcaire ; prenez à g. la direction de El-Dana (2 km), puis à dr. de Deir Tazzé (12 km). À 1 km à l'est de Dana (en direction d'Alep), on peut voir une longue portion de route romaine. De Deir Tazzé, 4 km vous séparent de Qala'at Saman, ou **Saint-Siméon**. De là, vous pourrez rentrer à Alep (34 km) ou poursuivre vers le N jusqu'au site néo-hittite de Ain Dara (17 km N, voir plus bas).

Pour une découverte plus en profondeur de cette passionnante région, vous pourrez choisir de dormir sur place, non loin de Saint-Siméon, dans le terrain de camping (**bungalows**) joliment aménagé par l'agence Halabia d'Alep (voir p. 171). L'agence est également à même de vous fournir véhicule, chauffeur et guide.

## El-Bara***

C'est l'un des villages les plus étendus du Massif calcaire. Vous traverserez le site en suivant de petits sentiers de terre (néanmoins praticables en voiture) bordés de murets de pierres sèches. C'est ainsi, du reste, que se présentait le village lorsqu'il était occupé : de belles maisons éparpillées au milieu des vignes et des oliviers, sans plan d'ensemble ni véritable centre. Le village s'épanouit à partir du IVe s., splendidement installé dans un vallon au bord d'une petite rivière. La localité continua d'être occupée bien après l'arrivée des musulmans. Après avoir conquis Antioche, les croisés atteignirent El-Bara en 1098 et y trouvèrent un évêque grec qu'ils ne manquèrent pas de remplacer par un évêque latin. El-Bara resta entre les mains franques jusqu'en 1123, moment où la localité fut conquise par les musulmans, qui marquèrent leur présence par la construction d'un petit fortin.

À la lisière N du village, sur une petite éminence, s'élèvent les vestiges d'un monastère construit au VIe s. Le complexe s'organise autour d'un bâtiment central entouré de constructions annexes dont un petit oratoire.

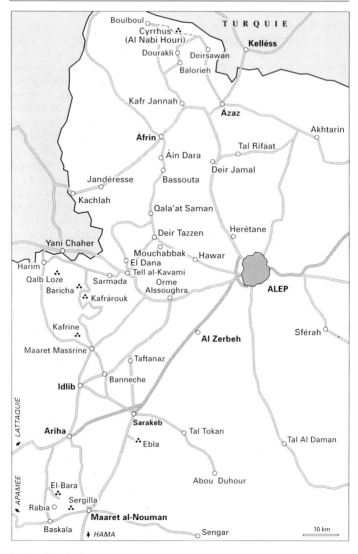

**Le Nord de la Syrie**

De là, dirigez-vous vers le N en suivant le chemin principal qui traverse le village du N au S. Vous découvrirez les vestiges de 6 églises, de maisons, ainsi qu'un curieux édifice à toit pyramidal. Il s'agit d'un tombeau où l'on peut encore voir 5 sarcophages. En chemin, vous verrez également (sur votre g.) des caveaux funéraires taillés à même le roc. L'église la plus vaste se trouve au N du village : l'intérieur était bordé d'un portique tandis qu'une galerie courait à l'étage supérieur. De là, vous découvrirez à 400 m vers le N-E la citadelle musulmane qui domine le paysage.

## Sergilla***

C'est à pied que vous partirez à la découverte du village. Ne tardez néanmoins pas trop la nuit venue : les villageois alentour assurent que des loups rôdent dans les collines ! En descendant au fond du vallon, vous laisserez au bord du chemin d'imposants sarcophages taillés dans un seul bloc. En bas, s'étend la place du village selon un dispositif plutôt rare dans les villages du Massif calcaire. Un espace dallé de longues pierres en occupe le centre. Il recouvre une grande citerne que l'on peut apercevoir à travers les pierres disjointes. Sur un côté, voici les bains publics ; de l'autre, précédé d'un portique, le « café » (comme l'appelle plaisamment les bergers du coin), en d'autres termes l'*andron* des archéologues, c'est-à-dire le lieu où se réunissaient les hommes du village. Le rez-de-chaussée servait de remise, tandis que la salle se trouvait au 1er étage. C'est l'une des constructions les mieux préservées du Massif calcaire. En grimpant sur la colline de l'autre côté du vallon, vous parviendrez à mi-hauteur aux ruines d'une église. À côté était aménagé un pressoir à huile, où l'on peut reconnaître le système de cuves et de filtrage.

## Idlib

Ce chef-lieu de gouvernorat possède un musée où sont notamment exposés de nombreux objets découverts sur le site d'Ebla *(ouv. t.l.j. sf mar. de 9h à 18h (16h en été) ; entrée payante)*. On peut y voir une collection de tablettes, une reconstitution de la salle des archives d'Ebla ainsi qu'un bloc brut de lapis-lazuli provenant d'Afghanistan : il fut retrouvé dans les ateliers royaux.

## Qalb Loze***

Amateurs de vieilles pierres, ne manquez sous aucun prétexte le détour de Qalb Loze. On peut y voir une église qui est le premier exemple de basilique monumentale en Syrie byzantine. Elle fut construite peu après le milieu du Ve s., sans doute du vivant même de saint Siméon, et servit en tout cas de modèle, dans l'architecture et la décoration, à la basilique qui entoura quelques années plus tard la colonne du stylite. Le tout est en excellent état de conservation, la triple entrée notamment et de nombreux éléments décoratifs. Subsiste même une partie de la toiture de pierres plates qui recouvrait les ailes. Cette technique permettait de ménager, en haut des murs de la nef centrale, de nombreuses ouvertures afin de la baigner de lumière. Ce dispositif sera largement repris dans de nombreux édifices ultérieurs. Notez enfin la superbe abside flanquée de deux chapelles latérales selon les prescriptions des rites orientaux.

## ♥ Saint-Siméon*** (Qala'at Saman)

*Ouv. t.l.j. de 9h à 18h (16h en été) ; entrée payante ; une petite cafétéria est aménagée au-dessus du site.*

L'ensemble de Saint-Siméon fut construit vers 472, soit plus de 10 ans après la mort du saint (voir p. 181), alors qu'à Antioche ou à Byzance des églises lui avaient déjà été consacrées. Il s'agit d'un immense complexe, coiffant la colline où vécut Siméon, destiné à recevoir les milliers de pèlerins qui se pressaient sur les lieux : on y trouve, de part et d'autre d'une vaste esplanade, un immense martyrium (église commémorative) construit autour des vestiges de la colonne du stylite, un

# SIMÉON LE STYLITE

*Au IVe s., Siméon inaugura une nouvelle forme
de pénitence : vivre au sommet d'une colonne.
Une façon de se rapprocher du ciel…*

### Les ascètes de Syrie

Depuis le milieu du IVe s., les campagnes syriennes étaient peuplées d'une foule d'ermites et de moines. Moins qu'un départ au désert comme pour l'Égyptien Antoine, le précurseur de l'ascétisme chrétien au milieu du IIIe s., il s'agissait plutôt pour ces « athlètes de Dieu » de montrer aux habitants des villes et des villages l'exemple du renoncement. Ils s'installaient ainsi au bord des chemins, à la lisière des villes et des villages. Les collines surplombant Antioche abritaient nombre de ces ascètes que les habitants venaient visiter le dimanche en s'écriant avec saint Jean Chrysostome : « Voici nos anges… ». D'autres parcouraient la campagne en psalmodiant des hymnes. Tous frappaient les esprits par leur « étrangeté incroyable et provocante » (P. Brown).

Du haut de sa colonne, le saint tente de se soustraire au monde et à ses tentations, figurées par le serpent. Par l'échelle, seul lien qui le relie encore à la terre, un moine lui apporte de la nourriture. Le coquillage est signe d'éternité et de résurrection. Plaque d'argent doré provenant d'un coffre à reliques de Syrie des VIe-VIIe s. et conservée au Louvre.

Pour dominer leur corps, source de toute tentation et de tout péché, ils lui faisaient subir d'atroces ascèses. Ainsi les « brouteurs », qui ne se nourrissaient que d'herbes sauvages mangées à même le sol. D'autres s'enfermaient des années dans des puits, des citernes ou des cabanes qu'ils faisaient murer à l'exception d'une petite ouverture par laquelle les villageois leur passaient une maigre pitance. Beaucoup suivaient le carême quadragésimal, s'abstenant de toute nourriture pendant 40 jours. Certains, les « dendrites », vécurent des années dans un arbre creux. D'autres encore choisissaient le cœur des villes : ils se tenaient debout et immobiles, pendant des jours, au beau milieu des places publiques. Un autre, Siméon d'Éphèse, pour montrer qu'il avait réussi à domestiquer son corps, entra un jour nu comme un ver dans les bains publics réservés aux femmes.

### Le fils d'un berger

Siméon, pour sa part, naquit vers 386 dans une famille de bergers. Lui-même garda des troupeaux dans son jeune âge. À 14 ans, il quitta sa famille pour rejoindre un groupe d'ascètes du voisinage. Il passa deux ans en leur compagnie, puis rejoignit le monastère de Téléda. Pendant 10 années, il s'employa à surpasser ses compagnons

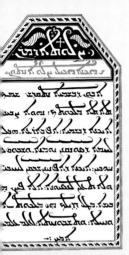

Le *Notre-Père*
en écriture syriaque.

**Siméon choisit
de demeurer sur
une plate-forme posée
sur une colonne
qu'il fit élever toujours
davantage, comme pour
se rapprocher du ciel.**

en mortifications : lorsque ses compagnons
jeûnaient deux jours, lui s'abstenait de nourriture
pendant une semaine. Un jour, il s'enroula
une corde autour de la taille, si fort qu'elle entamait
les chairs. Après 10 jours, voyant le sang goutter
sous le vêtement, un de ses compagnons le força
à découvrir sa plaie qui s'envenimait. Craignant
que ses exploits ne mettent en péril l'harmonie
de la communauté, le supérieur le chassa. Siméon
s'établit alors dans le village de Télanissos,
au pied de l'actuelle basilique. Là, il se mura
dans une cabane, recevant pour toute nourriture
quelques pains et un peu d'eau qu'on lui glissait
par une petite ouverture. Après 3 ans de cet
isolement, il gravit la colline où il s'enchaîna
au centre d'un enclos de pierre. Sa renommée
de sainteté avait dépassé les limites du village
pour atteindre les grandes villes de l'Orient
et notamment Antioche, la capitale. Des foules
de pèlerins accouraient pour recevoir sa bénédiction.
Importuné par cette incessante cohue, Siméon
décida de s'installer au sommet d'une colonne.
Il y resta 36 ans, jusqu'à sa mort.

## Un ermite tourné vers le monde

Cet ermite était loin d'être solitaire. Son biographe
et contemporain, l'évêque Théodoret de Cyr,
raconte que des multitudes de pèlerins se pressaient
au pied de la colonne, venant de tout l'Orient mais
aussi du lointain Occident :
Romains, Ibères, Bretons,
Gaulois…. Ces derniers
lui auraient même envoyé
un jour le salut de Geneviève,
la patronne de Lutèce.
Siméon les recevait
tous avec douceur
et bienveillance.
Il accordait des audiences
matin et soir. On le vit
recevoir des dignitaires
religieux venus d'Antioche
pour consulter le saint
homme sur les querelles
christologiques qui
déchiraient la chrétienté
orientale (voir pp. 60-61).
Il envoya même des missives
à l'empereur de Byzance
pour lui prodiguer
ses conseils. À sa mort
en 459, les Arabes chrétiens,
qui le tenaient en grande
vénération, voulurent
à toute force conserver
sa dépouille. Il fallut
dépêcher d'Antioche
600 hommes d'armes
pour s'emparer du corps et
le ramener dans la capitale.

## Le premier des stylites

Siméon fut le premier ascète à se hisser au sommet d'une colonne (*stylos* en grec). Son exemple fut largement suivi. L'un des plus célèbres stylites fut Daniel, qui s'installa aux portes de Byzance : les plus hauts dignitaires de la cour se pressaient pour recevoir sa bénédiction. D'autres s'installèrent à Antioche et dans les campagnes syriennes : partout l'étrange spectacle de ces saints suspendus dans les airs suscitait la plus intense vénération. Mais la sainteté n'excluait pas toujours la passion : on vit ainsi deux stylites installés à proximité l'un de l'autre s'insulter du haut de leur colonne à propos des querelles christologiques. Le phénomène des stylites dura jusqu'au XIIe s. en Orient. Le dernier d'entre eux fut signalé au XVIe s. sur le mont Athos en Grèce.

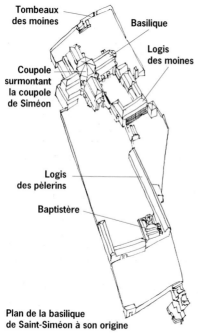

Plan de la basilique
de Saint-Siméon à son origine

ensemble de bâtiments destinés à loger moines et pèlerins, ainsi qu'un baptistère. L'entrée des pèlerins s'effectuait du côté S (à l'opposé de l'actuelle entrée des visiteurs), à partir du village de Télanissos, par une rampe processionnelle dont demeure une partie de la décoration. Après la visite, vous pourrez descendre sur l'autre versant de la colline pour voir le début de cette allée solennelle. Dans les environs immédiats se dressent les vestiges d'autres auberges pour pèlerins. Le site de Qala'at Saman, dominant un splendide paysage, est l'un des plus beaux de Syrie. À ne pas manquer.

Passé le guichet où l'on délivre les billets, vous gravirez un petit raidillon qui conduit sur l'esplanade. À dr. s'élève le martyrium, et, au fond de l'esplanade à g., le baptistère.

**Le martyrium.** Il s'agit d'un vaste édifice octogonal (plus de 30 m de diamètre) que prolongent 4 bras tendus vers les points cardinaux. Vous approcherez le martyrium par celui du S en admirant la décoration de la triple porte : une pour les hommes, une pour les femmes, celle du milieu pour les prêtres et les moines. Au centre de l'octogone se dresse un moignon de la colonne du stylite. L'entrée des pèlerins s'effectuait en fait par le bras O, là où aboutissait la rampe cérémonielle. La foule approchait la colonne, puis s'écoulait par les deux bras latéraux, N et S. Des voyageurs ont laissé les témoignages du climat d'extrême ferveur qui régnait en ces lieux : on pouvait y voir la foule des paysans de la région, parfois accompagnés de leurs bêtes, accomplir des danses autour de la colonne, vestiges d'antiques rites païens. Au plus haut de l'exaltation, certains fidèles voyaient même apparaître le visage du saint par l'embrasure des fenêtres, coiffé de son célèbre bonnet.

L'aile orientale du martyrium est occupée par une grande basilique où l'on célébrait l'office. Vous noterez l'abside splendide de simplicité et de grandeur, flanquée de deux absidioles. Au N du martyrium s'élève, contre le mur de clôture, un petit édifice. C'était le tombeau des moines : les défunts étaient tout d'abord déposés dans le sarcophage à l'entrée. Puis leurs os étaient rangés par type, les crânes d'un côté, les fémurs d'un autre… comme cela se fait encore dans les monastères orthodoxes. Autour du martyrium, on peut voir les vestiges assez ruinés de divers bâtiments : les archéologues y ont reconnu une petite chapelle ainsi que des bâtiments monastiques.

**Le baptistère.** Au bout de l'esplanade, que bordait à l'est une rangée de bâtiments pour pèlerins, le baptistère est un charmant petit édifice octogonal. La cuve baptismale – on y pratiquait une immersion totale – se trouve dans l'abside orientale. Les catéchumènes entraient d'un côté, descendaient dans la cuve et sortaient de l'autre. On pratiquait, en effet, de nombreux baptêmes à Saint-Siméon. Les pèlerins étaient pour beaucoup des paysans des environs : même s'ils vénéraient la mémoire du saint, ils restaient profondément attachés à leurs rites païens. Leur venue était pour le clergé l'occasion de gagner de nouveaux fidèles, baptisés dans la plus pure orthodoxie chalcédonienne à l'heure où les hérésies christologiques étaient particulièrement vivaces dans les campagnes.

# Le nord d'Alep : Ain Dara* et Cyrrhus**

Depuis Alep, vous pourrez entreprendre une belle excursion d'une demi-journée qui vous conduira jusqu'à la frontière turque. En chemin, vous visiterez le site néo-hittite de Ain Dara, avant de vous diriger vers le N jusqu'à Cyrrhus, l'antique cité hellénistique plantée dans un splendide paysage. Les collines environnantes abritent des villages kurdes. Sur le chemin du retour, vous découvrirez deux splendides ponts romains. Il est possible de combiner cette excursion avec la visite de Saint-Siméon (voir plus haut). Il faudra alors une journée entière. Dans les deux cas, l'excursion totalise environ 200 km.

## Ain Dara*

➤ *À 70 km d'Alep par Afrin et la grande route nationale du N : 61 km par Saint-Siméon et des petites routes de campagne ; ouv. t.l.j. de 9h à 18h (16h en hiver) ; entrée payante.* Le site s'élève à l'O de la route principale, sur une colline dominant la rivière Afrin. Vous grimperez au sommet à pied, par un petit raidillon à flanc de colline. Le site fut occupé successivement par les Grecs séleucides, les Byzantins et les Arabes : mais les vestiges les plus significatifs remontent à l'époque néo-hittite, au début du Ier millénaire av. notre ère. On peut, en effet, voir d'importants vestiges d'un **temple**, sans doute dédié à Ishtar. L'entrée en est gardée par deux magnifiques lions de basalte. Sur le seuil, vous noterez les empreintes de deux pieds d'environ 1 m de long, creusées dans la roche. Cette figure se répète sur le seuil de la salle suivante. Les archéologues n'ont pu, à ce jour, en déterminer la signification. En suivant le chemin de crête qui fait le tour du tell, vous découvrirez gisant sur le flanc un **grand lion** de basalte. Au centre de la colline, on peut voir les restes épars des occupations byzantine (un petit village d'agriculteurs avec son église) et musulmane (jusqu'au XVe s.).

## ♥ Cyrrhus * *

➤ *Pour continuer vers Cyrrhus, vous poursuivrez jusqu'à Afrin (10 km) pour prendre à dr. la grande route nationale d'Alep. À 9 km, tournez à g. en direction du village de Kafr Jannah puis de Boulboul (30 km de l'intersection). Peu avant ce dernier village, tournez à dr. Le site de Cyrrhus (Nabi Houri) se trouve une dizaine de km plus loin.*

La ville de Cyrrhus fut fondée par les Séleucides vers 300 av. J.-C. au carrefour d'importantes routes commerciales qui reliaient la côte méditerranéenne à l'Orient. Ce fut également une importante place militaire qui défendait les frontières N du royaume. Après la campagne de Pompée en Orient, en 64 av. notre ère, la ville fut annexée à l'Empire romain. Elle servit alors de ville de garnison. Sous l'empire byzantin, Cyrrhus devint un important centre chrétien, siège d'un évêché. Théodoret, le biographe de saint Siméon (voir p. 181), fut le plus célèbre évêque de la ville. Occupée par les musulmans en 637, la cité fut conquise par les croisés au début du XIIe s. et incorporée au comté d'Edesse (aujourd'hui Urfa en Turquie). Lorsque Nour ed-Din reprit la place en 1150, elle avait perdu toute importance stratégique. Cyrrhus tomba rapidement dans l'oubli.

En approchant du site, vous remarquerez sur votre dr. un curieux toit pyramidal : il s'agit d'un tombeau romain (du IIe ou IIIe s.) où repose depuis le XIVe s. la dépouille d'un saint musulman. L'endroit est ainsi devenu un but de pèlerinage, ainsi qu'accessoirement un lieu de pique-nique pour les familles aléppines, sous le nom de Nabi Houri. L'accès au site de Cyrrhus se fait quelques centaines de mètres plus loin par un chemin de terre qui prend sur la g.

L'ensemble est dominé par une colline couronnée des restes d'une citadelle datant du règne de l'empereur byzantin Justinien (VIe s.). En suivant le chemin de terre, vous aboutirez rapidement à la porte S de la ville. De part et d'autre, on devine encore le tracé des murs. Vous poursuivrez alors à pied jusqu'au théâtre, 400 m plus loin ; c'est le monument le mieux conservé de la ville, grâce notamment aux archéologues français qui, depuis 1952, ont concentré leurs efforts sur cette partie du site. En continuant vers le N – le chemin suit, en fait, le cardo de la ville antique –, vous atteindrez les restes de la porte N précédée par les vestiges ruinés d'une basilique.

Le site de Cyrrhus se trouve au cœur d'un splendide paysage qui constitue la pointe occidentale du Kurdistan (voir p. 63). De fait, la frontière turque passe immédiatement au N du site.

*Pour rejoindre Alep, vous poursuivrez vers l'E en direction de la ville d'Azaz (28 km plus loin). Un km après avoir quitté Cyrrhus, vous découvrirez le premier des deux ponts romains ; le second se trouve 1 km plus loin. À Azaz, rejoignez (à 6 km) la route nationale d'Alep (65 km).*

# PALMYRE
# ET LA STEPPE SYRIENNE

*Sur un immense espace à l'est du pays,*
*voici le monde des bédouins nomades,*
*des oasis perdues et des caravanes de chameaux.*
*Seules, au nord, les rives de l'Euphrate dessinent*
*une coulée verte entre les pierres arides.*

---

Au cœur de la steppe, l'oasis de Palmyre, la reine du désert, sera une des étapes majeures de votre voyage en Syrie. L'idéal serait d'y rester deux nuits, le temps nécessaire pour découvrir ce site merveilleux sous toutes les lumières du jour, dans les crépuscules du soir et du matin. L'autre itinéraire de l'E du pays vous conduira sur les rives de l'Euphrate entre Alep et Mari. Vous partirez à la découverte des sites prestigieux de l'Orient ancien, au premier rang desquels la ville de Mari, ou des villes oubliées romaines ou byzantines, comme Doura Europos ou Sergiopolis-Résafé. Ce sera aussi l'occasion pour vous d'approcher les populations des steppes : aimables paysans des rives de l'Euphrate, Bédouins dans le désert, dont l'hospitalité est proverbiale. Il vous suffira de vous arrêter près d'une tente pour être tout de suite invité à partager le café.

## PALMYRE ✶ ✶ ✶

➤ *À 220 km de Damas, 201 km de Deir ez-Zor ; services réguliers d'autobus entre ces localités.*
En 1691, des marchands anglais, s'avançant dans la steppe syrienne, pénètrent dans l'oasis de Tadmor. Ils y trouvent une dizaine de familles bédouines qui campent au milieu des ruines antiques. Depuis

l'Antiquité, ce sont les premiers Occidentaux à entrer dans Palmyre, la grande cité caravanière, à mi-chemin entre la Mésopotamie et la côte syrienne et par où transitent à l'époque les richesses de l'Orient. Mentionnée dès le IIe millénaire dans les archives de Mari, Tadmor – c'est le nom arabe de Palmyre – n'entre véritablement dans l'histoire qu'avec l'avènement de la royauté macédonienne des Séleucides (fin du IVe s. av. J.-C.). Jusque là, il faut avouer que l'on n'en sait que fort peu de choses, sinon que l'oasis était peuplée de tribus plus ou moins nomades, parlant un dialecte araméen. Ce furent probablement les rois grecs qui, les premiers, organisèrent le trafic des marchandises à travers l'oasis qu'ils nommèrent Palmyra, en référence à ses milliers de palmiers. Dans les environs, ils construisirent puits, routes et entrepôts, tandis que l'organisation des caravanes était confiée aux cheikhs des tribus. Cela suffit sans doute à assurer sa prospérité – au point que Marc Antoine, convoitant ses richesses, lança en 41 avant notre ère ses cavaliers contre Palmyre ; ces derniers trouvèrent l'oasis désertée (ses habitants avaient fui en emportant tous leurs biens) et s'en retournèrent comme ils étaient venus.

L'édification d'une véritable ville remonte à la seconde moitié du Ier siècle de notre ère. Palmyre choisit, à ce moment, de se placer sous la protection de Rome. Elle n'est pas encore une ville libre et doit donc payer un tribut qu'un fonctionnaire romain demeurant sur place est chargé de percevoir. L'oasis fait, néanmoins, l'objet de toute la sollicitude de Rome. Palmyre défend, en effet, la frontière orientale de l'Empire : au-delà commence le royaume des Parthes, constante menace sur l'Orient méditerranéen. En l'an 130, l'empereur Hadrien visite la ville et lui confère le titre d'Hadriana. En ce second siècle, l'activité de la ville est florissante. Les entrepôts regorgent de produits venus de l'Inde et de l'Extrême-Orient : épices, ivoires, pierres précieuses ou soies de Chine. C'est de cette époque que date le célèbre tarif municipal (voir p. 187). Palmyre est alors l'une des plus belles villes de la Syrie romaine. En 212, Caracalla, de la dynastie des Sévère d'origine arabe, la hisse au rang de colonie romaine. C'est pourtant avec le IIIe s. que la prospérité de la ville commence à décliner : les caravanes venant de l'Orient se font de plus en plus rares, avec la montée en puissance de la dynastie des Sassanides à l'Est. Ce sont pourtant ces guerres incessantes aux marches orientales de l'Empire qui conduisent Palmyre à l'apogée de sa puissance, sous le règne de la célèbre Zénobie.

## Zénobie, une reine arabe

À la mort de Philippe l'Arabe en 249, Odeinat, « prince de Palmyre », tenta de s'émanciper de la tutelle de Rome. Il y réussit en se portant au secours de son puissant suzerain. Valérien, empereur depuis 253, avait en effet fort à faire sur les frontières orientales de l'Empire : après avoir enlevé les postes romains sur l'Euphrate, les Sassanides entrèrent en Syrie et avancèrent jusqu'à Antioche qu'ils pillèrent. Se portant à leur rencontre, Valérien fut défait en 260 à la bataille d'Edesse et fait prisonnier par le roi Shahpur Ier.

## Le Tarif municipal

En 1881, près du mur d'enceinte de la ville, fut découverte une longue stèle en quatre panneaux, datée d'avril 137. Son texte bilingue, grec et palmyrénien, rapporte une décision de la *boulè*, l'assemblée locale réglementant le montant des taxes municipales qui frappaient tous les produits, à l'entrée et à la sortie de l'oasis : étoffes, ivoire, moutons, chameaux, esclaves ou prostituées. Ce décret renseigne également sur l'administration de la ville : à sa tête se trouvait le président de la *boulè*, secondé par un secrétaire et deux archontes. Enfin, le texte mentionne à plusieurs reprises les autorités romaines, le gouverneur de la région et son représentant à Palmyre, à l'initiative desquelles fut sans doute pris le décret. Le Tarif municipal de Palmyre se trouve depuis 1901 au musée de l'Ermitage à Saint-Pétersbourg.

C'est alors qu'Odeinat décida de se porter au secours de Rome. Il marcha contre Shahpur qu'il vainquit, s'affublant au passage du titre de Roi des rois, celui que portent traditionnellement les rois de Perse, avant de mourir assassiné en Cappadoce en 267 alors qu'il guerroyait contre les Goths. Lui succéda alors son épouse Zénobie.

On a beaucoup brodé, et cela dès l'Antiquité, sur la légende d'une des reines les plus célèbres d'Orient. La Bruyère encore se fit l'écho de la « guerre [qu'elle soutenait] virilement contre une nation puissante depuis la mort du roi [son] époux ». Il est vrai que son histoire a de quoi enflammer bien des imaginations : cette femme lettrée et tout imprégnée de la pensée hellénistique – elle accueillit à sa cour l'évêque d'Antioche Paul de Samosate, et le rhéteur Longin, qui enseigna la philosophie à Athènes et à Antioche, lui servait de ministre – endossa à la mort de son mari la tunique du parfait chef de guerre. Secondée par son général Zabdas, pour qui, dit la petite histoire, elle eut quelques faiblesses, elle réussit pendant quelques années à mettre la main sur l'ensemble de l'Orient romain. En 270, Zabdas soumet l'Égypte à la tête de 70 000 hommes ; deux ans plus tard, ses armées occupent Antioche et toute la Syrie romaine. Zénobie se pare alors du titre d'impératrice, associe son fils Wahballat au pouvoir et frappe monnaie à son effigie. C'en est trop pour Rome qui dépêche son empereur en personne : Aurélien débarque en Syrie en 272. Les légions romaines chassent Zénobie d'Antioche, puis de Homs. La reine doit alors trouver refuge derrière les murailles de sa capitale, qu'assiègent bientôt les légions d'Aurélien. Le sort de Zénobie est scellé : les cavaliers romains la rattrapent tandis qu'elle s'enfuit à travers la steppe dans l'espoir de se placer sous la protection du Sassanide Shahpur Ier. Longin, son ministre, et son fils Wahballat sont exécutés par les Romains, et Zénobie est conduite à Rome pour participer au triomphe de l'empereur. La légende prétend qu'elle finit ses jours comme une dame romaine, dans le palais de Tivoli. Après son départ, les Palmyréniens tentent une dernière fois de se soulever contre la garnison romaine restée sur place. Aurélien doit faire demi-tour pour mater la rébellion.

L'oasis n'est pourtant pas désertée ; en l'an 325, les listes du Concile de Nicée mentionnent un évêque de Palmyre et les chroniques byzantines font état d'un évêché en 793 et 818, bien après l'arrivée des musulmans (636). Dès cette époque, commence le réemploi des matériaux antiques et, au XIIe s., le temple de Bêl est transformé en fortin. L'oasis sombre alors dans l'anonymat jusqu'au XVIIe s.

# ▌ PALMYRE MODE D'EMPLOI

**Arrivée.** Nombreuses liaisons par autobus (Pullman et « populaires ») avec Damas, Deir ez-Zor, Hama, Homs, etc.

**Circuler.** On se déplace à pied uniquement (sauf pour la visite des tombeaux, voir plus bas).

**Programme.** Il vous faudra une journée complète pour visiter l'ensemble du site, musée compris. Une bonne visite commencera par le temple de Bêl et se poursuivra à travers le site proprement dit pour continuer vers le musée et, de là, vers les tombeaux. Ne manquez pas d'assister de quelque hauteur – de la tour de Jamblique par exemple – au coucher du soleil.

**Fêtes et manifestations.** En avril se tient le **festival du Désert** : représentations folkloriques, exposition d'artisanat, course de chameaux au « camélodrome »…

## Le temple de Bêl***

➤ *Ouv. t.l.j. de 8h à 13h et de 16h à 18h en été, de 14h à 16h en hiver ; entrée payante.*

Après avoir été transformé vers le XIIe s. en citadelle musulmane, le temple de Bêl fut occupé par les habitants de l'oasis qui y construisirent leurs maisons. Lorsque après la Première Guerre mondiale commencèrent les travaux de dégagement, il fallut tout d'abord les en déloger pour les installer dans un nouveau village, noyau de la localité actuelle. Le temple dédié à Bêl, la divinité nationale de Palmyre (voir p. 192), fut construit entre le Ier s. av. notre ère et le IIe s. après. Par son architecture d'ensemble, il témoigne de l'entrée de Palmyre dans la sphère culturelle hellénistique, tempérée cependant par un goût fortement oriental dans la décoration.

Le sanctuaire se trouve au centre d'une vaste cour carrée de 200 m de côté, bordée d'un portique. On y entre aujourd'hui par une petite porte ménagée dans le mur ajouté par les musulmans. À dr. de l'entrée, à l'extérieur, se détache un bastion arabe, défense avancée de la forteresse du XIIe s. Sitôt passée l'entrée, vous remarquerez à g. le départ d'une rampe processionnelle : c'est par là que l'on amenait les bêtes destinées à être sacrifiées à la divinité (voir p. 193).

On entrait dans le sanctuaire par le grand côté O, différence notable d'avec les temples hellénistiques dans lesquels l'accès se faisait par le petit côté. La cella – le saint des saints – était entourée d'un portique dont le plafond de poutres de pierre était abondamment décoré. Deux de ces poutres reposent à dr. de l'entrée de la cella : on peut y voir des bas-reliefs représentant la divinité montée sur son chameau. À l'origine, les sculptures étaient peintes. Dans la cella, vous noterez les deux niches ménagées sur chacun des petits côtés du rectangle : elles abritaient chacune une statue de Bêl.

**La grande colonnade traversait la partie officielle de Palmyre. De part et d'autre s'élevaient les thermes monumentaux. La perspective est fermée par un temple funéraire resté anonyme. Au fond, le château arabe semble veiller sur l'oasis.**

Au **musée**, vous pourrez voir une jolie maquette qui restitue l'ensemble du complexe du temple, avec son toit en terrasse décoré de merlons, d'une tradition tout orientale. En sortant du temple, dirigez-vous vers la grande colonnade qu'annonce un arc monumental.

# La colonnade***

De part et d'autre de cette allée majestueuse, s'ordonnaient les principaux monuments de la ville. À la différence des villes hellénistiques et romaines, où les rues sont tracées au cordeau, la grande colonnade dessine à Palmyre deux coudes, masqués le premier par un arc monumental, le second par un tétrapyle (voir p. 191). Peut-être ces déviations marquaient-elles une configuration particulière du terrain ou, plus probablement, les développements successifs de la ville.

Passé l'arc monumental à trois baies, vous trouverez immédiatement à g. les ruines d'un **temple dédié à Nebo**, le dieu babylonien de l'écriture et de la sagesse. Construit entre 80 et 180, le sanctuaire s'élevait au milieu d'une cour bordée d'un portique.

Plus loin dans la colonnade, voici les **bains de Dioclétien** qu'annoncent quatre élégantes colonnes en granit rose d'Assouan. Une inscription date l'édifice de l'an 300. Certains archéologues y voient l'ancien palais de Zénobie transformé après la conquête romaine en bâtiment public. Subsiste une belle piscine entourée d'un péristyle.

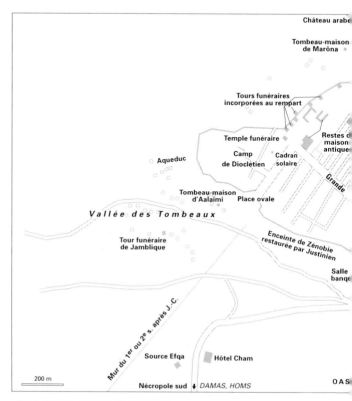

**Plan du site antique de Palmyre**

En poursuivant plus avant dans la colonnade, vous verrez s'élever à g. le **petit théâtre** de la ville : son mur de scène et ses gradins ont été restaurés à la fin des années 1980.

Sortez du théâtre en longeant la scène par la g., puis tournez immédiatement à g. pour vous diriger vers l'agora. En chemin, un petit édifice de forme triangulaire passe pour avoir abrité le **Sénat** de la ville.

L'agora, centre véritable de la vie publique et économique de l'oasis, est un vaste espace à ciel ouvert, bordé d'un portique. À g., au fond, ouvrait un vaste entrepôt, où étaient déposées les marchandises qui transitaient par la ville ; l'ancêtre des khans en somme. C'est près de l'entrée que l'on retrouva le fameux « **tarif municipal** » (voir p. 187). De l'autre côté de l'agora, s'ouvrait une salle où se tenaient les banquets rituels (voir p. 193).

Plus loin, au milieu de la colonnade, s'élève le **tétrapyle :** cet édifice au centre d'une place circulaire marquait l'un des coudes de la rue principale. Il est composé de quatre socles supportant chacun quatre colonnes. L'ensemble a été complètement restauré.

Au-delà du tétrapyle, la rue est envahie par les ruines des boutiques d'un **souk** qui s'y établit au VIIIe s. Du côté dr., s'étendent les soubassements d'une église byzantine qui fut aménagée dans un bâtiment plus ancien, sans doute du IIe s. Les archéologues ont mis au jour les vestiges d'une riche demeure jouxtant l'église, avec sa cour bordée de colonnes.

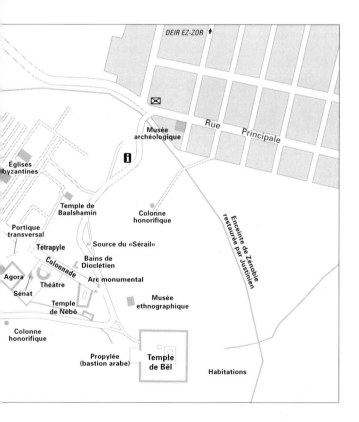

# DES DIEUX
# DANS LE CIEL DE PALMYRE

*Le carrefour commercial que fut Palmyre attira des populations venues de tout l'Orient ; elles s'installèrent là avec leurs traditions religieuses et donnèrent naissance à un panthéon original.*

### Bêl et Baalshamin

On vénérait à Palmyre deux formes de la divinité suprême : Bêl, dont le nom est d'origine babylonienne, et Baalshamin, d'origine cananéenne et araméenne. Tous deux sont maîtres du ciel : Bêl du firmament étoilé, Baalshamin, du ciel en tant que porteur de nuages et de pluie – dieu de la fertilité pour les hommes du désert.

Bêl, très tôt assimilé à Zeus, figurait en somme la divinité nationale : le peuple réuni lui rendait hommage en son vaste temple, l'un des plus grands de l'Orient romain. Baalshamin, « le dieu bon et rémunérateur », « celui dont le nom est béni pour l'éternité » était, quant à lui, le dieu de la piété personnelle. On l'invoquait dans son temple, de proportions fort modestes, qui s'élève aujourd'hui près de la grande colonnade.

Peut-on pour autant parler de monothéisme ? On sait qu'une importante communauté juive vivait à Palmyre et l'histoire a conservé l'intérêt que la reine Zénobie portait au christianisme et au judaïsme.

Cette fresque du IIIe s. av. J.-C. (détail central), actuellement conservée au musée de Damas, fut trouvée à Doura Europos, dans le temple des dieux palmyréniens (ou temple de Bêl). On y voit le prêtre Conon, reconnaissable à son bonnet conique, préparer un sacrifice. C'est le seul exemple d'une représentation de culte palmyrénien trouvé en dehors de Palmyre même.

### Le dieu unique n'était pas seul

Bêl et Baalshamin se trouvent, en fait, fréquemment associés à d'autres divinités, sous forme de triades : Bêl avec Yarhibol, dieu solaire, dieu de la justice et protecteur des sources, et Aglibol, divinité lunaire souvent représentée avec son croissant en forme de cornes de taureau. Baalshamin est souvent accompagné du même Aglibol et de Malakbel, dieu solaire de la fertilité. Ces divinités secondaires furent probablement, à l'origine, les divinités tutélaires des tribus nomades qui constituaient la population de l'oasis. D'autres divinités étaient encore vénérées à Palmyre, témoins de la diversité des populations et des influences culturelles : Hercule (figuré sur un relief du temple de Bêl), Apollon, dont le culte était très populaire à Palmyre, ou bien Allat, la grande déesse des Arabes du Sud, assimilée

La triade Aglibol (dieu Lune dont on voit le croissant sur la tête), Bêl (seigneur des Cieux) et Malakbel (dieu du Soleil, comme le montre sa coiffe). Le plus souvent, ces divinités sont représentées à l'image des hommes, c'est-à-dire en costume militaire, avec lance et bouclier, montées sur un cheval ou sur un chameau. Stèle palmyrénienne du Ier s. av. J.-C., musée du Louvre, Paris.

Le grand temple de Bêl.

à Athéna. Ainsi le fils de Zénobie se nommait-il Wahballat, c'est-à-dire « don d'Allat».

## Les cérémonies, jours de sortie

Comme pour la majorité des peuples de traditions sémites, la divinité à Palmyre demeurait au fond du saint des saints de son temple, inaccessible au commun des mortels. Le dieu sortait pourtant pour des processions solennelles : son image était alors abritée dans une niche portative, la *qobba* (lointain ancêtre peut-être du *mahmal*, voir p. 72), hissée sur le dos d'un chameau et promenée à travers la ville. On voit ainsi dans la cella du temple de Bêl deux niches face à face, celle de la divinité et celle de l'idole portative. Lors des grands offices en l'honneur de Bêl, on avait également coutume de sacrifier des animaux : ils étaient conduits au temple par une longue rampe bordée de gradins où les fidèles prenaient place. Ce dispositif est encore en partie visible.

Autre forme de religiosité, les banquets rituels : les convives y assistaient, munis de leur invitation, un petit jeton de terre cuite, le tessère, qui portait le nom du dieu à l'honneur, parfois même le menu. On a retrouvé des milliers de tessères dispersés sur le site. La principale salle de banquet se trouvait près de l'agora. On y mangeait couché, comme on peut le voir sur les reliefs funéraires.

Les Palmyréniens croyaient, semble-t-il, à la survie de l'âme. Ils prenaient grand soin de leurs défunts, comme en témoignent les monuments funéraires, les tours-tombeaux notamment, qui accueillent le visiteur venant de Damas.

La colonnade se termine devant la belle façade d'un **temple funéraire**. À g. de celui-ci, s'amorce une majestueuse artère que les archéologues ont nommée la **colonnade transversale**. Beaucoup plus large que la précédente, elle conduisait à la porte O de la ville, là où aboutissaient les pistes d'Émèse et de Damas. Tandis que chars et chameaux occupaient le milieu de la chaussée, des rangées de boutiques s'alignaient sous les colonnades des deux côtés de la rue. Entre deux boutiques, du côté dr., une porte monumentale donne sur une longue allée. Elle conduisait aux *principia*, le quartier général de la garnison romaine après la liquidation de la dynastie. Au bout de l'allée, un majestueux **escalier** donnait accès au bâtiment dont on peut voir une intéressante maquette au musée de la ville. En haut des escaliers à dr., un linteau renversé porte une inscription latine nommant Dioclétien comme le fondateur du camp, d'où le nom de « camp de Dioclétien » donné à l'édifice. De cette éminence, on embrasse d'un seul coup d'œil l'ensemble du site. En contrebas à g., une colonne isolée dotée d'un **cadran solaire** marque l'emplacement d'un temple dédié à Allat, la grande déesse des Arabes d'avant l'islam. Un monumental lion de pierre y fut retrouvé ; il orne aujourd'hui les jardins du musée.

En vous dirigeant vers celui-ci, vous passerez devant le **temple de Baalshamin** qui s'élève en face de l'hôtel Zénobie au milieu d'une partie du site qui n'a guère encore été fouillé. C'est l'édifice le mieux conservé du site : seul manque le toit. Il fut, en effet, transformé en église à l'époque byzantine, ce qui le préserva de la ruine. Vous pourrez en admirer la foisonnante décoration où se mêlent librement les influences hellénistiques et orientales.

## Le musée***

➤ *Ouv. t.l.j. sf mar. de 8h à 13h et de 16h à 18h en été, et de 14h à 16h en hiver ; entrée payante.*

Dans le jardin qui précède l'entrée sont exposées diverses sculptures retrouvées sur le site. Vous commencerez votre visite par la salle immédiatement à dr. après l'entrée.

Dans les deux premières salles, vous trouverez des panneaux explicatifs ainsi que de belles maquettes du temple de Bêl et des *principia* de Dioclétien. Vient ensuite une collection de **statues** de personnages palmyréniens drapés dans des costumes d'une richesse tout orientale. Dans la salle du fond, un intéressant **bas-relief** montre un armateur à côté de son bateau : les commerçants palmyréniens sillonnaient également les mers. La salle suivante présente différentes figures du **panthéon palmyrénien** : sur une même stèle sont ainsi représentés Allat et son lion, Malakbêl sur son chariot et Sharo, le dieu protecteur des caravanes. Un très beau **linteau** provenant du temple de Baalshamin montre Bêl, le dieu suprême, protégeant de ses ailes déployées Malakbêl et Aglibol (voir p. 192). Vous verrez, ensuite, quelques belles **mosaïques** du IIe s. de notre ère, dont une représente Achille et Ulysse. Vient ensuite la **section numismatique** où l'on peut voir quelques tessères, « cartons d'invitation » antiques aux banquets rituels. Sur le mur du fond, vous ne pourrez manquer une monumentale **statue d'Allat** représentée sous les traits d'Athéna. Les salles qui ramènent à l'entrée présentent une importante collection de bustes funéraires.

## Malakbêl, autre visage d'Adonis

Le dieu de la fertilité figure également le cycle du soleil. Sur l'autel d'un temple palmyrénien à Rome, on peut le voir représenté sur son char tiré par des griffons : c'est le soleil levant. Puis, sur une autre face, soutenu par un aigle, le visage radié : c'est le soleil au zénith ; le voici ensuite voilé, c'est l'astre déclinant. La dernière face montre un jeune dieu, émergeant d'un arbre, un chevreau sur l'épaule. L'astre renaît, comme la nature, en un perpétuel recommencement. Malakbêl reprend ainsi le vieux mythe d'Adonis, symbole de la nature toujours renaissante dans l'Orient ancien.

## Les tombeaux***

➤ *Accès payant. Départs du musée à 8h30, 10h, 11h30 et 16h30 (14h en hiver). La visite n'est pas chose aisée pour un voyageur individuel : dans le meilleur des cas (à 8h30 par exemple), vous serez seul, ce qui oblige à disposer de son propre véhicule pour acheminer le gardien et ses précieuses clefs de site en site. La plupart du temps, vous vous joindrez à un car de touristes. Si vous n'avez pas de voiture, vous lui demanderez de vous conduire. Si vous avez une voiture, le mieux est de partir en tête avec le gardien, ce qui vous laissera un peu d'avance au premier tombeau. Là, après avoir visité, il faudra attendre que tous les autres groupes en aient fait autant avant de poursuivre vers un autre tombeau. L'affaire se corse lorsque vous voulez découvrir l'ensemble des tombeaux ouverts à la visite. Le gardien devant assurer le prochain départ, il ne disposera pas du temps matériel pour vous accompagner partout. Le conservateur du musée nous a promis que bientôt (?) des gardiens seraient postés à l'entrée de chaque tombeau, ce qui en faciliterait considérablement la visite.* Les Palmyréniens se faisaient inhumer en famille, dans des caveaux souterrains, des hypogées, ou dans des tours funéraires. Il en existe près de 400 autour de la ville et bien peu ont été à ce jour explorés. Le fondateur de la lignée trônait en bonne place au fond de la salle, représenté par une statue allongé en compagnie de son épouse et de ses enfants. Ses descendants étaient disposés de part et d'autre de la salle, dans des casiers fermés par leur buste funéraire. Il existe deux nécropoles, l'une, la Vallée des tombeaux, à l'O du site, l'autre au S de l'oasis. Six d'entre eux sont ouverts à la visite dont celui de **Jamblique** qui n'est jamais fermé. Pour un aperçu rapide, voyez le **tombeau d'Elahbel**\*\*\* (une tour) et celui des **Trois-Frères**\*\*\* (un hypogée), situés dans la Vallée des tombeaux. Tous deux conservent une grande partie de leur décoration peinte.

Dans le groupe S, vous pourrez voir l'**hypogée d'Artaban**\*\*, avec sa lourde porte originale de pierre, qui conserve de nombreux bustes restés en place. À côté, se trouve l'hypogée de Nabu Shouri et la tombe n° 9. Si vous êtes arrivé jusque là, vous rentrez au musée en traversant une partie de l'oasis, dont les jardins sont protégés par de hauts murs. Bientôt, au-dessus des frondaisons, vous verrez surgir le temple de Bêl.

# À voir encore

## Le Musée ethnographique*

➤ *Ouv. t.l.j. sf mar. de 8h à 13h et de 16h à 18h (de 14h à 16h en hiver).*

Dans cette ancienne bâtisse de l'époque du Mandat français (1920-1946) a été aménagé un petit musée ethnographique ; reconstitution de la vie des Bédouins, collection d'animaux empaillés illustrant la faune de la région.

## Le château arabe

Cette fière citadelle, qui domine le site, a suscité bien des interrogations. La tradition locale en attribue la construction à l'émir libanais Fakhr ed-Din (1590-1635) qui voulut défier l'autorité ottomane. On y a retrouvé, par ailleurs, des tessons de poteries qui semblent remonter aux XIIe-XIIIe s., c'est-à-dire à l'époque où fut fortifié le temple de Bêl. Certains spécialistes en font même remonter la fondation aux Omeyyades (VIIe-VIIIe s.). Quoi qu'il en soit, ses vestiges sont de peu d'intérêt. En revanche, on découvre de là-haut une vue fabuleuse sur le site, ainsi que sur les montagnes alentour. On y accède par un sentier qui part des environs du camp de Dioclétien et qui vous conduira au sommet en 45 mn de marche (à proscrire par grande chaleur). Plus commode et moins fatigant, une route part du musée (voir sur le plan « direction du château arabe »), passe devant le « camélodrome » où ont lieu les courses de chameaux durant le festival du Désert en avril (voir p. 31), avant d'aboutir à une piste qui conduit au sommet.

## La source Efqa

L'accès à la source sacrée des Palmyréniens se trouve en face de l'hôtel Cham, où vous demanderez la clef à la réception. On y accède par des marches antiques taillées dans la roche. En bas, les grottes furent aménagées en bains dès l'Antiquité.

# LES BONNES ADRESSES

**Office du tourisme.** *Ouv. de 8h à 14h et de 16h à 18h (14h à 16h en hiver).* Derrière l'hôtel Zenobia.

## Hôtels

▲▲▲▲ **Palmyra Cham** ☎ (034) 23.70.00. *250 ch.* VISA, AE, DC, MC. Le grand palace de l'oasis. Excellent service et très bel emplacement en bordure du site sur lequel donnent beaucoup de ch. L'ensemble mériterait néanmoins un petit rafraîchissement.

▲▲▲ **Zenobia** ♥ ☎ (034) 22.01.01, fax 22.24.07. *27 ch.* VISA, AE. Rés. à l'hôtel ou auprès d'Orient Tours à Damas ☎ (011) 222.41.79. Hôtel de charme  construit sous le Mandat français juste en bordure du site, tout près du temple de Baalshamin. Rénové en 1991 : ch. impeccables, décoration bédouine très réussie. La terrasse donne directement sur les ruines. La réservation s'impose pendant les mois d'affluence touristique.

▲▲ **Al-Nakheel** ☎ (034) 22.07.44. *11 ch.* Un hôtel tout neuf, très bien tenu ; joli salon à la réception, accueil sympathique.

▲▲ **Orient** ☎ (034) 22.01.31, fax 22.25.00. *25 ch.* Très propre et tout pimpant : la rénovation date de 1995.

▲▲ **Tower**, rue principale ☎ (034) 22.01.16. *15 ch.* Bon petit établissement où l'on parle un peu français. Pas de restaurant. Encore un petit effort en matière de propreté dans les ch. et ce sera une bonne adresse d'hôtel à petit prix.

▲ **Palmyra**, rue principale ☎ (034) 22.01.56. *24 ch.* Très moyen ; pas cher.

▲ **Tourist**, rue principale ☎ (034) 22.03.33. Vieillot et laissé à l'abandon.

### Restaurants

Vous n'aurez pas l'occasion des faire des haltes véritablement gastronomiques. Vous pouvez toujours essayer le restaurant *Palmyra* (en face du musée), doté d'un agréable jardin, ou *L'Oasis*, près de l'office du tourisme. Vous trouverez également plusieurs petites gargotes dans la rue principale.

# De Palmyre à Damas

Une excellente route de 220 km à travers la steppe relie l'oasis de Palmyre à la capitale syrienne. En chemin, deux arrêts possibles : le **Qasr el-Kheir el-Gharbi**, un château omeyyade du VIIIe s., et **Dmeir\***.

## Qasr el-Kheir el-Gharbi

➤ *À 67 km de Palmyre, la route de Homs rejoint à dr. celle de Damas. Pour gagner le château de Qasr el-Kheir el-Gharbi, empruntez-la pendant 20 km au bout desquels vous trouverez à dr. une piste qui conduit en 2 km au château.*

Précisons-le tout de suite avant de vous inciter à effectuer ce long détour, les ruines ont très peu d'intérêt. La magnifique façade a été déposée et sert aujourd'hui d'entrée au musée de Damas (voir p. 87). Ce fut pourtant l'un des plus beaux palais d'agrément des Omeyyades (l'autre, Qasr el-Kheir el-Sharki, beaucoup mieux conservé, se trouve à 200 km plus à l'E, près de la route de Palmyre à Deir ez-Zor ; voir plus bas). Ces princes venus du désert aimaient à échapper à la ville pour retrouver leurs racines et les plaisirs de la chasse. Cela leur permettait accessoirement de se rapprocher des tribus locales et de s'assurer de leur fidélité. L'édifice fut construit à l'emplacement d'un monastère byzantin du VIe s. dont il utilisa quelques-unes des structures. Sur place, vous ne verrez que les soubassements de l'édifice ainsi qu'une tour de trois étages, vestige du monastère byzantin.

Pour retrouver la route de Damas, vous reviendrez jusqu'au carrefour. En chemin, 10 km après le château, vous pourrez visiter les ruines du **barrage romain de Harbaqa**, plus intéressantes : vous trouverez à dr. un chemin carrossable qui y conduit, 1 500 m plus loin environ. L'ouvrage, qui daterait du Ier siècle de notre ère, est encore très spectaculaire avec ses 20 m de haut et ses 345 m de long. Il barrait un wadi (rivière) et la retenue d'eau (depuis longtemps comblée) alimenta bien plus tard le château des Omeyyades.

## Le temple de Dmeir\*

➤ *À 178 km de Palmyre (sans le détour). La bourgade de Dmeir (ou Dumeir, ou encore Dumayr) possède un temple romain remarquablement conservé. Vous demanderez à un habitant d'aller vous chercher le gardien qui détient la clef.*

À 5 km avant Dmeir, vous verrez à g. les soubassements d'un camp romain. À la lisière S de la localité (du côté g. de la route lorsque l'on vient de Palmyre), s'élève au milieu des maisons du village une curieuse construction. Par une inscription relevée sur place, on apprit que l'édifice fut un temple consacré à Zeus en l'an 245, sous le règne de Philippe l'Arabe (voir p. 100). Le plan général de l'ouvrage, bien différent de celui des temples classiques, incita les archéologues à chercher plus avant. De fait, ils découvrirent, insérée dans un mur, une **stèle** du Ier s. de notre ère figurant Baalshamin (aujourd'hui à l'Institut du Monde arabe à Paris). Les quatre larges arches, qui ouvrent sur chacun des côtés (elles furent murées plus tard par les Arabes qui en firent un bastion militaire), laissèrent penser qu'il put s'agir d'une sorte d'arc monumental, à la croisée de pistes carava-nières. Quant aux **tours** qui marquent les angles et les escaliers don-nant accès à la terrasse, elles évoquent la disposition des temples phéniciens. L'énigme n'est pas à ce jour complètement résolue ; un bien bel édifice tout de même.

*À 16 km après Dmeir, on rejoint la grande route du N que l'on prend à g. pour rejoindre Damas, 26 km plus loin.*

# De Palmyre à Deir ez-Zor

Les deux villes sont reliées par 201 km d'excellente route à travers la steppe. Une seule curiosité en chemin, le château omeyyade de Qasr el-Kheir el-Sharki, dont les vestiges sont beaucoup plus imposants que ceux de son pendant à l'O de Palmyre, Qasr el-Kheir el-Gharbi. Après avoir passé le bourg de Sukhnah (75 km de Palmyre), vous poursuivrez dans la direction de Deir ez-Zor pendant 20 km environ. Là, vous prendrez l'une des pistes qui se détachent à g. de la route principale. Le but est de franchir les collines qui s'élèvent à 1 500 m env. à g. de la route, puis de redescendre dans la plaine de l'autre côté pour atteindre le château une vingtaine de km plus loin. Là, pas de panneaux indicateurs, mais des dizaines de pistes qui s'entrecroisent. En continuant toujours vers le N, vous devriez apercevoir, peu après avoir franchi les collines, les murailles du château qui se distinguent de fort loin. Par temps sec, pas besoin d'un véhicule tout-terrain, mais vérifiez tout de même que votre voiture est en bon état et qu'elle est pourvue d'une roue de secours. Sans véhicule tout-terrain, l'excursion est à proscrire après un orage.

## Qasr el-Kheir el-Sharki*

3 km avant d'atteindre le château, vous découvrirez tout d'abord les restes d'un mur d'enceinte. Au temps des califes, il mesurait 22 m de long et protégeait les 850 ha de jardins qui plongeaient le palais dans un écrin de verdure. Pour les entretenir, l'eau était acheminée depuis un barrage à 30 km de là. Ainsi le voyageur, après avoir franchi les longues étendues de la steppe aride, était-il accueilli par la fraîcheur d'une oasis. Des chemins à l'ombre des palmiers le conduisaient au palais, dont il pouvait distinguer les murs au loin à travers les fron-daisons, tandis que, de tous côtés, s'affairaient dans des champs soi-gneusement irrigués les jardiniers du maître des lieux. Aujourd'hui, la steppe a repris ses droits et c'est au bout d'un champ de pierrailles que vous atteindrez l'ensemble du palais. Il se compose en réalité de deux bâtiments distincts, séparés d'une quarantaine de mètres. À dr., en arrivant, se trouve le khan ; à g., le palais proprement dit. Dans l'espace libre entre les deux, se dresse un **minaret** dont l'origine reste

incertaine. Si sa construction était contemporaine de celle du palais, cela en ferait l'un des plus anciens minarets de l'Islam.

Les **murs du khan** sont les mieux conservés ; ils étaient défendus par 12 tours semi-circulaires comme celles qui encadrent encore l'entrée. L'**intérieur** *(en principe fermé à la visite)* est un chaos de pierres écroulées. Le **palais**, lui aussi entouré d'un mur percé de 5 portes et sur lequel se détachaient 28 tours, a beaucoup moins bien résisté aux outrages du temps. L'intérieur s'organisait autour d'un vaste espace central bordé d'un portique ; de là, on accédait aux appartements du calife, aux communs, remises, pressoir à huile…, aux quartiers des serviteurs ou à la mosquée dont on peut encore voir les traces dans le coin S-E (immédiatement à g. en entrant).

# D'ALEP À MARI
## Les rives de l'Euphrate

Quelque 460 km d'excellente route séparent Alep, la capitale du N, et Mari, la porte du monde sumérien. Pour découvrir les principales curiosités qui vous attendent en chemin, il vous faudra prévoir une étape à Raqqa ou mieux à Deir ez-Zor d'où vous partirez le jour suivant pour Doura Europos et Mari (voir pp. 205 et 207).

### Le barrage de Tabqa

➤ *À 149 km d'Alep, tournez à g. en direction de la ville nouvelle de At-Thawra, construite au bord du barrage.*

Mis en service en 1975, ce magnifique ouvrage de 2 500 m de long pour 512 m de large à la base a permis le remplissage d'un lac de retenue, le lac Assad, d'une capacité de 11 milliards de $m^3$. Il devait permettre l'irrigation de plus de 600 000 ha, projet revu depuis à la

---

### L'Euphrate, enjeu du XXIe siècle

En 1992 était inauguré, près de la ville de Harran en Turquie, le barrage Atatürk, le 5e plus grand barrage du monde. En amont, un lac de retenue de 800 $km^2$ devrait permettre, à l'horizon 2010, l'irrigation de 1,7 million d'hectares. Depuis le début de sa réalisation, ce projet titanesque a suscité un vif émoi dans les pays riverains de l'Euphrate, en aval du barrage, et notamment en Syrie. Déjà, pendant un mois en 1990, la Turquie avait interrompu en partie le flot de l'Euphrate, entraînant une inquiétante baisse des eaux en amont du barrage de Tabqa. Depuis, la Turquie s'est engagée à fournir à la Syrie un débit de 500 $m^3$ par seconde, les autorités de Damas en demandant pour leur part 700. En l'absence de tout accord, la Syrie reste dangereusement dépendante de la Turquie qui, en cas de tension, pourrait décider de « fermer le robinet ». La mise en service du barrage de Tabqa a suscité, elle aussi, une vive émotion, en Irak cette fois : le remplissage du barrage Assad (11 milliards de $m^3$), en 1975, avait réduit d'un quart le débit du fleuve, entraînant une grave sécheresse en Irak où l'agriculture dépend presque entièrement de l'irrigation. Bagdad commença alors à masser ses chars près de la frontière et il fallut une médiation de l'Arabie Saoudite pour éviter de justesse un conflit armé.

baisse (voir p. 55). D'une terrasse, on découvre une jolie vue sur l'étendue du lac ; sur l'autre rive se dresse la silhouette du **Qala'at ed-Djaber**, un fortin construit au XIIe s. par Nour ed-Din.

## ♥ Résafé**

➤ *À 169 km d'Alep, 26 km avant Raqqa, tournez à dr. au village de Al-Mansoura ; le site de Résafé se trouve au bout de la route, 28 km plus loin vers le S. Entrée libre.*

Ce poste-frontière romain fut établi après la chute de Doura Europos, en 256 apr. J.-C., pour défendre le limes contre les Parthes. Il devint célèbre dans toute la chrétienté orientale sous le nom de Sergiopolis : on venait, en effet, y vénérer la tombe de Serge, un officier romain chrétien qui, en 305, sous l'empereur Dioclétien, fut martyrisé pour avoir refusé de sacrifier en l'honneur de Jupiter. C'est au VIe s. que furent élevées les plus vastes églises comme la basilique de la Sainte-Croix (ou basilique de Saint-Serge) dont les murs atteignent encore 15 m de hauteur. À la même époque, sous le règne de l'empereur Justinien, la ville fut entourée d'un puissant rempart défendu par une cinquantaine de tours. Il n'empêcha pas la ville d'être prise par les Perses en 616, puis par les Arabes deux décennies plus tard. La ville ne fut pas pour autant désertée : elle connut même un regain d'activité sous le règne des Omeyyades (VIIe-VIIIe s.) : le calife Hisham la choisit pour résidence et s'y fit construire un palais. Contre le flanc N de la basilique, devenue cathédrale, fut aménagée une petite mosquée. Malgré un sévère tremblement de terre au VIIIe s. la ville, en grande partie chrétienne, continua d'être habitée jusqu'au XIIIe s., moment où elle fut entièrement dévastée par les Mongols et définitivement abandonnée.

**La cité de gypse.** En approchant de Sergiopolis, on en voit tout d'abord surgir les puissants remparts. Ce bel ouvrage défensif de 550 m sur 400 est l'un des mieux conservés de cette fin de l'Antiquité. Une route carrossable permet d'en faire le tour et d'en découvrir les murs construits en gypse local. On pénètre dans l'enceinte par la porte N, magnifique réussite de l'architecture byzantine. À l'origine, l'entrée de la ville était défendue par un bastion avancé, aujourd'hui écroulé, dans lequel ouvrait une première porte ; on pénétrait ensuite dans une cour d'où l'on découvrait seulement la triple porte de la ville, richement décorée. Passée la porte, l'intérieur de la ville n'est plus qu'un espace vaste et nu : c'est plus ou moins ainsi que les Mongols laissèrent Sergiopolis après leur passage. À l'heure actuelle, seules quelques parties du site ont été explorées par les archéologues.

Dans l'axe de la porte, une des rues principales de la ville, dirigé N/S, a été en partie dégagée. Suivez-la ; à 100 m à g. s'élèvent les vestiges d'une première église. Construite au VIe s., elle suit un plan centré, comme l'église de Ezraa (voir p. 105) dont elle est contemporaine En continuant, 100 m plus loin toujours à g., se trouvait le marché de la ville. Poursuivez toujours dans la même direction : 100 m encore et voici à dr. la première des trois colossales **citernes** de la ville (l'une est pourvue d'un double bassin). La plus grande se trouve la plus près du mur S : elle mesure 58 m de long sur 21,5 m de large et pouvait contenir 15 000 m$^3$ d'eau. La taille de ces réservoirs, rendue nécessaire par le caractère désertique de la région, ne peut se comparer

qu'avec celle des citernes de la capitale, Constantinople. Par des ouvertures béantes *(à aborder avec prudence de crainte d'éboulements
toujours possibles)*, on peut jeter un œil à l'intérieur.

Poursuivez votre visite en longeant à distance le mur S en direction de
l'E. À 200 m env. s'élèvent les hauts murs de la basilique. En chemin,
vous laisserez à g. les soubassements d'une troisième église très ruinée.

La **basilique de la Sainte-Croix**, comme la nomme une inscription
découverte en 1977, fut consacrée en l'an 559 ; elle abritait sans doute
le tombeau de saint Serge et resta ouverte au culte chrétien jusqu'au
XIIIe s. La nef centrale est séparée des deux bas-côtés par de hautes
arcades dont l'audace architecturale ne put défier longtemps les lois
de la gravitation : quelques années après leur construction, il fallut les
soutenir par deux arches plus petites, reposant sur trois piliers. Au
centre de la nef, une estrade surélevée, la bêma, rehaussée à l'origine,
d'un baldaquin de pierre, servait à la lecture des textes saints. Des
deux côtés de la nef, au-dessus des arches, de nombreuses ouvertures
étaient ménagées dans la partie supérieure du mur de manière à laisser pénétrer largement la lumière, selon un procédé courant dans les
édifices chrétiens de Syrie (voir Qalb Loze, p. 179). En 1982, dans
une cour au N de l'édifice, les archéologues firent une découverte de
taille : un trésor d'objets liturgiques enfoui très probablement
quelques jours avant la prise de la ville par les Mongols. On y a retrouvé notamment un splendide calice intact, portant des inscriptions en langue syriaque. Il se trouve aujourd'hui au musée de Raqqa
(voir plus bas).

Vous ressortirez de l'enceinte par la porte N. En face de celle-ci, à
l'extérieur de la ville, s'élèvent les ruines d'un palais du VIe s. Il fut
construit par un cheikh des Ghassanides, cette tribu arabe et chrétienne, alliée des Byzantins qui défendaient les frontières orientales
de l'Empire.

## Raqqa

➤ *À 195 km d'Alep ; à 140 km de Deir ez-Zor.*

Promue capitale de province, la bourgade de Raqqa, sur la rive g. de
l'Euphrate, s'est considérablement développée dans les dernières décennies. Mais elle l'a fait d'une façon un peu anarchique, si bien
qu'elle garde un aspect rural malgré ses plus de 200 000 habitants. De
son passé, elle ne conserve que les traces de palais et de fortifications
musulmanes. Si vous devez vous arrêter à Raqqa, ce sera surtout
pour visiter son petit **musée** où sont exposés le superbe calice retrouvé à Résafé et une coupe ayant appartenu aux croisés. Vous trouverez même un hôtel à Raqqa, ce qui en fait une étape possible le
long de l'Euphrate.

**Une étape sur la Route de la Soie.** La fondation de Raqqa est communément attribuée aux Séleucides au IVe ou au IIIe s. av. notre ère ;
sous le nom de Callinicum, elle défendait les marches orientales du
royaume comme elle continua à le faire sous les Romains, puis sous
les Byzantins. En 531, Bélisaire, général de Justinien, y fut même défait par les Perses. Devenue musulmane, la ville prit le nom de Raqqa
(en arabe « le plat pays ») et s'entoura d'une muraille en fer à cheval
qui prenait appui sur la rive de l'Euphrate. Elle devint une cité importante sous les Abbassides et notamment sous le règne de Haroun

al-Rashid (786-809), qui en fit sa capitale d'été et s'y construisit un palais. C'était aussi une importante étape sur les routes commerciales qui remontaient l'Euphrate, un des aboutissements de la Route de la Soie venue de la lointaine Chine. On a ainsi retrouvé un **cavalier** en porcelaine chinoise datant du IXe s. (exposé au Musée de Damas, voir p. 90, où l'on peut voir aussi de belles maquettes permettant de se faire une idée de la ville au temps de sa splendeur). Sur place, les vestiges sont plutôt minces, malgré les efforts déployés par le Service des Antiquités syriennes. La ville fut saccagée en 1258 par les Mongols qui venaient de prendre Bagdad, mettant fin à la dynastie abbasside. Laissés à l'abandon, les édifices de brique crue tombèrent rapidement en poussière sous l'effet des intempéries. Il n'en reste aujourd'hui que quelques soubassements patiemment exhumés par les archéologues et sur lesquels on a reconstruit à l'identique. On peut ainsi voir une partie importante de la **muraille** (la muraille originelle était deux fois plus épaisse), ainsi que, vers le S-E, la reconstitution d'une porte de la ville, Bab Bagdad. À proximité de la muraille orientale, le palais des Jeunes Filles, Qasr al-Banat, a lui aussi fait l'objet d'une importante reconstitution. La destination comme le nom de ce palais restent obscurs. Vous demanderez ensuite le chemin de la **Grande Mosquée :** elle se trouve dans la partie N de la ville. Là encore, il faut faire preuve de beaucoup d'imagination pour apprécier ce vaste complexe édifié au VIIIe s. : on entre tout d'abord dans une immense cour, entourée à l'origine d'un haut mur surmonté de onze tours : elle fut restaurée au XIIe s. par Nour ed-Din qui ordonna probablement l'érection du minaret. De la salle de prières, il ne reste que quelques soubassements et des restes de pavement. Au centre de la cour, un petit mausolée est toujours gardé par un pieux musulman : il renferme la tombe d'un des compagnons du prophète Mahomet.

### Le musée
*Ouv. t.l.j. sf mar. de 8h à 14h et de 15h à 18h ; entrée payante.*
À voir principalement (à dr. de l'entrée) le superbe **calice** retrouvé à Résafé ; à côté est exposée une **coupe** ayant appartenu à un croisé, un certain Raoul de Coucy. L'objet fut pris à Saint-Jean-d'Acre lors de la chute de la ville en 1291. On peut également voir des objets provenant des sites archéologiques de la région et remontant aux Ve et IVe millénaires ainsi que quelques éléments décoratifs ayant appartenu aux palais abbassides de Raqqa.

#### Hôtel
▲▲ **Karnak Tourist** ☎ (0221) 23.22.65. *47 ch.* N'en attendez pas des merveilles : l'établissement n'est pas très bien entretenu, les ch. tout juste propres, le tout pour un prix qui n'a rien de modeste. Mais c'est le seul hôtel convenable en ville.

## Halebiyé**
➤ *À 84 km de Raqqa en direction de Deir ez-Zor, tournez à g. puis continuez pendant 9 km.*
Ce petit détour vous offrira l'un des plus beaux **points de vue** sur l'Euphrate. Si vous continuez vers Deir ez-Zor, vous aurez le choix entre revenir sur vos pas pour rejoindre la route principale, ou **traverser l'Euphrate** sur un pont flottant et gagner Deir ez-Zor par la

rive g. La route est excellente et beaucoup moins fréquentée que la nationale. Cela vous permettra de traverser de belles campagnes paisibles et d'en découvrir les petits villages.

**Un avant-poste palmyrénien.** À cet endroit de sa longue course, l'Euphrate traverse un défilé entre deux collines : un poste d'observation idéal qui n'a pas échappé aux Palmyréniens. Parvenue à l'apogée de sa puissance, la reine Zénobie fit construire au IIIe s. apr. J.-C. deux places fortes de part et d'autre du fleuve : sur la rive dr., Halebiyé, sur la rive g., Zalebiyé. Elle pouvait ainsi contrôler le trafic fluvial, d'où l'oasis tirait une partie non négligeable de ses revenus. Dans leur état actuel, les ruines datent du VIe s. et du règne de Justinien. Le poste militaire de **Halebiyé** était défendu par une puissante **muraille**. C'est aujourd'hui la partie la mieux conservée du site : ponctuée de bastions carrés, elle grimpe à l'assaut de la colline jusqu'à la citadelle qui, tout en haut, domine l'ensemble. Deux **portes** étaient ménagées du côté du fleuve, l'une au S, l'autre au N. À l'intérieur du périmètre, vous distinguerez les ruines de **bains** (du côté du fleuve) et de deux **basiliques** à mi-pente. À 1 km au N de la muraille se trouvent trois tours funéraires et des sépultures d'époque romaine creusées dans le roc. Le **pont** sur l'Euphrate se trouve à 200 m en amont du site (c'est-à-dire vers le N). Après l'avoir franchi, vous prendrez à g. une piste carrossable qui gravit la colline et rejoint une route asphaltée à 2 km de là. Environ 500 m plus loin, une piste conduit à proximité du site de **Zalebiyé**, perché sur une colline qui domine l'Euphrate (la fin du parcours se fera à pied). La forteresse est assez ruinée mais, de là, on découvre une vue magnifique sur l'Euphrate et sur Halebiyé 2 km en amont (allez-y le matin pour avoir la meilleure lumière). La route asphaltée rejoint 2 km plus haut la route principale qui conduit à dr. à Deir ez-Zor (55 km).

## Deir ez-Zor

➤ *À 335 km d'Alep. Services réguliers d'autobus avec Alep, Damas et Palmyre ; l'aéroport se trouve à 7 km à l'E de la ville. Services de bus et taxis pour gagner le centre-ville.*

Vous êtes arrivé dans la capitale du pétrole syrien. Avec la mise en exploitation intensive des gisements alentour, la petite bourgade de la steppe prend des allures de ville-frontière, de « Far East » syrien. Le soir venu, tout au long des ruelles poussiéreuses encombrées de vélos, les affaires se font et se défont tandis qu'au loin les torchères des puits de pétrole illuminent le ciel étoilé. Pour vous, Deir ez-Zor sera une étape idéale avant de continuer plus avant vers le S, vers Doura Europos et Mari. Une étape d'autant plus commode que les hôtels s'y sont multipliés du fait de la présence de nombreux techniciens étrangers.

Deir ez-Zor fut l'une des étapes du martyre arménien. C'est là qu'aboutissaient, en longues et sinistres colonnes, harcelés par la soldatesque turque, les survivants des massacres et de la déportation massive que subit la population arménienne de Turquie à partir de 1915. Leur calvaire ne s'arrêtait pas là, puisque les grottes aux alentours de la ville abritent encore les ossements de milliers de malheureux massacrés sur place. Depuis, une petite communauté arménienne est restée à Deir ez-Zor. Dans son église a été inauguré,

**Deir ez-Zor**

en 1990, un **martyrium** en la mémoire des victimes du génocide. La visite en est très émouvante.

En matière de curiosités touristiques, rien de bien notable, si ce n'est le petit musée local où l'on peut voir des objets provenant des sites alentour comme Halebiyé, Doura Europos ou Mari. Ne manquez pas, le soir venu, de vous rendre dans l'un des **shardouka** (au singulier *sharadik*), ces petites guinguettes installées au bord de l'Euphrate. Elles forment l'endroit idéal pour siroter un arak et grignoter quelques mezzés, en contemplant, depuis la terrasse, le soleil se coucher sur le fleuve.

## Le musée

➤ *Ouv t.l.j. sf mar. de 9h à 18h (16h en hiver) ; entrée payante.* Il se trouve aujourd'hui dans l'une des rues principales du souk A1 ; il devrait déménager pour s'installer dans un bâtiment tout neuf à l'entrée de la ville lorsque l'on vient de Raqqa. On peut y voir des pièces mises au jour à Halebiyé et à Doura Europos, une salle consacrée à Mari, avec une belle reconstitution d'une fresque du IIe millénaire. Une section est consacrée à la civilisation islamique.

# LES BONNES ADRESSES

**Office du tourisme** A1 : *ouv. t.l.j. sf ven. de 8h à 16h* ; accueil très aimable, mais pas beaucoup de documentation.

**Syrian Airlines :** ☎ 22.55.52 ou ☎ 22.18.01 ; à l'aéroport : ☎ 22.19.02.

## Hôtels

▲▲▲▲ **Concord**, route d'Alep hors plan, P.O. box 115 ☎ (051) 22.42.72, fax 22.54.11. *100 ch.* VISA, AE, DC, MC. Le nouvel hôtel de luxe ici. Superbe réception, ch. agréables et très bien équipées. 3 restaurants dont un de spécialités italiennes. Piscine. ▲▲▲▲ **Furat Cham**, route d'Alep hors plan, P.O. box 219 ☎ (051) 22.54.18. *200 ch.* VISA, AE, DC, MC. Superbe établissement à la lisière de la ville, piscine, tennis ; ch. et service impeccables. ▲▲ **Raghdan**, rue Al-Nahr A1 (Abou Bakir as-Siddia) ☎ (051) 22.20.53. *22 ch.* Petit établissement très convenable sur la promenade au bord d'un bras de l'Euphrate. Ch. assez inégales : le mieux est d'en voir plusieurs si possible. Restaurant au dernier étage. ▲ **Mari**, A1 (051) 22.16.57. *44 ch.* Petit hôtel dans une rue du centre ; ch. assez spacieuses mais mériteraient un bon coup de peinture, de même que la réception. Cela devrait être fait incessamment, nous a-t-on promis. Évitez les ch. qui donnent vers l'intérieur du bâtiment, sur le puits de lumière : elles sont sombres et bruyantes. ▲ **Oasis**, Al-Waha hors plan par A1 ☎ (051) 22.37.84 *104 ch.* Sur la rive g. de l'Euphrate, l'hôtel le plus pittoresque en ville. L'ensemble fut construit à l'origine pour servir de résidence aux techniciens étrangers employés sur les champs pétrolifères. Bungalows répartis au long de jolis jardins. Chacun (guère plus grand qu'un placard à balai) est pourvu d'un lit à une place. Si vous êtes deux, on pourra faire communiquer deux bungalows contigus (pas idéal tout de même pour les lunes de miel). Accueil sympathique et décontracté pour un prix défiant toute concurrence. À signaler : l'excellent restaurant où viennent volontiers les notables de la ville.

Restaurants : Rien de bien folichon, si ce n'est le restaurant de l'hôtel Oasis ainsi que les petites guinguettes, les shardouka, installées au bord de l'Euphrate A1-2. Il en existe plusieurs qui se valent toutes.

Location de voiture : Europcar, rue Khaled ibn al-Walid B1 ☎ (051) 22.25.64.

## Le château de Rahba

➤ *À 45 km de Deir ez-Zor en dir. de Mari, traverser le village de Mayadin. Les ruines du château se dressent à 1 km à dr.* C'est à Nour ed-Din que l'on doit la construction de cette forteresse au XIIe s. La bâtisse massive, plantée sur une éminence cernée d'un fossé, fut tenue par les musulmans jusqu'à l'arrivée des Mongols en 1260. Elle dominait un paysage fertile et protégeait un port fluvial et un centre commercial important. L'ensemble est assez écroulé ; une piste carrossable permet d'en faire le tour en voiture.

## ♥ Doura Europos***

➤ *À 93 km de Deir ez-Zor, en direction de Mari ; entrée libre ; comptez 1h30 de visite.* Le 30 mars 1920, une compagnie britannique, pressée par les troupes de Fayçal, se replie dans les ruines d'une cité antique. À la hâte, on creuse des abris, on ouvre des tranchées et voici que, sous les pelles des hommes du capitaine Murphy, apparaît une somptueuse fresque représentant deux prêtres à bonnet conique. On le saura plus tard, ils sacrifient à Bêl, le dieu palmyrénien (voir p. 192). La ville de Doura Europos venait de renaître à l'histoire. Les premières campagnes de fouilles furent entreprises entre 1922 et 1924, puis à partir de 1928 pour être abandonnées, faute de moyens, en 1937. Les travaux ont repris depuis 1986, sous la conduite d'une mission franco-syrienne dirigée par P. Leriche et A. al-Mahmoud.

**La ville de Nicanor.** Cette cité au bord de l'Euphrate fut fondée en 303 av. J.-C. par Nicanor, général de Séleucos Ier. Il la nomma Europos du nom du village natal de son roi. Le site, connu sous le nom de Doura, avait déjà été occupé par les Assyriens. L'emplacement était stratégique : il contrôlait la grande route caravanière qui reliait l'Orient à la Méditerranée. Cette colonie de vétérans grecs et macédoniens, au cœur d'une région très fertile qui appartint jadis au royaume de Mari, devint une véritable cité à partir du IIe s. av. J.-C. Elle s'entoure d'un mur à l'intérieur duquel l'espace est divisé par des rues rectilignes en îlots d'habitation de 35 m sur 70, regroupant chacun 8 maisons. Au centre de la ville s'étend l'agora ; les bâtiments publics, temples, palais du gouverneur, occupent les quartiers sud. La citadelle se dresse, quant à elle, sur la butte qui domine l'Euphrate.

**Une cité cosmopolite.** À partir de 113 av. notre ère, et pour près de trois siècles, cette cité hellénistique tombe aux mains des Parthes. Si elle a perdu désormais toute importance stratégique – elle se trouvait alors au cœur d'un empire – elle ne se dépeuple pas pour autant. Bien au contraire : c'est même pendant cette période que Doura Europos connaît sa plus grande extension. De nouvelles habitations occupent l'espace laissé vacant de l'agora (mais respectent néanmoins le plan en damier de la ville grecque) et débordent largement des murailles devenues inutiles. C'est en somme « à l'époque parthe que la ville a pris son vrai visage de cité grecque tel qu'il nous apparaît encore aujourd'hui » (P. Leriche). À la population d'origine grecque s'ajoutent de nombreux éléments iraniens et sémites pour faire de Doura Europos une ville prospère et bigarrée, au carrefour des influences occidentales et asiatiques.

En 115, Trajan occupa la ville qui devint colonie romaine en 211. À partir de 224, une nouvelle menace se fit jour à l'E : celle des Perses sassanides. La ville abrita alors une importante garnison, de nouvelles fortifications furent édifiées. Doura ne perdit pas pour autant son caractère cosmopolite. C'est de cette époque romaine que datent les célèbres **fresques de la synagogue** de la ville, actuellement exposées au musée de Damas. En 256, les Sassanides s'emparèrent pourtant de Doura, qui fut dès lors abandonnée au sable du désert. Lorsqu'un siècle plus tard l'empereur Julien traversa le site, il n'y vit que ruines et désolation.

### À travers Doura Europos

Les murs de la ville, par endroits, atteignent encore 9 m de hauteur. 28 tours de défense sont toujours debout. C'était le point le plus faible de la défense de la ville. C'est donc par là qu'attaquèrent les Sassanides : sous les murs, ils creusèrent des mines pour en saper les fondations. Les travaux de dégagement entrepris par P. Leriche de ce côté du rempart ont permis de découvrir les traces des combats. Ainsi, sous la tour 19 (la 2e à g. de la porte principale), les archéologues ont découvert les traces d'une mine sassanide et d'une contre-mine creusée par les défenseurs : les deux galeries finirent par se rejoindre et Perses et

Romains se retrouvèrent face à face dans le tunnel. Ils s'affrontèrent à mains nues dans l'obscurité, avant que l'écroulement des galeries ne les ensevelisse. On a découvert leurs restes avec, près d'eux, quelques pièces de monnaie : leur dernière solde.

Vous entrerez sur le site par la **porte de Palmyre**, récemment dégagée du sable, et défendue de part et d'autre par deux bastions. L'intérieur de l'enceinte est complètement dévasté et il ne reste plus que les sou-bassements des édifices qui en occupaient l'espace. (Juste après la porte, un panneau bleu présente un plan du site). À g. de la porte, contre la muraille, se trouvent les vestiges de la synagogue. À dr., ceux d'une chapelle chrétienne. En poursuivant tout droit dans le prolongement de l'entrée, vous suivrez le **décumanus** autrefois bordé d'une colonnade. En chemin, à g., vous laisserez le périmètre de l'**agora**, bordée de quartiers d'habitations récemment mises au jour.

Parvenu au bout de cette allée, vous arriverez au bord d'un ravin qui descend vers l'Euphrate. En contrebas à dr. au flanc d'une colline, la première forteresse grecque vient d'être consolidée. À g. s'élèvent les restes de la **citadelle**. Ne manquez pas de grimper au sommet : vous découvrirez de là une **vue** magnifique sur l'Euphrate. Seul le tap-tap régulier des pompes à moteur vient troubler la sérénité du lieu tandis qu'au loin brûlent les torchères des champs pétrolifères de Deir ez-Zor.

## Mari***

➤ *À 124 km de Deir ez-Zor ; entrée libre ; le gardien du site se fera un devoir de vous offrir le thé et de vous vendre ses quelques cartes postales.*

Au mois d'août 1933, un paysan dé-terra d'un coup de pioche une sta-tue de style sumérien, sur le site connu jusqu'alors sous le nom de Tell Hariri. En décembre de la même année, le musée du Louvre avait obtenu la concession des fouilles et André Parrot commen-çait ses recherches. Il les poursuivit jusqu'en 1974, date de sa dernière cam-pagne. Déçu par les premières excavations qui ne donnaient rien, A. Parrot se résolut à entamer une seconde tranchée. Là, dès janvier 1934, une statue fut exhumée : sur la pierre était gravé le nom d'un roi de Mari, cette capitale de l'Orient ancien que l'on ne connaissait jusque là qu'au travers des listes royales sumériennes. Les travaux se poursuivent sous la direction de J.-C. Margueron depuis 1979.

### Mari au IIIe millénaire

Le site fut tout d'abord occupé à l'époque des dynasties que les histo-riens appellent présargoniques, c'est-à-dire antérieure au règne de Sargon (2340-2284), maître sémite d'un royaume qui s'étendit de la Mésopotamie jusqu'à l'Anatolie et dont la capitale, Akkad, n'a pas été identifiée à ce jour. De fait, la cité de Mari semble avoir été fondée vers le XXVIIIe s. avant notre ère. Les fouilles ont montré qu'il s'agis-sait d'une ville de plan circulaire, protégée par une levée de terre : une digue probablement destinée à prémunir la ville des déborde-ments saisonniers de l'Euphrate qui, à cette époque, coulait à un km de la ville (3 km aujourd'hui). Elle était reliée au fleuve par un canal qui passait au beau milieu de la ville, le tout dans une région dont la faible pluviosité interdisait toute agriculture sans irrigation. Tous ces éléments réunis ont convaincu les archéologues qu'il s'agissait de la création d'un seul élan et selon un plan raisonné d'une ville nouvelle et non du développement progressif d'un petit hameau agricole. Mari fut sans doute un avant-poste sumérien avant de devenir la capitale de l'un des plus puissants royaumes de l'Orient ancien. Il étendait sa domination jusqu'aux rives de la Méditerranée ; un temps, le royaume d'Ebla dut lui payer tribut. Si les fouilles n'ont révélé que très peu de textes sur cette première période, une quarantaine de tablettes tout au plus, la moisson en objets précieux a été extraordinaire : une collection exceptionnelle par le nombre et la qualité des statues de **personnages en prière** de facture sumérienne, un splendide pectoral d'un **aigle à tête de lion** (ou d'une chauve-souris), un des trésors du Musée de Damas, des panneaux décoratifs incrustés de nacre... En matière d'édifices, A. Parrot découvrit dès 1934 les fondations d'un temple dédié à Ishtar : c'est là que fut découverte la statue de Lamgi Mari, roi de Mari, qui permit d'identifier le site. Quant au palais du IIIe millénaire, il ne fut découvert qu'en 1964, sous le palais du IIe millénaire.

Vers 2400, l'astre de Mari déclina : le royaume fut soumis à celui d'Ebla avant que les deux capitales ne soient conquises vers 2300 par Sargon d'Akkad. Le nouveau maître de l'Orient y installa des gouverneurs qui se proclamèrent indépendants à la chute de l'empire d'Akkad (vers 2150). Cette nouvelle dynastie, appelée **dynastie des Shakkanaku**, régna sur la ville jusqu'à la fin du IIIe millénaire. Leur histoire nous est pratiquement inconnue ; tout au plus connaissons-nous la liste des souverains. À l'exact emplacement du palais précédent, les Shakkanaku construisirent, vers le XXIe s., une nouvelle résidence royale, ainsi que des temples comme le **temple aux lions** où furent découverts deux lions de bronze dont l'un est exposé au musée d'Alep (voir p. 167 ; l'autre se trouve à Paris, au musée du Louvre). La dynastie des Shakkanaku disparut dans les dernières années du IIIe millénaire, probablement à la suite des troubles consécutifs aux invasions des tribus amorites (voir p. 40). L'une d'entre elles s'établit à Mari vers 1850 et fonda la dynastie des Lim. Avec Alep et Babylone, Mari devint l'une des trois puissances majeures de l'Orient en ce début du IIe millénaire.

En matière archéologique, les trouvailles furent là aussi exceptionnelles. Dès 1935, A. Parrot découvrait le **palais des Lim**, développement architectural de celui de l'époque précédente, le plus vaste des palais de la région jamais mis au jour : plus de 300 pièces et cours intérieures, protégées par des murs qui atteignaient encore par endroits une hauteur de 4 m. L'étude de son plan d'ensemble a permis de reconstituer l'économie du palais avec sa salle du trône, où fut retrouvée, face contre terre, la splendide **statue en diorite d'Ishtup**

**Ilum** qui orne aujourd'hui une des salles du musée d'Alep, ses salles d'apparat comme celle où fut retrouvée la célèbre **déesse au vase jaillissant** (musée d'Alep), mais aussi ses communs, ses ateliers, ses cuisines où reposaient encore des moules à pain (musée d'Alep), le tout doté d'un système de puits, de citernes, de réserves et d'égouts. À cela s'ajouta la découverte de près de **15 000 tablettes**, datant principalement du règne de Zimri Lim (vers 1780-1759), le dernier des rois de Mari. Elles illustrent la vie économique, politique et diplomatique de Mari au temps où le royaume rivalisait de puissance avec Alep et Babylone. La fin de Mari fut brutale : elle vint de l'E, de Babylone et de son roi, Hammourabi, allié un temps de Zimri Lim et descendant d'Amorites comme lui, qui prit la ville en 1759, la pilla et l'incendia. La ruine de Mari fit la fortune des archéologues : en s'écroulant, les murs protégèrent les niveaux inférieurs du palais et ensevelirent sous les briques les menus objets de la vie quotidienne délaissés par les pillards, les statues renversées des souverains ainsi que les archives de l'État défunt.

## La visite

Il faut bien admettre que la visite du site de Mari peut s'avérer décevante pour un œil non exercé. D'une part, les murs mis au jour ont considérablement souffert des intempéries, pluie et vent, depuis leur découverte voici près de 50 ans. Seule une partie du palais est protégée par un auvent. D'autre part, la superposition des différents niveaux d'occupation rend difficile une vision d'ensemble du site. Devant le palais, un panneau rédigé en un français approximatif permet de repérer les différentes parties du site : le palais de Zimri Lim, les cuisines et les dépendances, le temple d'Ishtar sur la g., un autre quartier sacré à dr. avec le temple de Nini Zaza. Reste qu'il est bien émouvant de pénétrer dans cette salle du trône d'un palais vieux de 4 000 ans. À l'entrée du site, près de la cabane du gardien, se trouve le camp des archéologues, qui semble sortir tout droit du roman d'Agatha Christie *Meurtre en Mésopotamie*. La campagne de fouilles se déroule généralement au mois d'octobre.

16 km plus au S, la bourgade de **Abou Kamal** se trouve immédiatement à la frontière avec l'Irak (toujours fermée en 1995). Vous y trouverez quelques petits restaurants, dont un en bordure de l'Euphrate.

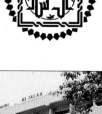

# QUELQUES MOTS DE SYRIEN

## Compter

| | |
|---|---|
| 0 | Sifr |
| 1 | Wâhed |
| 2 | Tneïn |
| 3 | Tlaté |
| 4 | Arbaa |
| 5 | Khamsé |
| 6 | Sitté |
| 7 | Sabaa |
| 8 | Tamânia |
| 9 | Tissa'a |
| 10 | Achra |
| 11 | Idaachr |
| 12 | Tnaachr |
| 13 | Tléttachr |
| 14 | Arbatachr |
| 15 | Khamstachr |
| 16 | Sittachr |
| 17 | Sabatachr |
| 18 | Tmenachr |
| 19 | Tissatachr |
| 20 | Achrin |
| 21 | Wâhed wa achrin |
| 22 | Tneïn wa achrin |
| 30 | Talatin |
| 40 | Arba'in |
| 50 | Khamsin |
| 60 | Sittin |
| 70 | Sabin |
| 80 | Tamânin |
| 90 | Tisin |
| 100 | Miyé |
| 200 | Miteïn |
| 300 | Talât Miyé |
| 400 | Arba Miyé |
| 500 | Khams Miyé |
| 600 | Sitt Miyé |
| 700 | Sab Miyé |
| 800 | Tamân Miyé |
| 900 | Tis Miyé |
| 1 000 | Alf |

## Les jours et les heures

| | |
|---|---|
| Lundi | Al Itnayn |
| Mardi | At Tlatè |
| Mercredi | Al Arbaa |
| Jeudi | Al Khamis |
| Vendredi | Al Joumaa |
| Samedi | As Sabt |
| Dimanche | Al Ahad |
| Quelle heure est-il ? | Addeish es-sâa |
| Heure | Sâa |
| Minute | Daqiqa |
| Il est une heure | Es-sâa wahda |
| Il est quatre heures | Es-sâa arba |

## Expressions courantes

| | |
|---|---|
| Bienvenue | Ahlan wa Sahlam |
| (celui qui reçoit) ; | Ahlan bikum |
| (réponse) | |
| Bonjour | Sabah al-kheir |
| Bonsoir | Masâl-kheir |
| Bonne nuit | Laîlé saîdé |
| Salut | Marhaba |
| Le salut soit sur vous | |
| (formule de politesse usuelle) | |
| As-salâm aleïkoum | |
| Comment allez-vous ? | Kif alak |
| Aujourd'hui | El-yaoum |
| Hier | Embareh |
| Demain | Boukra |
| Oui | Nâm |
| Non | La |
| S'il vous plaît | Min fadlak |
| (min fadlik au fém.) | |
| Merci | Choukrân |
| Combien | Addeish |
| Quoi ? Qu'est-ce ? | Chou ? |
| Qu'est-ce que c'est ? | |
| De quoi s'agit-il ? | Chou fi ? |
| Que voulez-vous ? | Chou baddak ? |
| Donnez-moi | Atini |
| Cela ne fait rien | Maalesh |
| Lentement | Shwei shwei |

## En ville

| | |
|---|---|
| Ville | Medîné |
| Quartier | Hay |
| Rue | Sheri'a |
| Avenue | Chari'a |
| Chemin | Darb |
| Route | Tariq |
| Pont | Djisr, qantara |
| Église | Knisé |
| Mosquée | Djami'a |
| Bazar, marché | Souk |
| Douane | Goumrok |
| Librairie | Maktabé |
| Magasin | Makhzen |
| Musée | Mathaf |

## À l'hôtel

| | |
|---|---|
| Hôtel | Hotel, fondoq |
| Chambre | Oûda |
| Quel est le prix par jour ? | |
| Kam el-idjra fi n-nahâr ? | |
| Montrez-moi les chambres | |
| Fardjîni-I-ghurfre | |
| Où sont les toilettes ? | |
| Fayn beyt el-toilette | |
| Apportez-moi la note | |
| Atini el-hisâb | |
| Lit, matelas | Farché |
| Couverture | Hourâm |
| Oreiller | Makhadde |
| Drap | Charchaf |
| Étage | Tâbeq |
| Eau chaude | May sakhne |

## À table

| | |
|---|---|
| Menu | Wajbé |
| Assiette | Sahn |
| Verre | Kassé |
| Couteau | Sikkîn |
| Cuiller | Milâqa |
| Fourchette | Choké |
| Serviette | Foutâ |
| Sel | Mileh |
| Poivre | Felfel |
| Huile | Zêit |
| Vinaigre | Khall |
| Beurre | Zebdé |
| Pain | Khoubez |
| Vin | Nabîd |
| Bouteille | Qannîné |
| Eau | May |
| Bière | Bîra |
| Viande | Lahm |
| Mouton | Lahm kharouf |
| Bœuf | Lahm baqar |
| Veau | Lahm îdjl |
| Poule | Djajé |
| Poulet | Farrouj |
| Omelette | Beid Me'li |
| Œufs | Brid |
| Rôti | Rôsto |
| Rôti à la broche | Lahm mechwï |
| Filet | Filé |
| Côtelette | Castaletta |
| Salade | Salata |
| Dessert | Halou |
| Fruits | Fawâki |
| Note | Hîsab |

## Sur la route

| | |
|---|---|
| Route | Tariq |
| Chemin | Darb |
| A droite | Yemînak |
| A gauche | Chemalak |
| Essence | Benzin |
| Eau | Maî |
| Connaissez-vous le chemin d'ici à… ? | |
| Taref el Tarik min hôn ila… ? | |
| Est-ce loin d'ici ? | Et-tariq baîdé |
| min hôn ila… ? | |
| Combien de kilomètres ? | |
| Kam kilomètre ? | |

# DES LIVRES,
## DES DISQUES ET DES FILMS

## Ouvrages généraux

André RAYMOND (ouvrage collectif sous la direction de), *La Syrie d'aujourd'hui,* CNRS, Centre d'études et de recherches sur l'Orient arabe contemporain, 1980-81. Une somme assez savante sur de multiples aspects de la Syrie d'aujourd'hui.

Philippe RONDEAU, *La Syrie,* PUF, «Que Sais-Je ?», nouvelle éd. 1993. Une excellente introduction au pays, claire et synthétique.

## Histoire et religion

Jean CORBIN, *L'Église des Arabes,* Cerf, 1977. Pour en savoir plus sur la complexité de la chrétienté orientale.

Gérard DEGEORGE, *Damas des Ottomans à nos jours,* L'Harmattan, 1994. Une belle histoire de Damas et de son développement urbain, le tout agrémenté d'anecdotes sur la vie quotidienne à chaque époque ; une lecture très agréable. Du même auteur, signalons *Syrie, art, histoire, architecture,* Hermann, 1983, bellement illustré, et *Palmyre, métropole du désert,* Séguier, 1987, bel ouvrage plus spécialement consacré à l'architecture de cette ville.

Henri-Paul EYDOUX, *Les Châteaux du soleil,* Perrin, 1982. Une somme, d'une lecture très facile, sur les châteaux médiévaux de Terre Sainte. Indispensable pour qui s'intéresse à cette période.

André-Jean FESTUGIÈRE, *Antioche païenne et chrétienne,* éd. E. de Boccard, 1959. Un ouvrage majeur si l'on s'intéresse à la Syrie de l'Antiquité tardive, précisément à ce IVe s. où coexistent philosophes chrétiens et païens. On y trouve, notamment, la traduction de la vie de saint Siméon par Théodoret de Cyr. L'ensemble, un peu savant, est remarquablement écrit.

Philipp HITTI, *History of Syria, Palestine and Lebanon,* 1951. Ancien, mais fait toujours autorité. Une somme !

Jacques LACARRIÈRE, *Les Hommes ivres de Dieu,* «Points Sagesse», Fayard, 1976. Avec son immense talent de conteur, Jacques Lacarrière nous brosse un tableau sensible et poétique des premiers ascètes chrétiens. On y parle abondamment de la Syrie.

Bernard LEWIS, *Les Assassins,* éd Complexe, 1982. Une approche exhaustive de la célèbre secte médiévale.

Henri-Irénée MARROU, *L'Église de l'Antiquité tardive,* «Points histoire», Seuil, 1985. Une introduction fouillée sur les querelles théologiques des premiers siècles de la chrétienté.

Louis PERILLIER, *Les Druzes,* Publisud, 1986. Une étude synthétique sur cette branche de l'islam.

Amin MAALOUF, *Les Croisades vues par les Arabes,* J.-C. Lattès, 1983. L'« autre » point de vue sur la période des Croisades. Passionnant.

Zoé OLDENBOURG, *Les Croisades,* Gallimard, 1965. Un ouvrage magistral dans un style éblouissant.

OUSAMA, *Un Prince syrien face aux Croisés,* trad. et adapté par André

Miquel, Fayard, 1986. Récit auto-biographique d'un prince arabe à l'époque des croisades.

Georges Roux, *La Mésopotamie*, Seuil, 1985. Une des seules études complètes sur l'histoire de l'Orient ancien. C'est un peu complexe et touffu, mais indispensable si l'on veut approfondir la connaissance de cette période.

Georges Tate, *Les Campagnes de la Syrie du Nord du IIe au VIIe s.*, Paul Geuthner éd., 1992. Une somme sur les «villes mortes» de Syrie : passionnante enquête démo-graphique et économique sur la ré-gion du Massif calcaire, enrichie de nombreux plans et schémas.

Robert Turcan, *Héliogabale et le sacre du soleil*, Albin Michel, 1985. La biographie du prêtre d'Émèse devenu empereur de Rome.

Jean-Pierre Valogne, *Vie et mort des chrétiens d'Orient*, Fayard, 1994. Un tableau d'ensemble des communautés chrétiennes du Proche Orient ; leur histoire et leurs problèmes contemporains.

## Littérature

Maurice Barres, *Un jardin sur l'Oronte*, Gallimard, "Folio" (1re éd. 1922). Une rêverie au bord de l'Oronte.

Gustave Flaubert, *Voyage en Orient.*
Alphonse de Lamartine, *Voyage en Orient.*

Abdel Salam al-Ujayli, *Damas Téléphérique*, Publisud/UNESCO, 1974. Un roman d'apprentissage dans la Damas des années 60, au temps de l'union avec l'Égypte.

## À consulter également

*Syrie : mémoire et civilisation*, Catalogue de l'Exposition qui s'est tenue à l'Institut du Monde arabe à Paris, Flammarion, 1993-94.

Le n° 65 de la revue *Autrement* consacré à Damas, 1993. Un excel-lent recueil d'articles.

Le n° 31 de la revue *Le Monde de la Bible* consacré à la **Syrie byzantine**. Excellent mais malheureusement épuisé. Le n° 48 de la même revue est consacré au site d'**Ougarit**, le n° 67 à l'**Orient ancien dans les collec-**tions du Louvre, le n° 74 à **Palmyre**. Tous sont d'un très grand intérêt.

## La Syrie en chansons

Il existe bien peu de choses dispo-nibles en France… Signalons tout de même l'extraordinaire enregis-trement d'un concert donné en août 1994 au maristan Arghun d'Alep par le chanteur classique **Adib Dayikh**. Les poèmes chantés sont principalement extraits du *Livre des Chansons* d'Abu al-Faraj al-Asfahani, recueil qui date du Xe s. CD Al Sur, ALCD 143, distri-bué par Media 7.

## La Syrie à l'écran

Pratiquement ignoré par le public français, le 7e art syrien jouit d'une certaine notoriété chez les ciné-philes arabophones. Bien qu'il ait à subir la censure des autorités de Damas, il réussit à faire passer des messages clairs pour qui veut bien les comprendre.

*Sens interdit* (1975), de Marwan Haddad avec Mouna Wassef, Bassam Lofti et Sabah al-Jazaïri. Le film se situe après la guerre des Six Jours en 1967 qui vit la victoire de Tsahal sur les armées arabes. Le metteur en scène se lance dans une remise en question et décrit l'amer-tume de toute une génération.

*Les Rêves de la ville* (1983), de Mohammad Malas avec Rafic Sebeï, Yasmine Khlat et Ayman Zeidan. Ce film narre l'épopée d'un petit garçon, Dib, qui après avoir quitté Kuneïtra en 1950 vient s'ins-taller dans la capitale avec sa mère (jeune veuve) et son petit frère. Au fil des ans, il voit tomber une dicta-ture, nationaliser le canal de Suez en 1956 et l'union entre l'Égypte et la Syrie en 1958. En marge de la grande histoire, Dib vit la sienne. Ce film un peu opaque pour un non-spécialiste a enthousiasmé tous les spectateurs syriens.

*Chronique de l'année prochaine* (1986), de Samir Zikra avec Najah Safkouni, Nayla al-Attrache, Hala al-Faysal et Abidou Bacha. Ses études de musique terminées,

Mounir rentre au pays et rêve de monter un orchestre. Mais il est arrêté dans sa lancée par de multiples obstacles politico-culturels.

*À l'attention de Madame le Premier ministre* (1989), de Omar AMIRALAY, documentaire de 52 mn. Le réalisateur attend un entretien avec Benazir Bhutto et en profite pour faire voyager sa caméra à travers le pays et ses foules qui cherchent un interlocuteur. L'histoire en marche…

*Les Gourmands* (1991), de Raymond BOUTROS avec Ayman Zeidan, Carmen Loubous et Mouna Wassef. Le film décrit la ville de Hama à travers les différents aspects de sa vie sociale.

*Les Figurants* (1993), de Nabil EL MALEH avec Bassam Koussa et Samar Samir. Deux amants se retrouvent dans l'appartement d'un ami… Extraordinaire huis-clos où la société syrienne est décrite en filigrane. Ce film a gagné le prix d'interprétation féminine et masculine du festival du film arabe de l'Institut du Monde Arabe en 1994.

# INDEX

Ebla : nom de lieu
*Saladin :* nom de personnage
MAMELOUKS : mot-clef
Les folios en **gras** renvoient aux textes les plus détaillés. Les folios en *italique* renvoient aux cartes et plans.
Musées, églises, monastères, mosquées, etc. sont répertoriés à leur nom ainsi qu'en sous-entrée des principales villes.

# LA COLLECTION
## *GUIDES VISA*

• En Afrique du Sud et aux chutes Victoria • A Amsterdam et en Hollande • En Andalousie • En Angleterre et au Pays de Galles • En Australie • Aux Baléares • A Barcelone et en Catalogne • En Bavière et en Forêt-Noire • A Berlin • Au Brésil • A Bruges et à Gand • A Budapest et en Hongrie • En Bulgarie • En Californie • Au Cameroun • Aux Canaries • A Ceylan et aux Maldives • En Chine et à Hong-Kong • A Chypre • En Corée • En Côte d'Ivoire • En Crète et à Rhodes • A Cuba • Au Danemark • En Écosse • En Égypte • A Florence • En Floride • En Grèce • En Guadeloupe • Aux îles Anglo-Normandes • Aux îles Grecques • En Inde du Nord • En Indonésie • En Irlande • En Israël • A Istanbul • Au Kenya et en Tanzanie • A Londres • A Madagascar • A Madrid et en Castille • Au Mali et au Niger • A Malte • Au Maroc • A Marrakech et dans le Sud marocain • En Martinique • A Moscou et à Saint-Petersbourg • Au Népal • A New York • En Nouvelle Calédonie • A Paris • En Pologne • Au Portugal • A Prague et en Bohème • Au Québec • A la Réunion, à l'île Maurice et aux Seychelles • A Rome • Au Sénégal • En Sicile • En Suède • En Syrie • A Tahiti • En Thaïlande • A Tokyo et au Japon • En Tunisie • En Turquie • A Venise • A Vienne et en Autriche • Au Viet Nam

## GUIDES DE VOYAGE HACHETTE.
*C'est là que commence le voyage...*

**Crédit photographique**.

G. Degeorge : p. 6 ; P. Josse : p. 18 ; G. Degeorge : p. 28 ; B. Barbey,
Magnum : p.32 (ht) ; A. Descat, M.A.P. : p. 32 (bas) ; G. Degeorge : p. 33
(g.); G. Degeorge : p. 33 (d) ; J.-L. Charmet : p. 41 ; N. Nilsson : p. 53 ;
G. Dagli Orti : p. 60 (ht) ; G. Degeorge : p. 60 (bas) ; G. Degeorge : p. 61
(ht) ; Giraudon : p. 61 (bas) ; G. Degeorge : p. 64 ; Giraudon : p. 72 (ht) ;
G. Degeorge (Bibliothèque nationale) : p. 72 (bas) ; Louvre : p. 73 ; Garcin,
Diaf : p. 98 ; G. Dagli Orti : p. 118 ; Giraudon : p. 119 ; P. Josse : p. 123 ;
Lauros, Giraudon : p. 151 ; P. Josse : p. 154 ; Garcin, Diaf : p. 162 (ht) ;
G. Degeorge : p. 162 (milieu) ; B. Grilly : p. 162 (bas) ; B. Grilly : p. 163 (ht, g.) ;
P. Josse : p. 163 (ht, milieu) ; B. Grilly : p. 163 (nt, dr.), (bas) ; RMN :
p. 180 ; W. Louvet/Visa : p. 181 ; N. Nilsson : p. 188 ; Giraudon : p. 192 ;
Lauros, Giraudon : p. 193.

**Couverture** : Gérard Degeorge, *Le battage de la laine sur l'Oronte.*

Imprimé en France par I.M.E. - 25110 Baume-les-Dames
Dépôt légal n° 6844-01/1996 - Collection n° 12 - Edition n° 01
ISBN : 2-01-242312-4 - ISSN : 0762-2392 - N° imprimeur : 10487
24/2312/7